CW00557834

HEDFAN Flight

8/7/01 - 24/02/02

Amgueddfa ac Oriel Genedlaethol Caerdydd
National Museum & Gallery Cardiff

Noddwyd gan
Sponsored by

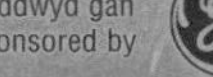

GE Engine Services, Inc.

HEN DŶ FFARM

D. J. Williams

Awdur
Hen Wynebau; Storïau'r Tir Glas;
Storïau'r Tir Coch; Storïau'r Tir Du.

Argraffiad cyntaf—Hydref 1953
Ail argraffiad—Mawrth 1954
Trydydd argraffiad—Hydref 1963
Argraffiad newydd—Mawrth 1996

ISBN 1 85902 306 1

Dymuna'r cyhoeddwyr gydnabod cymorth
Adrannau Cyngor Llyfrau Cymru.

Argraffwyd gan Wasg Gomer, Llandysul, Dyfed

Cyflwynedig
i
Drigolion y Pedwar Plwyf:
Llansawel a Chaeo,
Pencarreg a Llanybydder

Cynnwys

Rhagair

Mae amryw resymau, yn sicr, pam y mae dyn yn ei boeni a'i gosbi ei hun drwy ysgrifennu llyfr; ie, ac yn waeth byth, yn fynych yn poeni a chosbi eraill a fyn geisio darllen y llyfr hwnnw. Un o'r rhesymau pwysicaf, yn ddiau, yw ei fod am gael gwared ar rywbeth sydd wedi tyfu'n faich ar ei ysbryd, ac nad oes iddo lonyddwch hyd nes y gallo, rywsut neu'i gilydd, drosglwyddo rhan o'r baich i arall. Y baich hwnnw, a'r trosglwyddiad ohono, a stamp personoliaeth yr awdur ar y cyfan, yw swm a sylwedd gwir lenyddiaeth.

Mae'n hen ystrydeb y gall pob dyn ysgrifennu un nofel yn ei fywyd, sef ei fywyd ef ei hunan; y gamp, meddir, yw ysgrifennu'r ail. Rwyf innau, o bryd i'w gilydd, wedi cael gollyngdod ac ysgafnhad i'm hysbryd wrth ysgrifennu brasluniau o hen gydnabod bro fy mebyd, yn ddynion ac anifeiliaid, ynghyd â rhyw nifer o storïau a seiliwyd ar fy adnabyddiaeth o fywyd y tu allan iddi. Ond wrth lunio'r storïau cawn fy mod i, yn reddfol rywsut, yn osgoi cymryd at unrhyw gymeriad y gallwn fy nghymathu fy hunan yn rhyw bell iawn ag ef—ond i'r graddau y mae pob creadigaeth yn rhan o'i chreawdwr. Ni all awdur, mwy na'r Creawdwr, greu ei wryw a'i fenyw ond o bridd ei ddaear ei hun. Doliau gwêr neu bren yw pob creadigaeth arall.

Wrth ysgrifennu'r llyfr hwn ar lun hunangofiant—fy nofel gyntaf fel petai—o ddefnyddiau sbâr na allwn, yn hawdd eu trin, mewn ffordd arall fe deimla'r darllenydd, yn ddiau, fel y teimlaf innau, nad yr hunangofiannydd, o gwbl, sy'n bwysig (a bwrw fod rhywbeth o bwys mewn dim sydd yma) ond, yn hytrach, y cefndir sydd o'r tu ôl iddo. A'r cefndir hwn na newidiodd ryw lawer, yn ei hanfodion, gellid barnu, drwy'r cenedlaethau a'r canrifoedd, hyd at fy amser i, oherwydd ei gyfyngu i'r un aelwyd ac i'r un gymdeithas sefydlog, a'm gorfododd, yn bennaf dim, i'm poeni fy hun, a phoeni eraill hefyd, wrth osod wrth ei gilydd yr hyn a geir yma. A bod croeso i'r llyfr hwn fel y mae, hwyrach y daw arall ar ei ôl a ddyry agwedd fwy personol ac uniongyrchol ar y math hwnnw o fywyd a brofais i ym mlynyddoedd fy mhlentyndod ar ffarm, mewn pwll glo, ac fel athro ysgol, hyd y dydd pan groesais drothwy Coleg Aberystwyth—yn *Chwech ar Hugain Oed* (teitl y llyfr hwnnw, os daw byth i olau dydd.) O hynny ymlaen ni theimlaf i fawr o ddim ddigwydd i mi na fu'n rhan gyffredin i liaws eraill a orfodwyd i gymryd bywyd a thynged Cymru fel rhywbeth o ddifrif yn eu bywyd a'u tynged hwy eu hunain. Cyflewyd hynny, yn barod, mewn digon o ffyrdd; ac fe'i cyfleir, eto, os yw Cymru i fyw, a hynny yn llawer gwell a chyflawnach nag y gallwn i.

Clywswn yn blentyn lawer o siarad am bethau 'slawer dydd, a rhaid fy mod i, yn anymwybodol, wedi gwrando'n dda arnynt, gan fod toreth o'r cyfryw wedi aros gyda mi ar hyd fy oes. Wrth groniclo rhyw nifer ohonynt yma ceisiais, hyd yr oedd hynny'n bosib, brofi eu cywirdeb yn ddogfennol. Ar y cyfan dalient y prawf yn dda. Ond byddai, weithiau, ryw dro aneglur, neu ryw dywyllwch yn y stori fel y cawswn i hi, fel na ddeallaswn erioed yn glir—rhyw ddiffyg yn fy nghof, neu yn fy amgyffred i ohoni ar y dechrau, efallai, neu yn eiddo'r rhai y clywswn hi ganddynt, wedi iddi ddod lawr o ben i ben am sawl cenhedlaeth. Fodd bynnag, nid unwaith na dwywaith y bu i gofnod syml o hen lyfr cofrestru eglwys y plwyf, neu ryw ffaith ychwanegol y trawswn arni ar ddamwain, ei gosod mewn golau newydd a diogelu ei chywirdeb cynhenid, er nad, o bosib, yn hollol fel yr arferwn i ei chredu.

Hyd y gallaf weld, gwladychodd pobl fy nhad, o bob tu, drwy'r canrifoedd, yn y ddau blwyf cyfochrog, Llansawel a Chaeo; a phobl fy mam hwythau, ar ochr ogleddol, ochr Deifi i blwyfi Pencarreg a Llanybydder, ac eithrio bod teulu fy nhad-cu o ochr ei fam, teulu Enoc Francis, yn hanfod o Sir Aberteifi. Gwnâi hyn y gwaith o olrhain yr achau yn llawer haws na phe byddent wedi mynd ymhell ar wasgar. Yn yr ymdrech i gael cywirdeb ffeithiol, hyd yr oedd modd, bûm yn ffodus rhyfeddol yn sicrhau cymorth parod ac ewyllysgar dau gyfaill arbennig; a'r ddau hynny, fel finnau, â'u gwreiddiau'n ddwfn yn hen deuluoedd gogledd Sir Gaerfyrddin. Nid arbedwyd na llafur nac amser ganddynt yn eu gwaith o gynorthwyo. A balch wyf o'r cyfle hwn i gydnabod fy nyled a datgan fy niolch dwfn iddynt. Cyfeirio yr wyf at y Parch. Dan Thomas, Ficer Caeo, sydd â'i wybodaeth am geinciau tylwythol Blaenau Cothi ynghyd â rhannau o Ddyffryn Teifi yn rhyfeddol; a'r llall, Mr Rhys Dafys Williams o Lansadwrn, a gollodd ei iechyd fel rheolwr banc wrth ofalu am eiddo a thrysorau pobl eraill, ac ennill hoen corff ac ysbryd, drachefn, wrth geibio am drysorau drutach nag aur y Rhufeiniaid o'r ogofau, gerllaw, yn hen hanes ardal Caeo a Chrug-y-bar a Thalyllychau.

Y mae eraill y dymunwn yn fawr ddiolch iddynt am garedigrwydd a chwrteisi di-ffael wrth ymholi â hwy: y Parch. W. J. Rhys, Glan Dŵr gynt, hanesydd y Bedyddwyr, am wybodaeth am Iwan (David Williams) a'i gysylltiad ag Enoc a Benjamin Francis; y Parch. Gomer M. Roberts, am hawl i ddyfynnu o'i ddarlith ddydd dathlu dau can mlwyddiant capel Bethel, Llansawel, a godwyd yn rhan olaf 1746—capel cyntaf y Methodistiaid Calfinaidd yng Nghymru, yn ôl pob tebyg; ac i'r Parch. Stephen Jones, gweinidog presennol Bethel, am fenthyg y copi o'r ddarlith hon, y mae'n resyn nas cyhoeddwyd gan yr eglwys ar y pryd, yn ôl y bwriad; fy hen ddisgybl, Mr Francis Jones, ein prif awdurdod, heddiw, ar Achyddiaeth y Cymry, am ei barodrwydd a'i gyflymdra nodweddiadol yn cael rhai manylion drosof o'r *Public Record Office*; Mr E. D. Jones o'r Llyfrgell Genedlaethol; Mr Brian Frith, gŵr hyddysg yn hanes Esgobaeth Caerloyw, Pyrswyr y tri Choleg—Iesu, Hertford a Magdalen, yn Rhydychen—ynghyd â'r Parch. W. D. Williams, Rheithor Begelly, Sir Benfro, am gymorth yn fy ymdrech ofer i geisio asio ynghyd ddau driawd o Jamsiaid clerigol, yn dad, mab, ac ŵyr, a fu'n olynol yn dal cysylltiad â Llansawel, Rhydychen a Swydd Gaerloyw, o 1672 hyd 1839; y cyfreithwyr, Mri. Morgan Griffiths Prosser a Grant, o Gaerfyrddin, parthed map y degwm; yr Athro John Hughes, Montreal, am ddarllen y llawysgrif drwyddi, a Wil Ifan ran ohoni, ac am lawer awgrym craff gan y ddau. Dyledus arnaf, hefyd, yw coffáu fy nyled i'r diweddar Fred S. Price, Abertawe, brodor o Lansawel, am ei lyfrau hanes byr a diddorol o'r tri phlwyf—Llansawel, Caeo a Thalyllychau.

Ac, yn olaf, dymunwn ddiolch yn gynnes i Wasg Gomer am eu gofal mawr a'u cwrteisi arferol wrth argraffu'r llyfr.

Gair am yr ail argraffiad

Dymunaf ddiolch yn gywir iawn i'r cyhoedd am y croeso hael a roddwyd i'r llyfr, fel y bu galw am ail argraffiad mewn byr o dro. Arwydd yw hyn, yn sicr, fod cyffro newydd yn y farchnad lyfrau Cymraeg, wedi'r diffrwythdra hir, a barai drallod i bob un sy'n caru einioes yr iaith Gymraeg—gan mai iaith farw, cyn hir, yw'r iaith honno na phrynir y llyfrau a sgrifennir ynddi; ac iaith farw, cenedl farw. Dymunwn ddiolch yr un mor gynnes i'r nifer luosog o adolygwyr, mewn papurau a chylchgronau ac ar y radio, a deimlodd ar eu calonnau i roi geirda i'r gwaith; yn gystal ag i ambell gyfaill caredig a dynnodd fy sylw at wallau orgraff. Derbyniais hefyd rai ugeiniau o lythyron caredig a gwerthfawrogol oddi wrth gyfeillion, pell ac agos, rhai ohonynt yn cynnwys awgrymiadau gwerthfawr parthed ail argraffiad o'r llyfr, os dôi hynny. Diolch eto i'r rhain. Yr awgrym mwyaf cyffredin ynddynt ydyw ychwanegu geirfa fer o'r geiriau tafodieithol, anghynefin i Gymru gyfan. Ac o'r amryw awgrymiadau gwerthfawr hynny a roddwyd, hwn, yn unig, y teimlir y gellir gweithredu arno ar hyn o bryd. Hyfrydwch hefyd yw mynegi fy ngwerthfawrogiad o hyder a brwdfrydedd y Cyhoeddwyr o Wasg Gomer.

D. J.W.
Mawrth, 1954

PENNOD I

O Gwmpas y Nyth

Fe'm ganed i, David John Williams, medden nhw, ym Mhenrhiw, plwyf Llansawel, Sir Gaerfyrddin, rhwng pedwar a phump o'r gloch y bore, y 26 o Fehefin, yn y flwyddyn 1885, a Margaret Anne, 'Pegi' fy chwaer, rhwng tri a phedwar o'r gloch, fore'r 21 o Ionawr, 1887. Yn ôl fy mam fe gododd Pegi awr gyfan o'm blaen i byth er y bore cynnar hwnnw. Cawsom ein dau ein henwau tramor oddi wrth ein dau dad-cu a'n dwy fam-gu—Jaci a Marged, Penrhiw a Dafydd ac Ann, Rhiw'r Erfyn (Gwarcoed, ar ôl hynny)—Cymry na wyddai'r tri ohonynt, hyd y gallaf i weld, odid air o Saesneg, na'r pedwerydd, Jaci, ond Saesneg pen ffair a digon i gadw tipyn o gyfrifon tolciog mewn dyddiadur. Bu brawd i ni, y cyntafanedig o'r briodas, farw ar ei enedigaeth, drwy i Mam, yn ei gwylltineb, redeg i lawr dros lethr serth Cae Dan Tŷ, o glywed fod buwch yn y gors ar waelod Cae Du, a hithau yn nyddiau ei thymp. Oni bai am y ddamwain honno, fel y clywais ddweud, 'James' fuasai fy enw i fel yr ail fachgen, ar ôl enw fy Nwncwl Jâms, brawd ieuengaf fy nhad, a oedd yn ŵr ifanc cyn priodi yn byw gyda ni'r pryd hwnnw fel un o'r teulu. Yn ôl pob tebyg, felly, 'Jim Penrhiw' fuasai f'enw i yn yr ardal, rhag bod dau Jâms yn yr un tŷ. Roedd gan fy mam frawd o'r enw Jâms; ac yr oedd Jâms, hefyd, yn enw teuluaidd o ochr fy nhad. Cawsai Nwncwl Jâms ei enw ar ôl ewythr iddo, Jâms Williams, 'Jemi Cilwennau,' brawd fy nhad-cu, ac un o feibion Llywele. Marged Jâms, hefyd, ydoedd fy mam-gu cyn priodi, un o Jamsiaid Cwm Gogerddan, Caeo.

Wrth geisio chwilio'n ôl yng nghelloedd cynharaf y cof, a chroniclo'r hyn a geir yno daw rhai anawsterau. Yn gyntaf, y mae ceisio gosod digwyddiadau yn ôl eu trefn hanesyddol yn waith go anodd gan fel y tawdd pob peth i'w gilydd yn y darlun sefydlog hwn sy'n aros mor glir ym meddwl y rhan fwyaf o bobl. *Bod,* yn unig, yn hapus ddiddig, y mae'r plentyn normal a fegir dan amgylchiadau normal yn ystod y blynyddoedd hyn. Y mae dydd a blwyddyn a thragwyddoldeb yr un hyd iddo, ac yn golygu'r un peth, hyd y mae'n ymwybodol ohonynt o gwbl. Un heddiw diderfyn yw'r cyfan. Yn ara deg y gwawria arno ei ddoe a'i yfory, a'u llawenydd a'u gofidiau yn cyd-luosogi.

Yn ail, y mae ei ddychymyg, hefyd, yn fyw rhyfeddol yn ystod y cyfnod hwn, a ffaith a ffansi'n gwau'n rhwydd i'w gilydd. O glywed adrodd gan eraill am ryw ddigwyddiad, nifer o weithiau, yn enwedig os y'i hadroddir yn weddol fywiog a dramatig, mae'n bosib i blentyn ddod i gredu'n gwbl onest ei fod ef yn y man a'r lle ar y pryd, yn gweld ac yn clywed y cyfan. Dyna pam y mae rhai plant bach o'r tair i'r whech oed, weithiau'n mynd trwy gyfnod o gelwydda arswydus, nes peri dychryn i'w rhieni gofalus am gywirdeb cydwybod o'r crud; a'r tad neu'r fam, efallai, wedi llwyr anghofio am gyfnod tebyg yn ei hanes ef, neu hi, ei hun. Peth gwahanol i hyn yw pall neu lacrwydd cynhenid y cof; a thra gwahanol wedyn yw'r pall neu'r llacrwydd moesol hwnnw lle nad yw'r ffin rhwng gwir a chelwydd, drwy gydol oes, ond mater o hwylustod personol.

Fel y digwydd, mae gennyf i un toriad clir yn fy hanes sy'n rhoi mantais arbennig i mi i amseru digwyddiadau yn ystod y cyfnod cyntaf yr wy'n ei gofio. Saif y toriad hwnnw yn glir a phendant yn fy meddwl, o hynny hyd heddiw. Nid â dim yn ôl nac ymlaen drosto.

Ar lyfr y dreth, yr enw ar fy hen gartref cyntaf i yw Penrhiw Fawr; nid am ei fod yn fawr, mae'n amlwg, ond i'w wahaniaethu oddi wrth Benrhiw arall yn yr un plwyf, dipyn yn nes i bentre Llansawel, sef Penrhiw Drummond fel y'i gelwid, weithiau, oherwydd perthyn ohono i stad a theulu Syr James Drummond o blas Rhydodyn, perchen degwm y plwyf cyfan, y pryd hwnnw, ynghyd â'r rhan helaethaf a gorau o'i dir. Ddechrau Hydref 1891, yn union wedi Dydd Gŵyl 'Engel, dydd pen tymor deiliaid tai a thiroedd yn gyffredin, ymfudodd fy rhieni o Benrhiw Fawr, ynteu, a rhoi iddo ei enw swyddogol, am y tro, gan groesi banc Cwmcoedifor, dros dop y tir, i le bach, yn union yr ochr arall i'r bryn, o'r enw Abernant, ar ochr y ffordd fawr sy'n rhedeg o Landeilo yn Nyffryn Tywi i Lanybydder yn Nyffryn Teifi. Rown i'n chwech a chwarter oed ar y pryd.

I mi y mae dydd yr ymfudo hwnnw yn un o ddyddiau

pwysicaf fy mywyd. Rwyf wedi bod o'r farn, ers tro byd, ar wahân i bob peth a ddywaid y seicolegwyr diweddar wrthym i gadarnhau hynny, fod cof a sylw plentyn o'r hyn sy'n mynd ymlaen o'i gwmpas yn ei ddyddiau cynnar, cynnar, yn rhywbeth llawer iawn dyfnach a dwysach nag y mae pobl, yn gyffredin, wedi arfer ei gredu. Clywais Deio'r Llether, dros ei bedwar ugain oed, ar gornel cae gwair, yn adrodd, yn hollol sobr, ei fod e'n cofio 'fel se hi ddo' am 'i fam yn hala'i llaw i'w phoced fowr o dan 'i phais ac yn rhifo mas ugen sofren felen ar dor llaw 'i dad iddo fe fynd i brynu ceffyl i Ffair Gŵyl Barna Llandeilo—a hynny dri diwrnod cyn iddo fe gael 'i eni. Hen walch go wreiddiol ei ffordd ydoedd Deio; ac nid awn i mor bell â chadarnhau gwirionedd llythrennol y dystiolaeth bendant uchod. Ond mi ddywedaf hyn—y credaf y gallwn i, heddiw, sgrifennu llyfr o dipyn o faint, heb dynnu dim ar fy nychymyg, yn ymwybodol, beth bynnag, o'm hatgofion am fy mywyd ym Mhenrhiw cyn i mi adael y lle yn rhyw chwech oed. Fel y dywedais, yn barod, math o ddarlun sefydlog o'm bywyd sydd gennyf hyd at yr adeg hon; ac nid oes gennyf wrth law, ond rhyw ddyddiad neu ddau i ategu neu i gywiro dim arno. Rhyw heddiw ddiddyddiad, ddiddarfod, ddiofid ydoedd y cyfan. Yr amseriad mwyaf pendant sydd gennyf yw'r dydd uchod y gadawsom Benrhiw, ddechrau Hydref 1891. Pa bryd y digwyddodd y llu mawr o bethau a gofiaf yn ddigon clir—yn gynnar neu'n ddiweddar yn ystod y chwe blynedd hyn—nid oes gennyf fawr o syniad. Ond gallaf eu *lleoli,* heddiw, yn lled sicr, y rhan fwyaf ohonynt, a nodi ymhle y digwyddodd y peth a'r peth; a'r fan yr own i'n sefyll arno, weithiau, pan glywais i hyn a hyn—ai yn y tŷ, ar y clos, yn y tai mas, yn yr ydlan, y berllan, yn un o'r gelltydd, neu ar ryw gae neilltuol. Gallaf ddangos y fan, er enghraifft, o fewn ychydig lathenni, o leiaf, ar Gae Llether Byrgwm lle gwelais i Nwncwl Jâms yn neidio, whiw, fel brân yn yr awyr, o ben y llwyth drain a mangoed, a Blac a'r gambo, gyda hynny, yn trolian dwmbwr-dambar, bedair neu bum gwaith i lawr dros y fron serth, nes sefyll o'r diwedd ar y waunlle frwynog ar y gwaelod—heb sgrap ar y gaseg, na linc o'r offer na dim o'i le. Mi fentraf ddweud, hefyd, nad âi llawer o neb yn y wlad â chart i'r fath le ond 'nhad. Dyn bach pybyr, mentrus oedd 'nhad, wedi ei fagu ar ffarm lethrog, drafaelus. Ond wrth fentro roedd 'i lygad e, bob amser, yn siarp yn 'i ben; a fe'i hunan, bob tro, fyddai yn y perygl pennaf. Y tro hwn, fodd bynnag, fe fentrodd fodfedd yn rhy bell—y fodfedd brin honno sydd weithiau'n pennu'r ffin i ddyn ac anifail rhwng amser a thragwyddoldeb.

Gallaf ddweud wrthych, hefyd, yng nghôl pwy yr eisteddwn i dan gornel chwith mantell 'y shime lwfer' pan ganai Harris Bach, fy nghe'nder, a oedd yn was twt yno, ar un adeg, ei unig gân gyhoeddus—'Hobed o Hilion'. Clywaf eto, druan o Harris Bach, ei lais ifanc, melys-grynedig, yn mynd trwy oslefau hiraethus yr hen alaw odidog hon—wedi i bawb, yn eu tro, fod wrthi drwy'r hwyrnos, yn ei gocso a'i gapian i ganu. Roedd pawb yn medru canu ym Mhenrhiw, gallwn feddwl; pawb ond Mam. Priodi i mewn i'r aelwyd a wnaeth hi. Nid oedd cerddoriaeth yn nheulu Gwarcoed. Cân Harris Bach, os ceid ganddo ganu, hefyd, fyddai'r eitem derfynol fel rheol. Ond weithiau, a phawb ar ymadael am eu gwâl, ac yntau wedi bod, drwy'r nos, yn bigitian â'r tân â phig ei fegin, fe ddisgynnai'r ysbryd ar Nwncwl Bili, brawd 'nhad-cu, a aned cyn Waterloo, gan beri iddo ddechrau ar un o'i storïau maith a manwl am yr hen amserau. Roedd e'n hen ŵr craff iawn, medden nhw, a'i gof am y dyddiau gynt yn rhyfeddol. Ond stori i'w gohirio yw honno amdano ef a'r hen Ddafydd Gilwennau, y ffarmwr a'r porthmon o Lansewyl, yn mynd â da bywiog Sir Gaerfyrddin i ffeiriau Lloegr. Eithr rhag anghofio peth mor bwysig—yng nghôl William John (Nant Gwinau, wedi hynny), ffafret fowr gen i, a gwas am y flwyddyn, gyda Nwncwl Dafydd 'r Esgair, y ffarm nesa, yr eisteddwn i, un o'r troeon hyn, beth bynnag. Roedd yntau'n hoff o ganu, a dôi draw ambell hirnos gaea, wedi dibennu â'r ceffylau, i uno yn y cwmni ar aelwyd Penrhiw.

Ychydig o bethau a gofiaf i am y capel, am nad eid â mi yno'n fynych, oherwydd y pellter i goesau byrion, mae'n debyg—dwy filltir faith dros gaeau serth a gweundir ac afon y rhan gyntaf o'r ffordd, i gapel yr Annibynwyr yn Esgerdawe. Yno'r oedd fy mam yn aelod selog cyn priodi, a pharhaodd yn Annibynwraig yr un mor selog hyd ei bedd, er yn perthyn i gapel y Methodistiaid yn Rhydcymerau, ran helaethaf ei hoes. Roedd ffyddlondeb a pharch i bethau cynharaf ei bywyd, mewn cartref ac eglwys, yn fath o addoliad yn natur fy mam. Rwy'n cofio am y pregethwr yn gweiddi—y Parch. Henry Jones, Ffaldybrenin—y gweinidog. Ef ydoedd gŵr 'Nanti Rachel', chwaer i fam Idwal Jones, Llambed. Gwraig o allu a phersonoliaeth arbennig ydoedd Mrs Henry Jones. Clywais Idwal, gyda'i ysmaldod arferol, yn dweud, yn ddiweddarach, fod ar Olwen, ei chwaer, ac yntau, yn blant ar eu gwyliau yn Ffaldybrenin, fwy o ofan ei Nanti Rachel nag o ofn y Bod Mowr 'i Hunan. I'm mam, i ni, fu'r fath ddyn erioed â'i gweinidog bore oes hi—Henry Jones, Ffaldybrenin, na rhagorach gwraig na'i briod. Ef, medden nhw eto, a daenellodd ddiferynnau oerion ar fy nhalcen i yn sgrechgi bach erchyll yn ei gôl yn sêt fawr Esgerdawe. Ond, fe synnwch, efallai—does genny'r un whithryn o gof am hynny, er pwysiced yr amgylchiad.

Er nad yw'r pellter o'm hen gartref i Ffaldybrenin ond rhyw chwech neu saith milltir yn groes gwlad, eto, unwaith yn unig, a hynny yn ei thŷ ei hun y cwrddais i â Mrs Henry Jones, a minnau, bellach, mewn oed, yn berchen gradd gyfan, ac wedi bod yn llanw bwt drwy geisio pregethu yn y capel ryw fore Sul, a chael cinio ganddi hi. Mae o'm blaen, yn awr, rodd a gefais ganddi hi'r bore hwnnw ac a brisiaf ymhlith fy nhrysorau. Llyfr trwchus, cyfansawdd, wedi ei rwymo'n dda ydyw, yn cynnwys, *Cymru Fu* (Glasynys), *Traethodau Gwladol a Moesol,* Francis Bacon (cyfieithiad Richard Williams, Trallwng) ac *Atgofion am John Elias* gan R. Parry (cyhoeddwyd gan Isaac Foulkes, Liverpool, 1864). Dyma sydd wedi ei sgrifennu arno:

> Rhodd Mrs Henry Jones i Mr Williams, B.A. er cof am ei hannwyl ŵr y Parch. H. Jones gweinidog Ffaldybrenin ac Esgerdawe am 40 mlynedd.

Heddwch i lwch y ddau dyst ardderchog hyn o'r bywyd Cristionogol. Yn y cylch gwledig hwn, dylanwadodd eu tystiolaeth ddi-sigl a chywir ar dorf fawr o bobl—yn uniongyrchol ac yn anuniongyrchol.

Roedd fy nhad yn heliwr o'i fodd. Cofiaf amdano'n gwanu'i ddryll o'r golwg ym môn y berth cyn dod at Ryd

Fallen Isa ar y ffordd i ryw gwrdd deg o'r gloch, fore o'r wythnos yng Nghapel Esgerdawe (Cwrdd Diolchgarwch, yn lled-debyg); am rywun yn rhoi'r emyn mas i'w ganu bob yn ddwy linell i lond capel o bobl; ac am lais tyner rhyw hen ŵr ar weddi, yn codi ac yn gostwng, yn codi ac yn gostwng, a'r effaith arnaf i.

Cofiaf, hefyd, am y sioc a gefais ar ddiwedd y cwrdd whech ryw nos Sul, ganol haf, a finnau'n dechrau adrodd yn gyffrous wrth 'nhad, ymhell cyn cyrraedd y drws, am y ci coch wedi boddi a welswn i yn y crych ar waelod y pwll o dan Esgair Wen wrth ddod i'r capel gyda Dafydd y gwas. Chwarddodd pawb yn uchel. Beth wnes i o'i le doedd genny'r un syniad.

Hen lanc ydoedd Nwncwl John, Gwarcoed, brawd fy mam, ac un o'r hen fechgyn cywiraf a mwyaf didwyll a fu erioed, ond yn arw a lletwhith 'i ffordd gyda phlant. Rwy'n cofio'n eitha da fel y byddwn i, pan awn i weithiau, i gwrdd bore Sul, yn arswydo rhag dod i ben hewl Cwm Dawe lle gwahanai'r ffordd i Benrhiw a Gwarcoed, oherwydd yno y byddai brwydr galed bob tro. Cydiai Nwncwl John â'i law fawr esgyrnog yn fy llaw i fel feis, gan geisio fy nhynnu gydag ef i Warcoed. Stranciwn innau gan lynu am fy mywyd wrth bwy bynnag o deulu Penrhiw a fyddai genny ar y pryd, rhag cael fy nwyn oddi arnynt yn erbyn fy ewyllys.

Y plentyn yw tad y dyn, medd yr hen air. A diau nad oes air cywirach, petai modd deall y plentyn yn llawn. Er yn gartrefol ddigon gyda llawer math o bobl, eto, yn nirgel ddyn y galon, dyn y cwmni bychan y bûm i erioed. Yno y gallaf fod debycaf i mi fy hun. Fe âi Pegi, fy chwaer, yn blentyn bach, yn siriol a serchog at bawb, medden nhw. Nid oeddwn i mor barod—medden nhw, eto. Gan ein bod ni mor bell o'r ffordd fawr ni ddôi rhyw lawer o ddieithriaid i Benrhiw. Hwyrach yr eglurai hynny'r ffaith mai tipyn o hwch fud oeddwn i y tu allan i gylch cyfrin y teulu. 'Plentyn diddig a chontented iawn yw e wedi bod, ariod'—llawer gwaith y clywais fy mam yn dweud fel yna amdanaf wrth rywun o'i ffrindiau, pan oeddwn i'n fach. Clywais eiriau gwahanol ganddi, weithiau, wedi i mi ddod yn hŷn, a dechrau magu cwils a sgwaro tipyn yn y nyth. Mae'n debyg mai wedi mynd i'r ysgol a chymysgu â phlant eraill tua'r un oed â mi y dechreuodd yr Hen Adda, o ddifri, aflonyddu ynof. Ond yn fy nyddiau cynnar, er mai tawedog oeddwn gyda dieithriaid, mae'n debyg, os cymerwn i at rywun fe gymerwn ato'n llwyr. Doedd dim hanner y ffordd yn bod. Gallaf gofio'n awr am ryw bedwar o bersonau a oedd mewn ffafr arbennig gennyf; a sylwer—dynion oedden nhw i gyd. Fues i ariod yn rhyw swci merched 'ma, er yn eitha partners â nhw. Diau y rhaid gadael atyniad naturiol dyn at ambell berson, neu greadur, yn fwy na'i gilydd, fel peth anesboniadwy, megis magned y gogledd; canys un o'm ffrindiau pennaf i, y cyfnod hwn, ydoedd yr hen John Ifans, Bryndafydd Isa—crebach o hen ŵr tal, tenau, araf ei barabl, a chnowr dybaco dygn. Er fod yna'n agos i bedwar ugain mlynedd o amser yn ein gwahanu ni'n dau, eto, pan ddringai ef, weithiau, a'i frest gaeth, o gam i gam, at y tŷ, ym Mhenrhiw, ac eistedd dan fantell lydan y simnai, a dechrau tynnu siarad â fi, buan y ceid fi'n nythu rhwng ei ddwy benlin fain—'a fe wedwn liw 'y mherfedd wrtho,' meddai fy mam: hanes popeth a wyddwn —y cywion, yr ebol bach, yr oen swci, ac i chwanegu at ddifyrrwch yr hen ŵr, os byddai holi am hynny, câi wybod pwy oedd cariadon diwetha Nwncwl Jâms a'r gweision a'r morwynion. Y tri ffafret arall, genny, y tu fas i'r teulu, fyddai Nwncwl Dafydd 'r Esgair, y ffarm nesa, a Wiliam John, gwas yr Esgair, y soniais amdano'n barod, ynghyd ag Ifan, gwas Esgair Wen (Ifan y Rhiw, wedi hynny).

Ac fel troi tap pan fyddo cron y dŵr yn rymus, felly'n union o roi cyfle iddynt, y daw i mi lif o atgofion am bethau bychain, dibwys fel yr uchod: megis am y ddeudro neu dri y ces i fynd gyda'm mam y deuddeg milltir gyfan o ffordd i farchnad Llandeilo i werthu menyn ac wyau a ffowls; ie, ac ambell geiliog ffesant, a'r hydre symudliw ar ei fron, ac, efallai, betrisen fach dew, wrth ei ochr, yn nistaw amdo'r sach. Roedd gofyn codi leisens dryll, tair a wheugain lawn, pris treisiad flwydd bron, y pryd hwnnw, cyn y câi dyn hawl i gwympo deryn ar ei dir ei hun; a thalu wheugain am gario dryll i saethu brân a fyddai'n difa'r had yn y gwanwyn. Pa ryfedd fod pob Cristion teilwng o'i broffes yn botsier cydwybodol—os potsier yw'r enw ar ddyn a esyd ei law ar yr hyn a fagodd ar ei gost ei hun. Ond leisens neu beidio, roedd pŵer o adar bach pert, y dwthwn hwnnw, yn newid dwylo'n slei bach ar fore Sadwrn rownd i gorneli tŷ marchnad a thre Llandeilo.

Blac fyddai gyda ni, bob amser, ar y siwrneion hyn; a'r callaf o'r cesyg oedd hi, a'r mwynaf hefyd. Gallai plentyn ei thrafod. Roedd hi'n hamddenol a bonheddig, ac ni therfid mohoni byth gan unrhyw ffolineb neu wrthuni pen ffordd. Caseg goeslan, hoyw, o asgwrn cryf ydoedd hi, ryw bymtheg llaw a hanner ar yr ysgwydd, a'i chot, wedi bwrw ei henflew yn y gwanwyn, mor loywddu â'r frân, gyda seren olau yn ei thalcen.

Mae ambell geffyl, fel ambell ddyn, yn cael ei ladd, yn fwy o lawer, gan ofn ei lwyth na chan y llwyth ei hun. Gwelais geffyl, weithiau, yn gwneud ebwch mor arswydus, wrth ddal yn ôl ar dipyn o oriwaered, â phetai llwyth o bum cant ar hugain yn bwrw ar ei fritsin—a chart gwag fyddai ganddo yn y diwedd. Gan mor siŵr yr oedd Blac o nerth ac ystwythder ei chymalau fel y gadawai i lwyth trwm o'i hôl ei gyrru'n llawenrwydd i lawr y rhiw. Ni wastraffai ei nerth na'i hysbryd i'w ddal yn ôl fwy nag oedd raid. Ond os teimlai fod gyr gynyddol y pwysau yn golygu perygl, mewn gwirionedd, megis ar riw Cwm Mas Del, y Rhiw Goch, neu riw Cae Melwas, byddai gewynnau nerthol ei phedair coes, mewn amrant, yn tynhau fel bandiau dur, gan ddwyn y cyfan, ar unwaith, dan reolaeth gyflawn. Ni chollodd Blac mo'i phen na'i throed, erioed. Yr un modd, hefyd, ar y rhipyn byr, serth, neu ar y tyle hir a chaled, ni waeth beth am werth y ceffyl, neu'r ceffylau blaen, byddai dewredd ei bron, dan y wablin whys, yn aml, ac egr grafu ei phedolau llym, yr un mor ddi-dor. Syrthiai'n gorff cyn meddwl am ildio; a'r caletaf y dasg dycnaf yr ewyllys. Does debyg i wlad lethrog wedi'r cyfan am brofi gwerth dyn a gwerth anifail. Pan ânt i'r llefydd isel a'r trefi meddalu a ddigwydd yn fynych, mewn gewyn a moes. Beth bynnag a all fod gan drefn gras i'w ddweud ar y pen, y mae un peth yn dal yn gadarn gen i—os aeth caseg i'r nefoedd erioed am weithredoedd a bwriadau da, wel, Blac oedd honno; ie, a Dol, ei merch, ar ei hôl, o'r gwerinwr llwyd, di-dras hwnnw, Jac bach y Trawsgoed. Hyffordda geffyl ymhen ei ffordd . . . Ceffylau fel Blac a Dol, ac eraill o'r un ardal, y gallwn eu henwi, a gwŷr tebyg iddynt a fu'n eu trin ac yn cydlafurio â hwy, yn eu dydd, a ddiwylliodd fronnydd serth gogledd Sir Gaerfyrddin gan eu troi'n dir gwair ac ŷd ac yn rhwydwe berthog o wlad wâr hyd at wrug y mynydd. Ac wele, un diwrnod, orchymyn y boneddigion o Lundain yn dod i gyflwyno'r goncwest hon, concwest y canrifoedd maith ar wylltineb natur, yn ôl i'r anialwch, drachefn, drwy ei throi yn un *jungle* enfawr, anghyfannedd, o goed, o Rydcymerau i Frechfa; heb sôn am lawer ardal gyffelyb drwy Gymru gyfan.

Roedd Blac wedi pasio dyddiau'i 'llawn llwyau' pan oeddem ni ym Menrhiw; a hi, yn naturiol, o blith ei chydgarnolion a ddewiswyd i fynd gyda ni i'r tyddyn bach un hors-pŵer, Abernant, lle'r oedd cyfuniad o holl riniau ceffyl yn anhepgor —grym a hoywder ar lethr, cyflymdra ar briffordd, a synnwyr cyffredin a boneddigeiddrwydd ymhobman. A hi'n heneiddio, bellach, ar y teithiau hyn rwyf i'n eu cofio i Landeilo, gallai Blac ei chymryd hi'n benisel a myfyrgar ddigon am rai o'r milltiroedd cyntaf. Ac ni fyddai fy mam byth yn ei chymell hi mas o'i phâs naturiol, oni fyddai raid caled. Onid oedd hithau, fy mam, bellach, yn dechrau teimlo pwys y blynyddoedd o waith caled, di-dor, nad arbedodd fymryn ohono erioed, yn dechrau dweud yn ei hesgyrn hithau? Cyd-bererinion oeddent ill dwy a'r iau'n trymhau ar eu gwarrau.

Eithr fel yr agorai'r dydd, a'r cerbydau'n amlhau ar y ffordd, ac ambell un ohonynt a rhyw ebolyn ifanc, go ysbrydol ynddo, heb ddysgu, eto, lawer o faners y briffordd, yn ei phasio'n lled ddigwnt, dechreuai Blac, yr hen feteran, godi'i phen a chocio'i chlustiau, fel petai hi'n cofio am ddyddiau gynt pan nad oedd odid geffyl ar y ffordd hon a'i dilynai am y deng milltir cyfan o switsbac rhwng Llansewyl a Llandeilo. Ac wedi unwaith ddechrau twymo ati fel hyn, nid oedd llawer, hyd yn oed yn ei hen ddyddiau, a allai ddangos pâr o bedolau'n hir iawn iddi yn ystod rhan olaf y siwrnai. Ymhen rhai blynyddoedd wedyn, y daeth to ysgafnach o geffylau i hedfan dros y ffordd hon, a ffyrdd eraill y Sir—poni goch y Cart and Horses, a'i merch, Bess y Brynau, ie, heb anghofio am y boni siocoled bert honno â'r rhawn melyn, poni Dafydd Jones y Gweinidog (tad y Parch. Penry Jones, Llanelli). Roedd tân yn eu carnau hwy a mellt yn eu llygaid; a gwynfyd pur i lanc oedd bod ar gefn un ohonynt. Wrth gwrs, doedd yr ambell sgaram tal o geffyl hela hynny a brynai Tom Dafys Tŷ'n Cwm tua ffair Gaerfyrddin, weithiau, yn cyfrif dim yn ein byd ni. Rhyw hedfan daear dros dro a wnaent hwy.

Pan ddaeth Dol i ddyddiau'r addewid, dyddiau'r 'torri miwn' tua'r dwy oed rwy'n feddwl, a dechrau cymryd arni ei hun y cyfrifoldeb am Abernant yn lle ei mam, bu raid meddwl am werthu'r hen Flac druan. Ni allem fforddio gadael iddi reteiro ar ei phorfa, er iddi haeddu hynny ganwaith drosodd. Oni phorai ceffyl â'i binsiad grop, grop gymaint â dwy fuwch? Gofid trist i ni i gyd ydoedd meddwl am 'madael â'r hen gaseg; er y rhaid cyfaddef fod campau Dol yn eboles fach, yn codi ei dwy droed flaen a'u gosod ar fy ysgwyddau i a thowlu fy nghap i'r llawr â'i thrwyn neu â'i dannedd, a phethau tebyg, ymhell y tu hwnt i gyraeddiadau unrhyw gyw ceffyl normal yn yr ardal, wedi llithio llawer o'n serch ni, blant anystyriol, oddi wrth yr hen Flac wepisel na chodai drot, byth nawr, ohoni ei hun.

Y White Horse, hen dafarn yr eid i mewn iddo o dan y bwa cerrig gyferbyn â'r Cawdor Arms, oedd ein tŷ disgyn ni yn Llandeilo. Fel hen dafarnau trefi marchnad yn gyffredin roedd iddo stablau glân a beili wedi ei bafio â cherrig afon i gadw'r cerbydau. Telid tair neu whech i'r hosler am le i'r ceffyl a galwai pob dyn parchus am rywbeth 'at les y tŷ'. Ni fûm i yn yr hen dŷ tafarn hwn er y dyddiau cynnar hynny. Ond y tro nesaf, os byw ac iach a mynd i Landeilo, a bod amser a chwpwl o geiniogau wrth law, synnwn i fawr nad af i mewn i gynteddau'r White Horse a galw, 'er lles y tŷ', am hanner peint myfyrgar uwchben yr hen amser gynt, ac o daro yno ar gwmni teilwng hwyrach y codai'n beint cyn ymadael.

Rwyf wedi trafaelu tipynnach, mewn mwy nag un wlad, o bryd i bryd, a mwynhau pob taith yn rhyfeddol. Ond bu ambell daith diwrnod, yn blentyn, gartref, yn llawnach o gyffro a syndod, bob munud ohoni, na'r un o'r teithiau pellach a wneuthum wedi hynny. Boddlonaf yn awr ar sôn am y daith i farchnad Llandeilo.

Saif tre fach Llandeilo, yng nghanol Sir Gaerfyrddin, ar oledd bryn uwchben gogoniant Dyffryn Tywi, ryw ychydig y tu allan i ffin y garreg galch a'r pridd coch sy'n fath o forder o gwmpas gwely glo'r Deheudir. Ni ellir yma ond cyfeirio at bwysigrwydd lleoliad y dre o safbwynt hanes Cymru Fu. Y tu cefn iddi y mae Plas Dinefwr, hen lys Tywysogion y Deheubarth, a chestyll Carreg Cennen a'r Dryslwyn bron yn y golwg. Ac o grybwyll enw'r Dryslwyn teimlaf fod englyn fy hen weinidog annwyl, y diweddar J. T. Job, yn rhy dda i'w adael allan. Roedd Job yn dychwelyd o'i daith bregethu, ryw dro; ac o'r trên fe welodd oen bach cynta'r gwanwyn yn sefyll yn siriol ynghanol adfeilion Castell y Dryslwyn ar y bryncyn serth uwchben. Y noson honno daeth Job i'n tŷ ni, a thân yr awen heb ddiffodd yn ei lygaid gleision hardd, gan adrodd yr englyn godidog hwn a luniwyd ganddo ar y ffordd adre:

> Ar dwyn y Dryslwyn fe drig—weithian rith
> O'i hen rwysg cyntefig;
> Ac ar lain fu'n darstain dig
> Barwniaid, fe bawr oenig!

I'r dwyrain o Landeilo y mae'r Mynydd Du, a Llyn y Fan yn y pellter; tre Caerfyrddin bymtheg milltir i'r de, a'r Grongaer a phlas Gelli Aur ar y ffordd yno. Ychydig i fyny yn Nyffryn Tywi y mae plas Abermarlais, cartre Syr Rhys ab Thomas; a thros y bryniau, ryw wyth milltir tua'r gogledd, y mae adfeilion hen fynachlog Talyllychau, a phlas Rhydodyn gerllaw. Pethau yw'r rhain i gyd, wrth gwrs, na wyddwn i ddim amdanynt y pryd hwnnw; ac eithrio ein bod ni'n gweld y Mynydd Du a Bannau Brycheiniog, ugain milltir i ffwrdd, o dop ein tir ni, gartref, a bod sŵn y trên, yn glir, yn gyrru, draw dros bont Llangadog, yn arwydd o dywydd teg, drannoeth.

Ond i mi, yma, tre marchnad, canolfan gwlad ddihafal am ei blith, gwlad yn llifeirio o laeth—ac o fêl atgofion—yw Llandeilo. Fel y mae heddiw yn Llanybydder, ryw chwe milltir i'r gogledd o'm henfro, un o'r ffeiriau anifeiliaid, yn arbennig ceffylau, gorau yn y wlad; felly, hefyd, ryw ddeuddeg milltir i'r de, roedd yn Llandeilo, hyd at sefydlu'r Bwrdd Llaeth diweddar, farchnad fenyn gyda'r gorau yng Nghymru. Mae yn Ffair Fach, sy'n rhan, megis, o Landeilo, o hyd, gyda llaw, ffatri laeth gydweithredol fawr a llwyddiannus iawn.

Bob bore Sadwrn, yn gyson drwy'r flwyddyn, byddai meillion glannau Tywi, a gwair a phorfa ffres y bronnydd hyd at fargodion y grug, wedi eu troi yn fôr o fenyn durfin, iraidd, a'u hulio'n lanwaith mewn casgis, tybiau, crochanau pridd, a basgedi dan eu llieiniau gwynion ar fyrddau cadarn dan dylathau tŷ marchnad helaeth Llandeilo; a'r ffyrdd, o bob cyfeiriad, wedi bod yn llawn cerbydau, llawer ohonynt wedi trafaelu deg a phymtheg milltir, erbyn naw o'r gloch y bore—o Fynydd Pencarreg i Fynydd y Betws ac o Faes Twynog i Lwyn Ffortun, a'r wlad donnog, eang, sy'n gorwedd rhyngddynt.

Ie, marchnad fore ydoedd marchnad Llandeilo. Byddai'r rhan fwyaf ohoni drosodd whap wedi deuddeg, er mwyn anfon y nwyddau i ffwrdd i'r gweithfeydd yn gynnar y prynhawn ar gyfer y Sul, drannoeth. Byddai'r prynwyr menyn ac wyau a ffowls, hen ddwylo adnabyddus, yno o flaen pawb, gellid meddwl, a rhyngddynt wedi pennu'n lled ddiogel, bris y farchnad am y dydd, cyn i neb o'r bobl gyrraedd. Ni chofiaf eu henwau, yn awr, ac eithrio fod yn amlwg yn eu plith y tri brawd, John a Wiliam ac Isaac, bechgyn Pen Llain, y tyddyn nesaf i Warcoed, lle bu eu tad hwy, y cywir Abel Thomas, ar hyd ei oes, yn garier menyn o ardal Esgerdawe i Gastell-nedd, taith o dros ddeugain milltir a gymerai iddo dri diwrnod o bob wythnos, i'w chyflawni. Cyflawnodd Abel, ei fab ieuengaf yntau, yr un orchest; ac ef, y mab yma, Abel Thomas, Bryn Difyr, wedi hynny, yw'r olaf a gofiaf i o'r hen deip o garier, a fu, fel y porthmon, yn ffigur mor bwysig ym mywyd Cymru. Roedd masnach yng ngwaed 'teulu Abel' a ddôi o ochr y Ram, Llambed; ac yn nwylo'r meibion uchod, daeth busnes bach, cart un ceffyl, eu tad, yn fusnes eang a llewyrchus, ac yn fwy byth yn nwylo'r disgynyddion pellach yn Abertawe a threfi cyfagos.

Cofiaf am nifer o'r hen gariers yma, a chlywed sôn am eraill o genhedlaeth hŷn, megis y gŵr diddanus, Wil Vaughan, a gadwai'r Cart an' Horses, ar un adeg, rwy'n credu. Siaradai'n bwysleisiol a thipyn drwy ei drwyn, mae'n debyg, yn ôl hen gydnabod iddo a glywais yn ei ddynwared droeon. Yn ôl hwnnw, dyma sylw Wiliam Vaughan gyda'i acen drwynol, bwyllog, am y natur ddynol, ar ei ffordd adre o farchnad Nadolig Castell-nedd, a'r wyau'n geiniog yr un, ond yn brin rhyfeddol, 'Dydw i ddim *yn dyall* pobol, 'na'i', meddai'r athronydd o ben ei gart. 'Pan oedd yr wye'n *bedwar ar ddeg am whech*, doedd neb yn dod yn agos ata i i ofyn am un. Ond *nawr,* pan ma'n nhw'n *geiniog yr un*, a dim *un* i' *ga'l*, mae pob hen g——'n mofyn wy.'

Cofiaf, hefyd, am Neli Bwlch y Mynydd, ac am ei march asyn calonnog, gystal â hynny—dychryn ponis mynydd Llanybydder pan oedd e yn 'i breim, medden nhw; am yr Hen Ddaff Llansewyl a ofalai mor dda, bob amser, am ei geffyl; ac am ei ŵyr, Ifan, a'i dilynodd yn y busnes. Ond y Carier Bach byw a sionc a gofiaf i orau, o ddigon, fel y gwelaf ef, yn awr, yn pirŵeto fel deryn ar astell flaen ei gart sbrings uchel a'r ddwy whilsen goch. Cychwynnai ef a'r gaseg ddu â'i llwyth llawn, o gartre, bob bore dydd Mawrth, tuag wyth o'r gloch, a chyrraedd tafarn Y Star, tu hwnt i Waun Cae Gurwen, yn hwyr y noswaith honno, wedi gwneud y deng milltir ar hugain cyntaf o'r daith. Arhosent yno dros nos yng nghwmni nifer o gariers eraill; ac yna, ymlaen, gyda'i gilydd, fore trannoeth, am y deng milltir arall i Gastell-nedd; sefyll marchnad yno drwy'r dydd, ac yn ôl i'r Star y noswaith honno, ac adref drannoeth. Yn ystod y tridiau arall y byddai ef gartref, dôi'r ardalwyr pellaf â'u nwyddau i'w dŷ ar gyfer llwyth yr wythnos ddilynol. Galwai yntau heibio ar ddechrau ei daith i'r rhai mwyaf hwylus ar ochr y ffordd.

Byddai'n ôl yn pasio'n tŷ ni (Abernant, erbyn hynny), bob nos Iau rhwng whech a saith o'r gloch, ar ei draed yn y car, yn fynych, ynghanol ei lestri gweigion, pren a phridd, o amrywiol faint. Roedd ei natur yn ymateb fel arian byw i'r byd a'i amgylchedd. Ond os byddai beth yn llonnach nag arfer, a'i lais nodyn yn uwch, arwydd fyddai hynny fod naws y farced yng Nghastell-nedd yn weddol wresog yr wythnos honno. Byddai cysgod yr 'Angel' ar Sgwâr Pen Cnwc, Llansewyl, yn help weithiau, hefyd, i dymheru min yr awel.

Ond boed yr hin yn ffigurol neu'n llythrennol, y peth y bo—yn wynt neu'n law neu'n 'set ffêr'—fe dalai'r Carier Bach, yn ddi-ffael, bob nos Iau, ym mwlch ein clos ni, y ddimai union, yn ôl cwrs y farchnad yng Nghastell-nedd, am y nwyddau a gawsai ar y ffordd, bant, fore dydd Mawrth. Gwyddid ei degwch a'i onestrwydd; ac ni chlywais erioed air o ddadl am bris nac am bwysau. Gyda Neli, ei wraig lew, benfaith, gartref, ymdrechoddd yn galed fel hyn ar hyd ei oes—yn gyntaf, mewn lle bach o'r enw Blaen Ddôl, ac wedi hynny yn y Gelli Isa, a magu tyaid mawr o blant. Fel yn hanes ei gyd-garier, Abel Thomas, Pen Llain, ac eraill y gallwn eu henwi, ymhelaethodd ei ddau fab ieuengaf lawer ar fusnes eu tad, a bu'r ddau, Ifan Ifans a Rhys Llywelyn, yn ddiweddarach, yn aelodau o Gyngor Sir Caerfyrddin. Ie, dyn bach net oedd y Carier Bach; ac ar y Sul byddai'n canu tenor bach hyfryd gyda Nhad a Tomos 'r Hafod Wen yng nghornel y Sêt Ganu, ac yn yr Ysgol Sul yn y prynhawn yn gyrru adre'n egnïol ar dor ei law fargeiniol ei farn am ragfarnau'r Apostol Paul yn erbyn y menywod.

Petai un o'r hen gariers hyn, rywdro wedi gallu sgrifennu ei hunangofiant, fe allesid bod wedi cael ganddo ddarlun mwy cywir a diddorol o fywyd cymdeithasol De Cymru yn ystod tyfiant cynyddol y Chwyldro Diwydiannol na dim byd y bydd yr un hanesydd neu economydd neu storïwr byth yn debyg o'i roi. Cadwai'r ddolen ddynol hon fywyd y wlad a bywyd y dref weithfaol, ar ei thwf, mewn cysylltiad parhaus â'i gilydd, hyd nes i beirianwaith ddiweddar y fan a'r lorri, y bws a'r modur, ynghyd ag ymyriad cyson y Llywodraeth ganolog, ddwyn o gwmpas Chwyldro arall yn null yr oes o fyw. Y carier a'i geffyl ydoedd marchog olaf yr hen ffordd Gymreig o fyw. Ciliasai'r porthmon a'r gyrrwr da i Loegr, eisoes, ddwy genhedlaeth o'i flaen. Cofiaf, weld ffrâm esgyrnog yr olaf o'r rhai hyn yn Nwncwl Bili, brawd fy nhad-cu, yn hen ŵr musgrell, pibis, yn bugeilio'r pentewynion dan fantell y simnai fawr ar aelwyd Penrhiw. Aethai'r *coach* mowr o'r ffordd genhedlaeth dda o flaen y porthmon. Pwy, tybed, ryw ddydd, a edrydd hanes y cariers, y gwŷr syml, glew, a chelyd hyn, a enillai eu bywoliaeth, ar deg a garw, drwy gymaint ymdrech a diwydrwydd?

A dyma ni'n gadael y cariers lleol ac yn dod yn ôl eto at y masnachwyr mwy ym marchnad fawr Llandeilo, a berw'r gleber yno fel cwch gwenyn yn ei lawn gwaith. Ychydig o fargeinio fyddai, gan fod y prisiau, fel y dywedwyd, wedi eu setlo'n go derfynol cyn dechrau. Ond byddai'r prynwyr wrthi'n ddyfal o gwsmer i gwsmer ar y bordydd, yn prynu'n rhwydd gan yr hen rai, a blynyddoedd o adnabyddiaeth rhyngddynt; ond yn profi menyn ambell gwsmer dieithr â min yr ewin, ac weithiau'n taradu ei gasgen er mwyn gweld a oedd y menyn drwyddo o'r un ansawdd. Gan nad beth fu prisiau'r farchnad byddai'r gwerthwyr, hwythau, yn ffermwyr mawr ac yn ffermwyr bach, a gwraig y crydd, y gof, y saer, a'r masiwn, a gadwai fuwch neu ddwy, i gael menyn at y tŷ a thipyn bach dros ben, yn barod i droi adref, o'r bron, erbyn un neu ddau o'r gloch y prynhawn—y siopa i gyd wedi ei orffen. Pan welid corff aruthr yr hen Rees Glan Rwyth, a sbrings ei *gig* odano yn fflat ar yr echel, yn araf symud mas o'r dre byddai'n bryd i'r llibyngi olaf hel ei baciau at ei gilydd. Rees Glan Rwyth fyddai dyhuddgloch y farchnad hon, yn gynnar bob prynhawn Sadwrn.

Rhaid fy mod i'n Siôn Holwr diarhebol ar y siwrneion hyn, yn ôl a blaen i Landeilo; oherwydd dyna'r adeg y dysgais i enw pob ffarm a thŷ ar ochr y ffordd, ac o fewn golwg i'r ffordd, o ran hynny, o Dalyllychau i ochr Cwm-du a draw hyd gefen Llansadwrn, am y deng milltir rhwng Llansewyl a Llandeilo. Gwyddwn yn barod am yr Esgair a Chlun March a rhiw ddiffaith Dafy Jâms rhyngom ni a'r pentre. Nid yn unig fe ddysgais enwau'r llefydd hyn ar ffordd Landeilo, ond fe ddois i wybod rhywbeth am bron pob un ohonynt. Er enghraifft, roedd perthnasau i ni'n byw yn y Beili Tew, fan'na wrth ymyl y pentre, ac yn Nhŷ'n y Cwm, fan draw dan gysgod Dinas Rhydodyn—dwy g'nither i 'nhad yn wragedd yno; a ch'nither arall iddo yn y Tŷ Coch, ar y fron yn nes ymlaen, yn wraig i Williams yr Acsiwnêr, y clywais, wedi dod yn hŷn, lawer stori ddifyr amdano gan Dafydd 'r Efail Fach a fu'n gweithio gydag ef—ynghyd â'i bartner disyml, pybyr, John Dolau Canol, a feddai dalent arbennig i roi ei droed ynddi. O'r Hen Ardal yr oedd y triawd hyn, ac o gael Dafydd i'w adrodd, byddai hanes diwrnod neilltuol yn y Tŷ

Coch, gwraig y tŷ oddi cartre, ac allwedd y seler, drwy ryw lwc neu sgem, wedi dod i law Williams, yn llawer iawn mwy blasus na dim sy'n debyg o fod yma. Ond dyna fe; rhaid gweld a chlywed y 'cyfarwydd' wrthi. Haws fyddai ei greu o'r newydd na threio'i ddynwared ar bapur. A dyna'n siŵr a wnâi'r gwir lenor—ei weld o'r newydd, a rhoi ei ffraethineb a'i ddoniolwch mewn mowld newydd a gyfatebai iddo. Ni ellir copïo natur yn union fel y mae.

Ar y ffordd i Landeilo yr oeddem, ond fod cymaint i'w weld a'i ddweud ymhob man. Dyma wyneb plas Rhydodyn ar y dde i ni, ac afon Cothi yn rhoi tro o'i flaen, rhyngom ac ef. Mae gweld yr enwau—Cothi a Thywi a Theifi a Gorlech—yn cyffwrdd â rhyw nerf cyfrin ynof i erioed. Cofiai fy mam, gyda llaw, cyn codi 'pont harn' Rhydodyn yr awn drosti'n awr. Byddai hi'n groten fach o Riw'r Erfyn, 'brwchgáu bagal-abowt' wrth gwrs, yn mynd â cheffyl, weithiau, yn lle un o'i brodyr hŷn, i gwrdd a'r llwyth calch o odynau Llandybïe, bymtheg milltir ymhellach, hyd at afon Cothi. Pan fai llif trwm yn yr afon, câi'r ceirti calch, res ohonynt yn dilyn ei gilydd, fynychaf, ganiatâd i fynd ar hyd y dreif a thros y bont breifet o flaen y tŷ mawr.

Ychydig yn is i lawr, eto, y mae rhiw Cil Llyn Fach. Rywle, tua'r fan hon, yr oedd fy nhad-cu, tad fy mam, ryw fin nos yn yr haf, yn dod adre'n ddyfal, â'i lwyth calch yng nghwmni nifer eraill, pan ddaeth tair neu bedair o 'ferched Beca' ar gefn eu ceffylau heini i gwrdd â nhw, a'u rhybuddio i gymryd pwyll am dipyn a gofalu'n dynn bach am eu ceffylau, os clywent beth sŵn saethu yn nes ymlaen. Erbyn i wŷr y calch gyrraedd hen dŷ'r gât ar ben hewl Clun March, Tŷ Meicel fel y'i gelwid, ryw gwarter milltir y tu ucha i bentre Llansewyl, dyna lle'r oedd yr hen gât wedi ei darnio'n yfflon â bwyelli a gyrdd a llifiau, a'r llanast a mwg y goelcerth ohoni, o hyd, o gwmpas y lle. Nid oedd sôn am 'y merched' erbyn hyn. Roedden nhw wedi cwpla'u gwaith a mynd adre'n deidi. Dyn ifanc, tawel, ymdrechgar oedd fy nhad-cu, fel y boch chi'n gwybod nawr; a'r adeg honno heb briodi. Ni chymerai ef lawer am darfu ar heddwch y wlad. Ei unig gyfran ef yng nghynnwrf y Beca fu arwain ei bâr ceffylau heibio i hen Dŷ Meicel y noswaith honno, am y tro cyntaf yn ei fywyd, ryw rot neu chwecheiniog yn elwach yn ei boced. Ac i un fel ef, heb ormod wrth gefn, efallai, a'i fryd, yr un pryd, ar gymryd gwraig a chydio gafael mewn ffarm, ar ddechrau'r *Hungry Forties*, yr oedd hynny'n ddiau yn rhywbeth i fod yn ddiolchgar amdano. Nid wyf yn credu, chwaith, i'r gât hon gael ei gosod yn ôl, wedi hynny. Ond mi gredaf i gât Cefen Trysgod, ymhen y dre, Llandeilo, barhau yn ei gwaith bron hyd o fewn cof gennyf i, pan ddifodwyd, trwy gyfraith, yr olaf o'r tollbyrth hyn, er mawr ryddhad a llawenydd i bawb yn y tir.

Fe awn i heibio i Dalyllychau, y ddau lyn, a'r elyrch gwynion, ac adfail yr hen fynachlog heb ddweud dim yn awr—er cymaint eu rhyfeddodau i'r croesholwr pump oed. Ond gerllaw hen dafarn yr 'Haff Wae' y mae dau hen dŷ bach, gan nad pwy oedd yr optimist a'u cododd yno, yn union ar lan yr Afon Ddu. Gochel Foddi yw enw'r naill, a Boddi'n Lân yw enw'r llall, ar lafar gwlad. Pa ryfedd nad oes ond prin eu hôl yno'n awr! A dyma ni ar ben hewl Glan 'r Afon Ddu Isa, ffarm fwya'r parthau hyn, medden nhw. (Yn Awst 1943, bu'r Methodistiaid Calfinaidd yn dathlu dau can mlwyddiant un o Sasiynau cynharaf yr enwad a gynhaliwyd yn y ffermdy yma.) Rhyw ddau led cae, yn is i lawr eto, ar y llaw chwith, y mae dôl Llether Mowr y dywedai pobl y tyfai digon o borfa ynddi, dros nos, i guddio ffon (ar ei gorwedd wrth gwrs). Roedd clywed rhywbeth fel hyn yn ddigon i dynnu dŵr o ddannedd 'nifeiliaid y topiau co', gyda ni.

Ac oni chlywsai Mam gan forwyn o'r cylch hwn a fu'n gweini gyda nhw yng Ngwarcoed fod 'cathe gwylltion' yng nghoed Llether Mowr pan oedd hi'n groten, a bod pobol yn ofni pasio'r ffordd honno wedi nos? A dyna goed Talihares yn ymyl, lle dysgais i, wedyn, i Dwm o'r Nant, ar ffo rhag beiliaid Sir Ddinbych, fod yn rhegi ei geffylau wrth gario coed oddi yma. Nid bod tystiolaeth ddogfennol yn Hunangofiant Twm iddo yma, yn y lle hwn, regi ei anifeiliaid yn achlysurol. Mae coed a glo, fel y gwyddom, yn elfennau tra ymfflamychol. Ac fel un y tymherwyd ei glustiau'n gynnar gan leferydd cariers coed ar wyneb y ddaear ac, wedi hynny, gan haliers glo yn y tanddaearolion leoedd, a chael peth profiad o waith y naill a'r llall, fy marn onest i, am ei gwerth, yw—os gallodd un perchen anadl gyflawni'r ddwy oruchwyliaeth yma â rhyw raen arnynt, a hynny heb regi, ie a rhegi'n gythreulig ac arswydus, hefyd, ar adegau, yna, nid syn fyddai clywed i'r cyfryw ŵr, ryw fore, ddiflannu'n ddistaw bach, fel Enoc gynt, o blith plant dynion. Canys nid merthyr na sant, yn sicr, mo'r bod hwnnw; ond rhywbeth o fyd arall heb ymwybod â'n gwendidau ni.

Ond ymhob dim a wyddom am Dwm o'r Nant, bod digon dynol ydoedd; oherwydd, er enghraifft, wedi i'r wagen fynd i fôn y clawdd arno fel cariwr coed, fe'i cawn, yn nesaf, yn cadw tŷ'r gât ym mhen y dre, Llandeilo, swydd a felltithiai gymaint â neb yn ddiau, pan oedd ef ei hun wrthi'n cario coed drwy'r gât honno. Ie, megis yng nghyrch ei englyn ef ei hun i'r beili—'labrwr hyd lwybrau trueni' fu'r athrylith fawr hon, ar hyd ei oes.

Temtir dyn cyn ymadael â Thwm fel hyn i ofyn beth pes ganesid ef ganrif a hanner yn ddiweddarach, sef yn 1889, yn lle yn 1739; ac iddo, yn yr oes ysgoloriaethus hon, anadlu awyr Ysgol Sir Dinbych, yn Nyffryn Clwyd, neu Ysgol Sir Llandeilo, yn Nyffryn Tywi, dyweder; a mynd oddi yno i'r Brifysgol. Beth fyddai gennym, heddiw, erbyn hyn, tybed? Dramaydd mawr cenedlaethol, mewn geiriau bachog, grymus, yn dangos dyn, ar lawr amser, yn ymgiprys â'i dynged; neu aelod seneddol disglair arall dros Gymru a'i lygaid yn goleddu at y Brif Weinidogaeth; neu, ynteu, swyddog uchel yn Adran Goed y *Ministry of Supplies*? Ond, chwarae teg, yn awr, dyna gwestiwn arall na allai na Thwm ei hun na'r duwiau oll mo'i ateb, heb feddu rhagor o'r *data* tragwyddol hynny sydd yn hanfod dyn, ac yn hanfod pethau.

Draw ar y fron o'n blaen wedi pasio Talihares y mae Llwyn yr Hebog. 'Beth yw hebog, Mam?' gofynnwn i. 'Curyll, gwas', meddai hithau. Gwyddwn beth oedd y gwalch ysbeilgar hwnnw yn ddigon da. Onid aeth ei ewinedd llymion bron drwy fy mys ryw ychydig cyn hynny, ac yntau'n lledfyw yn fy llaw wedi i 'nhad ei saethu yn allt Cwm Bach, yn union o dan y tŷ! Hoffais yr enw Llwyn 'r Hebog, rywsut, o'r tro hwnnw y'i clywais gyntaf. Yn ddiweddarach, y deuthum i wybod mai mab y Llwyn 'r Hebog yma ydoedd y Parch. H. I. James a fu'n weinidog, am lawer o flynyddoedd, wedi hynny, gyda'r Bedyddwyr yn hen eglwys Aberduar, Llanybydder—un o'r dynion glewaf am godi ceffyl a ddringodd erioed i gerbyd. Ni welais i, naddo, hyd y dydd heddiw, yr efengyl yn hedfan daear mor hoyw ac urddasol ag yn y *gig* honno, a'r cobyn coch a faged dan ei law ofalus ef ei hun, yn yr harnais, yn codi'i bedwar carn cuwch â'i drwyn a'u bwrw'n osgeiddig i'r gwynt. Roedd y dyn, y march a'r cerbyd yn un corff byw, adeiniog. Gwledd i lygad a chalon ydoedd syllu arnynt hyd oni ddiflannent yn y pellter. Bedyddiwr, mewn ardal ddifedydd, rywle o hil y Saundersiaid yn Aberduar, ydoedd 'nhad-cu Gwarcoed, hyd y diwedd, er nad âi i'r un capel ers blynyddoedd cyn ei farw; a'r Parch. H. I. James, Aberduar, a wasanaethodd yn ei angladd, a minnau, ar y pryd, yn rhyw dair ar ddeg oed. Diflannodd yntau fel ei geffylau o'm golwg tua'r adeg honno, gan iddo symud i Landdyfri. Nid oes gennyf gof i mi ei weld wedi dydd yr angladd hwnnw.

Wn i ddim a oedd tafarn yr Hope, y down iddo'n awr ar y dde, ryw ddwy filltir cyn cyrraedd Llandeilo, yn bod yno yn amser Twm o'r Nant ai peidio. Os oedd yno Hope o gwbl, y pryd hwnnw, diau i Dwm droi i mewn iddo, lawer tro, 'i dorri syched trwm y gelltydd'. Yn ôl yr hen rigwm hwn a glywais, rai troeon, gan fy nhad, mae'n debyg i ryw mei ledi go galonnog fod, unwaith, yn cadw'r tafarn hwn tua chanol y ganrif o'r blaen, gan weini i angenrheidiau fforddolion. Meddai'r rhigwm:

> Yr hen Feto'r Hope
>   Yn byw fel y dryw,
> Dou ŵr yn farw
>   A dou ŵr yn fyw.

Dyna i gyd y dois i i'w wybod am hanes Beto'r Hope, er holi rhagor, yn ddiau—digon i awgrymu testun baled yn Eisteddfod Genedlaethol Llandeilo, pan ddaw hi yno yn ei thro. Gallwn ddychmygu am gystadlu brwd ar destun rhamantus fel y Nest fodern hon.

Rhennir plwyfi cyfochrog Llanybydder a Phencarreg yn ddau barth gan y mynydd hir a red ar y chwith i afon Teifi am ran dda o'i thaith, parhad o gadres led ddi-fwlch y Berwyn a Phumlumon i lawr i'r Preselau a'r Frenni Fawr a'r Frenni Fach yn eithaf Dyfed. I'r de o drum y mynydd yn y man yma y mae ardaloedd Rhydcymerau ac Esgerdawe, a dywelfa'r dŵr i aberoedd blaenau Cothi, a Thywi yn nes i lawr, yn Nantgaredig, ryw bum milltir o dre Caerfyrddin. Wrth waelod y mynydd o du'r gogledd y mae pentre diwyd a phrysur Llanybydder, a phentre a hen eglwys Pencarreg gerllaw'r perl o lyn sy'n dwyn yr un enw; a thre fach, lanwedd Llanbedr, neu Lanbedr-Pont-Steffan, a rhoi iddi ei henw llawn, ryw dair milltir i fyny yn Nyffryn Teifi. Gyda llaw, ar lafar gwlad—'Llambed', heb yr 'r' na'r 'bont' na'r 'Steffan', linc-lonc wrth gynffon cyn lleied o dref, y gelwir y lle, bob amser. O ben y mynydd hwn draw at orwel eitha'r gorllewin a chyfeiriad y môr fe geir golwg ar wlad faith a bryniau rhywiog, cynnes Sir Aberteifi.

Dôi tylwyth fy mam o'r ochr ogleddol hon i fynydd Pencarreg yn wynebu Llambed a Sir Aberteifi—o ardal Caersalem a'r Ram, yn Fedyddwyr ac yn Annibynwyr selog, gyda mwy o'r Gaersalem nag o'r Ram, yn ddiau, yn anian llawer ohonynt, erbyn hyn. Daw gair amdanynt hwy, eto, wrth sôn am y tylwythau.

Rwy'n cofio, hefyd, fynd i Lambed, unwaith neu ddwy, ar y pererindodau ysgolheigaidd hyn cyn gadael Penrhiw. Y King's Head oedd ein tŷ disgyn ni yno, tafarn solid yr olwg arno, a'r bwa arferol wrth ei ochr, fel y White Horse, Llandeilo, yn arwain i'r stablau a chynteddau'r cefn. Saif ar y llaw dde yn Stryd y Bont wrth fynd allan o'r dre dros bont Deifi i gyfeiriad Cwm Ann a Thŷ Jem ac ucheldir gogledd Sir Gaerfyrddin y soniwyd eisoes amdano. Ar yr hewl union yn groes i'r mynydd o Lambed, gan adael y Fraich Esmwyth, cartref fy nhad-cu o ochr fy mam, a Choed Eiddig, cartref fy mam-gu, dipyn ar y chwith i ni, a dod lawr dros fanc Rhiw'r Erfyn, fel y gwneid wrth gerdded gynt, nid oes ond prin saith milltir i Rydcymerau, a rhyw whech i Esgerdawe.

Ac o sôn am dafarnau megis y King's Head a'r White Horse, gyda'n hymdrech gyson ni'r Cymry, drwy'r cenedlaethau, i'n diosg ein hunain o bob balchder rhesymol yn ein pethau ein hunain, a mabwysiadu'r estron crandiach yn ei le, onid yw'n syn, mewn gwirionedd, fod cymaint o ysbryd ein cenedl ni yn aros ar ôl? Dyna, er enghraifft, ein cyfenwau Tiwtonaidd ni—y Joneses, yr Evanses, y Davieses, y Williamses bondigrybwyll, yn lle ab Siôn, ab Ifan, ab Dafydd, ab Gwilym—henffasiwn, yn ddiau, fel y tybid ar y pryd (ni wadodd y Sgotyn erioed, mo'i 'Fac' na'i 'bais', na'r Gwyddel mo'i 'O', na'i acen, am yr un rheswm); ein capeli Hebreaidd er pan afaelodd y grefydd Brotestannaidd o ddifri ynom—ein Bethelau, ein Hebronnau, ein Carmelau a'n Jabezau. Galwyd llannau Cymru ar ôl enwau ein seintiau cynnar—Dewi, Padarn, Teilo, Catwg, ac eraill, ynghyd â'r seintiau diweddarach. Mae'n amlwg na wnâi Sant Harries, Sant Rowlands, Sant Williams a Sant Jones mo'r tro i ddynodi sefydlwyr yr achosion Ymneilltuol, er eu bod yn gymaint saint, o bosib, â'r sawl a fu'n plannu had Cristionogaeth gyntaf yn y tir—os nad rhyfyg, yn wir, yw sôn am gymharu'r seintiau; a dyna rwysg Seisnig ein tai busnes, ein London Houses, ein Cambridge Stores, a'n West End Arcades ymhob twll a chornel o'r wlad, ac enwau brenhinol ein tafarnau—ein King's a'n Queen's a'n Duke's o bob llun, a'n Lion's o bob lliw. Wn i ddim o hanes hen dafarnau Cymru. Diau i'r osgorddlu hon ddod i mewn yn swyddogol gyntaf i chwyddo cyllid trwyddedol y Llywodraeth Seisnig. Yr hen arfer, wrth gwrs, ydoedd fod pob ffermdy yn bragu ac yn macsu ei gwrw o'i haidd ei hun, fel y gwna ffermydd parchus Cwm Gwaun hyd heddiw, heb neb byth, hyd y clywais i, yn mynd i shirobyn yno, hyd yn oed wrth ddathlu Hen Ddydd Calan ar Ionawr 12, bob blwyddyn—yr unig fan yng Nghymru, ac eithrio Llandysul, hyd y deallaf, sydd wedi glynu wrth yr hen arfer hon. Un o'r arwyddion sicraf fod Cymru'n ailgydio gafael ynddi ei hun fydd gweld cynffonnau'r enwau hyn yn araf gilio o'r tir.

Gyda llaw—ac yn ddistaw bach y mynnwn i ddweud hyn—rhaid nad oedd Llanybydder, y dwthwn hwnnw, wedi datblygu'n fasnachol yn ddigon uchel fel ag i haeddu sylw'r chwech oed a than hynny; oherwydd ni chofiaf i mi fynd yno unwaith o Benrhiw. Ond wedi dod i Abernant deuthum yn fuan yn ddigon cyfarwydd â'r farchnad foch ar y Lownt yng ngwaelod y pentre. Nid oedd gennyf fawr o ddiddordeb yn y moch hyn, ragor na gobeithio y ceid, o leia, goron y sgôr am ein dau fochyn ni. Cynhelid y farchnad y Llun cyntaf o bob mis. Yn ddigon mynych 'marchnad hwdlyd' (chwydlyd), fel y dywedid, ydoedd marchnad y tywydd poeth, Mehefin a Gorffennaf. Cof gennyf, yn gynnar, fod yn un o'r rhain, a'r moch druain yn y ceirt a'r cratsys yn lluddedig gan y gwres; ac ambell berchennog caredig yn hôl bwcedaid o ddŵr i'w daflu dros eu cefnau a'u clustiau i oeri tipyn arnynt. Teimlais yn gas at ryw hen fochwr coch, tew, ac aeliau gwrychiog fel y mochyn ei hun ganddo. Roedd rhywun wedi cynnig coron y sgôr am ein moch ni—dau borcyn rhwng y deg a'r un sgôr ar ddeg yma, a graen bwyd mâl arnynt, a gwâl o redyn glân i orwedd ynddi. Daeth yntau'r coch heibio gan ddal ei law yn dalog am dair ceiniog yn ôl o goron. Ymhen ychydig dyma ddyn arall yn dod heibio, ei hensman, fel y deallais, wedyn, ac yn sôn yn eitha didaro am bedwar a whech y sgôr. Siglai fy mam ei phen yn fwy sobr gyda phob gostyngiad mewn pris. Gwyddwn i, er ieuenged oeddwn, fod arian y moch hyn wedi eu rhifo'n barod i lanw bwt, rywle, ymhell cyn dydd y farchnad. O dipyn i beth deuthum i wybod fod y dull yma o fargeinio a dal mantais ar ffermwyr pan fyddai'r amserau'n wan yn hen gast mewn ffair a marchnad gan rai porthmyn digydwybod. O'r un egwyddor y tarddodd y *ring*, y cornelu nwyddau, a'r siopau cadwyn, a'r ffyrdd clyfer eraill o elwa ar draul y diamddiffyn.

Ond fy mhrif ddiddordeb i ydoedd drysau stablau'r Black Lion, gerllaw, yn gwylio, rhwng ofn ac edmygedd, ryw ambell ŵr bach, glew, fel fy nhad, yn arwain ei anifail, yn dringar, i mewn neu allan, rhwng dwy res lawn o benolau cesyg gwned, pislyd, dieithr i'w gilydd, na wyddid pryd y gallai un ohonyn nhw dowlu cic; neu'n gweld trwyn march yn nrws rhyw stabal arall yn codi ei wefl uchaf winglyd tua'r cymylau. Adwaenwn amryw o'r meirch hyn wrth eu henwau—enwau Seisnig, eto, bob un, wrth gwrs. Ac eithrio 'Ceffyl y Pregethwr' na chymerodd arno enw lleyg, hyd y gwn i. Yr unig Gymro ymhlith y meirch enwog y clywais i amdanynt ydoedd yr hen 'Gymro Llwyd'. Ni welais i mohono ef erioed yn bersonol. Ond mi welais rai o'i blant.

Roedd merch iddo, 'Bess', gyda Nwncwl Josi'r Trawsgoed. Hi oedd mam Jac, 'y gwerinwr llwyd'. Hi hefyd, o dad arall, ydoedd mam y 'Black Prince'; a bu yntau, ŵyr, felly, i'r 'Cymro Llwyd', yn ei dro, yn tramwy'r sir yn ffroenfalch a gosgeiddig ei gamau. Yn haf 1917, gwelais, hefyd, fab i'r 'Cymro Llwyd', os iawn y cofiaf, yng ngre (*stud*) meirch digymar yr hen Ddafydd Ifans, Llwyn Cadfor, Castell Newydd Emlyn. Y Dafydd Ifans hwn, fel y cofier, ydoedd tad-cu y ddau frawd nodedig, Martyn a Vincent Lloyd Jones—a Harold, eu brawd hynaf, coffa da amdano, a oedd cyn ddisgleiried ag un o'r ddau arall. Gwelir felly ein bod ni'n troi ynghanol pedigrïau o bob cyfeiriad. Peth enbyd o beryglus yw dechrau dilyn tylwyth—dynion, ceffylau, cŵn. Ŵyr dyn byth ble i orffen, y tu yma i Adda—neu'r cender cynta iddo. Rhaid dod yn ôl, eto, rywle at ben y llwybr.

Ein tuedd ni, 'wŷr ochor draw'r mini', fel y'n gelwid ni weithiau, gan ambell un o wŷr Llanllwni, y man uchaf, hyd y gellais i graffu, lle y mae ambell ffurf ar y Ddyfedeg i'w chlywed—ein tuedd ni, ynte, ydoedd dilyn y dŵr i lawr at Cothi a Thywi ac i'r gweithfeydd a'r trefi poblog. Llefydd cartrefol, agos at ddyn, pawb bron yn nabod ei gilydd, neu'n gwybod am ei gilydd, ydoedd Llandeilo, Llambed a Llanybydder i ni—cynhesrwydd yr anifeiliaid a blas yr enllyn cartref i'w deimlo yn y gymdeithas.

Ond am dref Caerfyrddin roedd rhyw naws gwahanol ynddi hi. Byddai'n dda gennyf allu ei esbonio'n rhesymegol. Heblaw bod, drwy'r cenedlaethau, yn ganolfan ffair a marchnad i wlad eang, gynhyrchiol, hi hefyd ydoedd prif dref y Sir—hen dref hanesyddol a llawer peth pwysig wedi digwydd o'i mewn. Yno y dôi'r Barnwr o Sais, yn ei dro, a holl rwysg ac awdurdod y gyfraith Seisnig ar werin Gymraeg, uniaith bron, yn ei arfogaeth. Ac yno'r oedd y siâl, lle bu'r hen Wil Pantycrwys a gofiaf yn dda, a llawer Wil arall druan, pwysicach nag ef, yn 'stepo'r whîl'. Yno, hefyd, yr oedd y Maer! Ac yn ôl hen ddywediad a glywais ddigon o weithiau'n blentyn i'w gredu'n bendant, yr oedd yn rhaid i bob un a ddôi i dre Caerfyrddin, am y tro cyntaf, luo pen ôl y Maer hwn a thalu ffwtin iddo—gan nad beth oedd ffwtin.

Roedd gennym ni, hefyd, hen ddihareb gynefin arall, cysylltiedig â hyn, yn ddigon posib—'Rhegi'r Maer ar ben rhiw Alltwalis,' ar y ffordd adre—yn golygu dyn dewr pan fo'r perygl ymhell. Y gwir yw—roedd yna ryw elfen o bellter, o syndod, ac o ddieithrwch wedi ei drosglwyddo'n anymwybodol i mi'n ifanc parthed enw tref Caerfyrddin—rhyw barhad, fel petai, o ofergoel y werin tuag at y Castell Normanaidd yn y Canol Oesoedd. Er nad oedd y ffordd i Gaerfyrddin ond rhyw ugain milltir—yn ôl yr argraff a gawn i, nid âi neb yno byth ond o raid caled, megis pan fyddai'r bwyd yn brin, neu rywun ar ei brawf. Ar gae garw a thwmpathog ar dir Cwmcoedifor yr oedd, yn dra diweddar, beth olion hen furddyn a elwid Pant y Bril. Dywedai hen frodor o'r ardal, John Dafis y Gelli Gneuen, a aned yn nau-ddegau'r ganrif o'r blaen, ei fod ef yn cofio am wneuthurwr clustogau brwyn yn byw yn y bwthyn hwn. Cludai faich o'r rhain, dros fryn a phant, yr holl ffordd i Gaerfyrddin; ac wedi eu gwerthu yno dôi yn ôl â winshin o farlys ar ei gefn i gadw ei deulu, gartref, rhag newyn. A chlywais am nhad-cu, o Riw'r Erfyn, y pryd hwnnw, wedi bod â chart a dau geffyl yng Nghaerfyrddin yn hôl blawd, yn adrodd iddo weld un o fechgyn y storws ar y cei, cyfarwydd â thrafod pynnau, yn cario dwy dêl o farlys ar ei gefn. Pwysent gyda'i gilydd ymhell dros bum cant.

Gan fy nheulu fy hun, fy nhad yn bennaf, ac nid gan neb o'r tu allan, y ces i'r naws o ddieithrwch yma ynglŷn â Chaerfyrddin. Mae gennyf y syniad y gallai'r teimlad hwn fod yn hen iawn, yn rhyw gymhleth a faethwyd ar ffaith neu brofiad hanes sy'n rhy bell yn ôl, bellach, i wybod dim amdano—rhyw atgof uwch angof yng nghof hen deulu, fel petai. Nid oes gennyf ond greddf i ategu hynny—ond, rywfodd, ni chredaf i neb o'm hynafiaid i, o ochr fy nhad, erioed fod y tu mewn i gastell, ac eithrio, o bosib, fel carcharor. Roedd fy nhad y creadur caredicaf ei natur a'r mwyaf diwenwyn ei ysbryd y gallai dyn ei gwrdd mewn siwrnai ddiwrnod. Ni wyddai ddim am hanes ond fel chwedloniaeth gwlad. Eto roedd ei ddygasedd at orthrwm a braster y Sais, fel y syniai ef amdano, yn gwbl ddireswm.

(Ond pan ddôi tramp o Sais heibio fe rannai ei lwans ddybaco ag ef yn llawn mor hael ag â Chymro ar ei gythlwng.)

Dymor go faith wedi hynny deuthum i Ysgol Harry yn nhref Caerfyrddin. Hoffais y Parch. Joseph Harry, y gŵr difyr, agored ei ffordd, a'r athro gwreiddiol, dihafal hwnnw, yn fawr iawn, o'r dydd cyntaf i mi ei gyfarfod. Hoffais, hefyd, yr un modd, fy nghyd-fyfyrwyr dyfal a chydwybodol, bechgyn mewn oed, bob un ohonynt, wedi bod allan yn y byd am flynyddoedd, fel finnau—Ophir Williams, fy hen gyd-letywr a'r meddwl ysgolhaig ganddo, R. J. Jones, John Pugh ac eraill o'u bath, a wnaeth ddiwrnod da o waith, wedi hynny, fel gweinidogion yr Efengyl. Yn y gymdeithas hon diflannodd hen ofergoel fy mhlentyndod fel niwl o flaen heulwen. O ddyddiau Ysgol Harry ymlaen deuthum i hoffi hen dref Caerfyrddin yn rhyfedd. Heddiw, nid oes dref yng Nghymru yr ymwelaf â hi gyda chymaint blas a diddordeb. Ni cherddaf ei strydoedd byth heb gwrdd â rhywrai o'm cydnabod, hen neu ddiweddar. Ac o fynd i'r rhan fwyaf o drefi Cymru, gyda'u hadeiladwaith cymysg, digynghanedd, ysywaeth, hyd yn oed yr hen drefi fel Caerfyrddin a Hwlffordd, dyna'r iawndal pennaf y gall dyn ei gael.

Am fy addysg fore yn Sir Gaerfyrddin, gŵr arall yr own i'n ddyledus iddo ydoedd John Jenkins y Cart and Horses, neu John Jenkins, yn syml, fel y byddai llawer yn ei alw, gan nad oedd yr un John Jenkins arall, na'r un Jenkins, chwaith, hyd y gallaf gofio, rhwng y ddwy afon, Teifi a Thywi. Sir Aberteifi yw gwely'r Shincyniaid yn bennaf, debygwn i. A chredaf fod y Jenkinsiaid hyn, hefyd, yn nes yn ôl, yn hanfod o'r Sir honno. Cadw tafarn Y Cart, unig dafarn y cylch, a wnâi John Jenkins, neu, o leiaf, ei enw ef oedd ar y leisens uwchben y drws. Ond fel y gwyddai pawb, Neli, ei wraig, a ofalai am Y Cart, a'r tir a berthynai iddo, digon i gadw tair buwch a phoni. Ni fu gwraig ddoethach na llawnach o synnwyr cyffredin erioed yn cadw tafarn gwlad na Neli'r Cart. Roedd ganddi aelwyd lân, bob amser, a hithau'n siriol a chroesawus i bawb a alwai yno. Ond ynghanol clonc a siarad anystyriol fel sydd, weithiau, ymhob lle o'r fath, a'r dafod dipyn yn sioncach na'r pen, ni chlywyd amdani hi, un amser, yn ailadrodd dim o'r pethau hyn. Bu ein teulu ni a theulu'r Cart yn ffrindiau mawr, erioed. Roedd peth perthynas deuluol rhyngom, ond nid trwy waed. Priodasai 'nhad-cu, tad fy mam, yr ail waith, â Sali, chwaer ieuengaf Neli'r Cart. O'r wraig gyntaf yr oedd fy mam. Roedd y Sali yma, felly, yn llysfam i'm mam, ac yn llysfam-gu i mi—os oes y fath beth. Ond 'Mam-gu Gwarco'd' y galwem ni, blant, hi, bob amser. Rywsut, ni ddeallodd hi a finnau ryw lawer ar ein gilydd, erioed. Fel y dywedais, roedd Pegi fy chwaer yn ffraethach na fi o lawer gyda phobl y tu fas i'r aelwyd; ac yr oedd hi'n uchel yn llyfrau Mam-gu.

Ond am John Jenkins yr own i'n mynd i sôn, yn awr. Porthmon ydoedd ef mewn enw; ond, wrth reddf, dyn yn mwynhau bywyd ar gyn lleied o gyfrifoldeb personol ag oedd byth yn bosib iddo. Ni ddeliai ryw lawer ei hun, ond prynu a gwerthu dros rywrai eraill, a chael ychydig dâl am hynny—dim gormod, mae'n siŵr. I un a stofwyd, gan natur, mor gysurus â John Jenkins, cymorth parod iddo, bob amser, ydoedd ei ddawn arbennig i hala'r busnes yn y blaen ar y minimwm lleiaf o gyfrifon ariannol. Digon i'r diwrnod ei ddrwg ei hun, neu ei dda, fel y digwyddai. Pe cadwai gyfrif cywir o'r hyn a enillai ac a wariai ar ei deithiau porthmonnaidd byddai'n beth syn pe gwelid ei fod ddimai ar ei elw ddiwedd y naill flwyddyn ar ôl y llall. Ond yr oedd John Jenkins yn mwynhau bywyd; a gwyddai, o'r gorau, tra fyddai Neli, ei wraig, gartre, ag awenau'r Cart and Horses yn ddiogel yn ei dwylo, na mhoelai mo'r cart hwnnw ar whare bach. Ac felly yr âi ef ar ei deithiau yn llawen—ar ei draed, o glun i glun, neu ar gefen y poni goch, gyflym honno, yn gyson yn nhymorau'r gwanwyn a'r hydre, pan fyddai'r fasnach yn fwyaf byw. Ac er ei natur wyllt fel matsien, ac yn diffodd yr un mor sydyn, yr oedd pawb yn ffrind iddo, gan mor ddiddichell ydoedd. Ni fyddai na ffair na marchnad yn gyflawn o Lambed i Landdyfri ac o Gastellnewydd Emlyn i Bontarddulais, a'r wlad fryniog, niferus ei da a'i moch a'i defaid sy'n gorwedd rhyngddynt, oni chlywid yno garthiad gwddwg clir, soniarus, John Jenkins; a'i weld yn balff o ŵr rhadlon, hardd ei farf, a rhyw beth herc yn ei gerddediad (canlyniad damwain a gawsai'n ifanc o dan y ddaear), yn rhodio'n hamddenol ymhlith yr anifeiliaid, gan ofyn pris ambell greadur wrth basio, er mwyn gweld sut yr oedd y gwynt yn chwythu.

Yn y cyswllt hwn clywais berthynas iddo'n dweud (nid Elis Dafys, cyn-gwnstabl yn Sir Gaerfyrddin, na W. J. Jones, Prif Gwnstabl Sir Aberteifi—y ddau ohonynt hwy yn wyrion iddo); ac meddai hwnnw: 'Rŷch chi'n gweld nawr, fyddai hi ddim byd mowr gydag e, John Jenkins, fe a'r ast, fynd draw i Aberaeron, i hôl dwy ddafad fowr (defaid penddu'r South Downs), a'u hebrwng nhw, wedyn, i Bort Talbot—a siarad â phob un a gwrddai ar y ffordd'. Yn y modd hwn y dôi John Jenkins a oedd yn fwy o ŵr bonheddig o dipyn nag o borthmon i wybod am bob tŷ bron a'r prif gysylltiadau teuluol o gefen Llanwenog, Sir Aberteifi, hyd at Fynydd y Betws a chyffiniau gweithfeydd Morgannwg, lle mae'r bobl yn dechrau colli gafael ar ei gilydd, a suddo o'r golwg yng nghors y broletariaeth fawr, ddiwreiddiau.

Gyda llaw, cyn i enwad parchus y Methodistiaid Calfinaidd godi'r safon, ryw genhedlaeth neu ddwy yn ôl, gan adael yr Apostol Paul a'i fab Timotheus yn drwm ar y cwilydd, John Jenkins y Cart oedd yr enghraifft orau o ddirwestwr a gwrddais i erioed. Bu John Jenkins yn cadw tafarn Y Cart and Horses am dros hanner can mlynedd, ac, fel rhan o'i fusnes fel porthmon, trôi i mewn i dafarnau, ac ymhob rhyw gwmni. Er hynny, ni chlywais iddo erioed gymryd glasaid mwy nag oedd weddus iddo. Rhywbeth i dorri'r ias a nawseiddio'r gymdeithas oedd glasaid o gwrw iddo ef.

Magodd y pâr hardd a nodedig hwn dyaid mawr o blant—pump o ferched a thri o fechgyn. Yr ieuengaf o'r teulu yw'r Parch. John Ifor Jenkins o Hwlffordd, yn awr—un o storïwyr doniolaf y wlad, ac un o bregethwyr mwyaf dawnus ac efengylaidd ei enwad, yn ogystal ag un o olrheinwyr achau gorau Sir Gaerfyrddin. Os oes ynddo ffaeledd, ffaeledd ei dad ydyw, ac un o ffaeleddau godidocaf y natur ddynol—diffyg unrhyw fath o uchelgais i ragori ar ei gyd-ddyn. Un o blant natur ydyw ef. Er gorfod troi ohono'n gynnar o'i gartre, a thrigo fel gweinidog mewn aml ardal, eto, o dan y stori ffraeth a'r chwerthin sydyn fel taran sy'n dilyn, darn di-lwgr o'r Hen Ardal heb golli lluwchyn ohoni ydyw ef.

Ni phasiai John Jenkins ein tŷ ni odid byth heb droi i mewn a chymryd ei le'n gysurus ar y sgiw dan fantell y simnai. Hen dŷ to gwellt ydoedd Abernant gyntaf, fel pob tŷ yn y wlad. A phan roed to teils arno gan ei berchennog ar y pryd, teulu Ffrwd Fâl rwy'n credu, ni chodwyd y welydd fawr ddim yn uwch, a gadawyd yr hen drawstiau trymion, garw, o dan y llofft, heb eu symud. Mae'n bosib i'r arbed hwn mewn gwaith a defnyddiau olygu achub rhyw ychydig ddegau o bunnoedd mewn treuliau wrth gwmpasu'r trawsnewid hwn, yr adeg honno; ond bu'n golled ddirfawr ac yn rhwystr i bawb a fu'n byw yn y tŷ byth oddi ar hynny. Yn ein hamser ni, er enghraifft, yr oedd y gegin yn isel a thywyll—rhwng y trawstiau trwchus a'r ystlysau cig moch, y rhwydi silots, ac, yn fynych, raff neu ddwy o wynwns Llydaw, y dryll yn ei le, a'i ffroenau, bob amser, yn boenus o gywir at dalcen yr hen gloc druan, basgedi o wahanol faint, bwndel neu ddau o wermod lwyd a gawmil wedi eu sychu, a llawer o drugareddau tebyg, anhepgorion tŷ ffarm, yn hongian o dan y llofft. Yn hirnosau'r gaeaf, rhaid, hefyd, gosod y lamp wen, fantellog, ar y ford fach, a'i golau esmwyth yn ehangu'r gorwelion.

Gadawyd, hefyd, heb ei chwrdd, yr hen simnai lwfer lydan, a'r awyr i'w gweld drwy'r top. Weithiau, ar noson stormus, llwyddai ambell ffluwch o gesair gwyllt ddisgyn drwy'r tro yng nghorn y simnai, gan saethu'u hunain mas, piff-piff-paff-paff yn y fflam. I fyny yn y simnai yr oedd y pren croes a'r bar a'r linciau haearn wrtho i hongian y crochanau uwchben y tân. Islaw yr oedd pentan llydan. Cydofalai 'nhad a'm mam fod yno dân da, yn wastad—tân glo yn y gaeaf, a boncyff o bren go lew, fynychaf, yn gefn iddo. Tân coed fyddai yno yn yr haf—ffagl a matsien o dan y tegil neu'r ffwrn fel y byddai galw. Ac eithrio'r sgiw a'r glustog goch, hir, arni, a hen gadair freichiau fy nhad-cu lle'r eisteddai fy nhad, bob amser, cadeiriau derw trymion, diaddurn oedd yno i gyd, rhai ohonynt, yn ddiau, yn ganrif a dwy oed. Yn union gyferbyn â'r drws, wrth ddod i mewn, yr oedd y seld y gwelech eich llun ynddi gan ôl y cŵyr gwenyn a'r eli penelin ar ei phanelau; ac o flaen y ffenestr yr oedd y ford fowr a mainc wrth ei hochr. Yn nes i'r tân, a chadair fy nhad ar y dde iddi, yr oedd y ford fach, gron, lle byddem ni'n pedwar yn cael bwyd. Os byddai yno ddynion dieithr byddai rhaid i rywrai fynd i'r ford fawr. Pegi a fi fyddai'r ddau ymfudwr cyntaf, wrth gwrs. Yn grwt bach, fy hoff eisteddle i, am flynyddoedd, yn nhŷ Abernant, ydoedd y fainc neu'r ffwrwm ford fywiog honno y gallwn, wrth eistedd ar ei thalcen eitha, gyda'r osgo leia, beri i'w phen arall godi i fyny ac i lawr, yn yr awyr, fel y mynnwn. Adeg bwyd trown ei chornel at y ford fach; ac yn union deg heb wybod i mi, megis, byddai'r ffwrwm, eto, wrth ei champau. Aml i gerydd a ges i gan fy mam am 'beido iste'n deidi wrth y ford fel rhyw blentyn arall'. Ond buan yr anghofiwn i, neu'r ffwrwm, y geiriau. O'r diwedd gadawyd ni'n dau o dan sylw fel bodau'n rhy anystyriol i dreio gwneud dim ohonyn nhw.

Syml a phlaen iawn fel y gwelir ydoedd y cysuron corfforol hyn wrth ein safonau trefol ni, heddiw, y cyfan wedi eu llunio a'u llyfnhau gan olwynion peiriannau ffatrïoedd mawr Lloegr. Ond yr oedd pob celficyn yn y tŷ—yr hen goffrau blawd dwfn ar y llofft, y tolboi a'r leimpres (*linen press*), etc.—o dderw'r ardal, yn waith crefftwr lleol, ac ôl geingio gofalus y ddeunawfed ganrif ar batrwm yr ymylwe. Ac i dŷ a oedd yn llawer rhy fach i ddal ei gynnwys, canlyniad symud o gartrefi helaethach, yr oedd yno, bob amser, lond aelwyd o groeso cartrefol, di-lol, i bwy bynnag a drôi i mewn; a chynnig pryd o fwyd, bron cyn iddynt eistedd i lawr—ond i'r cymdogion nesaf, a oedd mor gartrefol yno â ni ein hunain.

Byddai John Jenkins yn ei ddull o gerdded yn debyg i hen gloc wyth niwrnod, yn rhoi rhyw fymryn bach o un ochr i'r llall, gyda phob cam. Fel y cloc, yntau, ni frysiai ac nid arafai gam, ac nid arhosai byth (ond i siarad â rhywun). O'i wylio gellid meddwl mai pwyllog y symudai. Ond yn y ffordd hon, er ei fod yn ddernyn trwm o ddyn, gallai gerdded pellter mawr heb ddangos arwydd o flinder. Gan fod cymaint yn ei nabod, ac yntau'n gwmnïwr diddan, câi ei gario, fynychaf; ond, weithiau, byddai'n rhaid cerdded. Cof gennyf amdano, un o'r troeon hyn, ar ddiwedd wythnos o ysgafn borthmona, yn eistedd ar ein sgiw ni, wedi cerdded y deuddeg milltir gyfan o Landeilo, a chael un glasaid o gwrw, meddai ef, gyda'r ddwy Miss Griffiths yn yr Angel, Llansewyl (o linach agos i Domos Lewis yr emynydd) ar ben y deng milltir gyntaf.

'Sawl peint rŷch chi'n feddwl, John,' gofynnai i 'nhad 'a gâi'r hen Hwn-a-Hwn, wrth gerdded o Landeilo i Rhydcymerau, i bregethu, 'slawer dydd?' gan enwi un o bregethwyr mwyaf poblogaidd de-orllewin Cymru, gyda'r Hen Gorff, ganol y ganrif o'r blaen. (Petai e'n perthyn i ryw enwad arall fe fyddwn yn ei enwi yn blwmp ar ei ben. Ond rhaid parchu urddas fy enwad fy hun.) 'Pedwar!' gwaeddais innau'n gwbl ddifaners ar draws y drafodaeth, cyn i Nhad, a oedd yn flaenor Methodus, gael amser i roi ystyriaeth deg i gwestiwn mor gyfansoddiadol. Wedi 'ngorchfygu'n llwyr yr own i am eiliad gan y syniad y gallai pregethwr yfed peint fel Nwncwl Tom—Nwncwl Cyffredinol yr ardal.

'Rŷch chi'n eitha reit, was, fel 'sech chi'n 'u rhifo nhw. Dyna fe ar 'i ben—pedwar oedd e'n 'i ga'l, *bob tro,*' meddai John Jenkins yn bwysleisiol. Esmwytheais innau'n rhyfedd, gyda hyn, o deimlo nad own i, yn fy myrbwylltra, wedi tramgwyddo'n ddrwg iawn, beth bynnag. A dyma'r adroddwr yn 'i flaen gyda'r manylion: 'Roedd e'n disgyn o'r trên yn Llandeilo; yn cerdded rhyw ddwy filltir a hanner i'r Hope—peint yno. Dwy filltir a hanner, wedyn, i'r Haff Wae—peint arall. Y trydydd peint yn Yr Angel ar ben y deg milltir. A'r pedwerydd, ar ben y tair milltir ar ddeg, ar gornel sgiw Y Cart gyda'i swper, a'r ford fach o'i flaen e. A roedd e'n pregethu'r bore Sul ar ôl hynny, fel angel, John—fel angel,' meddai wrth 'nhad, a thân argyhoeddiad yn ei lygaid. Llawer tro ar ôl hyn y clywais i'r darn hwn o hanes y saint yn cael ei adrodd gyda'r un sêl dystiolaethol.

Caf fy mod i wedi fy nhynnu i sôn llawer mwy am John Jenkins nag a fwriadwn yn y fan hon. Ei gyflwyno yn unig a fynnwn ar y cyntaf. Ond, rywfodd, fe gerddodd i mewn, ac eistedd ar y sgiw mor gartrefol ag y gwnâi yn Abernant, gynt. Ac o gael y sgiw roedd yn rhaid, hefyd, wrth y gegin drawstiog, yn llwythog fel ceginau'r Oesoedd Canol, y simnai lwfer, a'r pentan llydan, i fod yn *auditorium* iddo. Yn yr isymwybod, efallai fod dau reswm pam y mynnodd John Jenkins ei le, mas o'i dro, fel petai, yn yr hanes. Yn gyntaf, rhaid fy mod i'n fwy hoff o'r hen bererin didaro, doed-a-ddelo hwn, a ddysgodd werth hamdden mor drwyadl, ynghanol byd o ddynionach bach gor-brysur, nag y sylweddolais i erioed, hyd nes i mi, yn ddiweddar, fel hyn, ddechrau hamddenu fy hun uwch ei ben yntau. Yn ail—i'w ddylanwad cynnar, anuniongyrchol, a llwyr anymwybodol, fod yn llawer mwy arnaf nag y dychmygais. I mi, ef oedd y marsiandwr diddan a dramwyai wledydd pell Sir Gaerfyrddin, y tu hwnt i deithiau Blac rhwng y Ddwy Afon—gan fynd i Gapel San Silyn a Chapel Cynon, i Lanedi a Chapadocia a ffair y Bont; ie, ac i'r Ffair Tri Mochyn, gan ta' ble'r oedd honno; a draw ffor' 'na wedyn hyd at Horeb a Phont Ynys Wen, a pharthau Libya gerllaw Cyrene, os nad wyf yn camgofio, a llawer o lefydd diddorol eraill.

Wedi cyrraedd ein cegin ni ryw ambell nos Sadwrn, dwy bibell lwythog yn tynnu cysur i 'nhad ac yntau, a milltir arall cyn gweld y Canghellor siriol, ond treiddgar, câi John Jenkins gyfle wrth ei fodd i adolygu taith yr wythnos. Mae'n wir y dôi pethau cyffredin fel pris y farchnad ac argoelion y tywydd am wres neu law neu sychwynt, ac effeithiau tebygol hynny ar amgylchiadau'r tymor, i mewn yn achlysurol. Ond nid dyna, byth, brif rediad yr ymddiddan. Petai felly, go brin y byddai John Jenkins wedi cael blaen ei droed i mewn i'r hanes, hyd yma. Eithr personau a llefydd a digwyddiadau, storïau am bobl a'u dywediadau a fynnai ei sylw ef, yn bennaf. Dyn yn byw ynghanol cymdeithas gynnes, glòs ei gwead, ydoedd John Jenkins, a'r cynhesrwydd hwnnw yn ddigon i'w gadw ef yn glyd a hapus ar hyd ei oes. Wrth adrodd hanes ffair neu farchnad doedd hi ddim yn ddigon ganddo sôn am y Person-a'r-Person a gyfarfu yno, a'r siarad a fu rhyngddynt. Roedd yn rhaid manylu, ymhellach, amdano, ar unwaith, drwy ei gysylltu â rhyw deulu neu dylwyth gwybyddus i bawb o'r cwmni. Ac i wneud ei garden fynegai (*index card*) yn llawn, eid yn aml, gam neu ddau ar ôl perthnasau ei wraig, a'u cael hwythau i mewn; a byddai'r nodiadau ymyl y ddalen, yn fynych, yn fwy diddorol na dim. Ni wn i am yr un gwerinwr syml a wnaeth gyfandir mor gyfoethog o ddiddorol o'i sir ei hun â'r hen borthmon diddig hwn. Ganed John Jenkins yn nhri-degau diweddar y ganrif o'r blaen. Roedd ganddo sylw a chof craffus am bopeth, ond am fanion dibwys busnes. Cofiai hen hanesion a glywsai am ddigwyddiadau'r ardal ymhell cyn ei eni ef. O wrando arno wrthi am noswaith gyfan fel y gwneuthum i, laweroedd o droeon, fe geid y saga ryfeddaf o gymeriadau a bywyd gwerin Sir Gaerfyrddin a'i chyffiniau yn ystod y ganrif ddiwethaf bron ar ei hyd.

Doedd gan 'nhad ddim clem ar ddilyn tylwyth y tu allan i gylch bob dydd ei adnabod. Ond am fy mam, dewch ati! Roedd ganddi hi ben ac elfen at y gwaith. Yn rhyfedd, efallai, fe ddangosai, ar droeon, fwy o wybodaeth am dylwyth pobl eraill nag am ei phobl ei hun, fel y cawn weld eto. Mae'n bosib mai ei gwyleidd-dra a gyfrifai am hynny. Oherwydd pobl fel ei mab, heb ormod o'r rhinwedd clodwiw hwnnw yn ei natur, sydd fwyaf chwannog i sôn am eu tylwyth; neu rywun, weithiau, wedi cael diferyn ar y mwya. Ond, yn sicr, y mae gwahaniaeth mawr iawn rhwng pobl sy'n elfentu mewn dilyn tylwythau a'r bobl hynny a fyn sôn, o hyd, i bwy y maent yn perthyn. Arwydd o egni cudd rhyw reddf hanesyddol werthfawr, y reddf geidwadol, ddiymollwng honno sy'n dal y gorffennol wrth y presennol a'r dyfodol yw'r naill; y bobl hyn yw recordwyr di-dâl yr oesau a fu'n cynnal anadl einioes y gymdeithas ddynol o genhedlaeth i genhedlaeth, gan wneud gwareiddiad yn bosibl. Nid yw'r llall ond ymgais y gwan i guddio'i ddinodedd drwy ymwasgu at ei fwy. 'Ie, dyna fe, arhoswch chi'n awr, mae Hwn-a-Hwn yn perthyn i chi, on'd yw e?' meddai rhywun, ryw dro, wrth gyfaill iddo heb fod yn rhy dda ei fyd. 'Na, dyw e ddim yn perthyn i *fi,* ond mae e'n perthyn i *John,* 'y mrawd,' oedd yr ateb.

Ni fyddwn i byth yn dweud gair yn ystod y trafodaethau hyn. Dysgwyd ni yn ifanc mewn hen draddodiad, a llawer iawn i'w ddweud o'i blaid, y traddodiad o barchu dynion mewn oed—a hwnnw nid yn barch ffugiol, ymddangosiadol, ond yn adlewyrchiad didwyll o'r parch a goleddid tuag atynt gan ein rhieni. Golygai nad oeddem i siarad gair yn y tŷ, os byddai 'dynion dierth' yno, ond yn unig ateb yr hyn a ofynnid i ni, a hynny'n 'fynheddig ac yn daluedd'. Yn hyn o beth, mi gredaf, nid oeddem ni na gwell, na gwaeth—am wn i—na mwyafrif plant yr ardal. Dyna'r arferiad, o leiaf, ymhob tŷ yr awn i iddo. Wedi mynd yn athro i Ysgolion Sir Cymru y deuthum i ar draws rhai o'r plant clyfer hynny sy'n gwybod mwy na'u rhieni, ac yn llawer uwch eu cloch; a'r rhieni hynny yn synnu ac yn rhyfeddu, gallwn feddwl, at ryfeddol bosibiliadau datblygol Johnnie a Mary ni!

Ond, a mynd yn ôl eto at gwmni John Jenkins, o'r braidd y sylwai neb ar yr aelwyd, efallai, fy mod i'n gwrando, o gwbl. Tybient, yn ddiau, fy mod i'n rhy ifanc i gael dim blas ar siarad o'r fath. Yma eto, er na raid derbyn popeth a draethant, yr wyf yn bendant o'r un daliadau â'r seicolegwyr yma pan ddywedir ganddynt fod synhwyrau plant bach, ie, 'a rhai yn sugno bronnau', yn llawer mwy agored i dderbyn argraffiadau arhosol mewn bywyd nag a dybir yn gyffredin gan oedolion. Seiliaf hyn ar fy atgofion a'm profiadau personol, ac ar ryw gymaint o sylwadaeth ar fywyd yn nes ymlaen. A dyna lle daw holl bwysigrwydd y cartref i mewn.

Cyn i mi, erioed, fod ddiwrnod mewn ysgol, na'm siarsio, hyd y mae cof gennyf, ond mewn dau orchymyn moesol, yn unig, sef nad oeddwn, ar unrhyw gyfrif i ddweud, 'Na-'na' wrth fy rhieni, na dweud anwiredd, credaf i mi, mewn rhyw ffordd annelwig, rywle, i lawr yn nyfnder fy mod, ddysgu parchu rhai o egwyddorion cysegredicaf a mwyaf sylfaenol fy mywyd ar ei hyd. Cartref cul a Phiwritanaidd, meddech chi. Dim o'r fath beth. Ni chafodd dau blentyn, erioed, fwy o ryddid iachus, diwarafun, yn eu cartref, na Phegi fy chwaer a minnau. Ond yr oedd yno ganllaw neu ddwy, wedi eu llunio gan fywyd y teulu, nad oeddem i fynd drostynt. Er agosed y Diafol at fy mhenelin, ym more f'oes (ysywaeth, mae'n llawn mor agos o hyd, ond mewn diwyg wahanol), a'i barodrwydd cyson i ddangos gwaith i was digon bywiog ac ewyllysgar, ar y cyfan, eto, pan ddôi'n ddadl rhyngom yng nghyffiniau'r canllawiau hyn, roedd hyd yn oed ei Fawrhydi ei Hun yn tynnu dipyn o'i gwt ato. Ni allai neb ond mi fy hun ddinistrio rhin a nerth y cyfryw ganllawiau. A theimlais, erioed, pe darfyddai fy mharch i'r rhain, y darfyddai, hefyd, am bob gwerth a allai fod yn fy mywyd innau. Yma, yn y cartref syml hwn y stofwyd fy syniadau am grefydd, am addysg, am wlad, am iaith, ac am fywyd, a hynny cyn i un o'r termau haniaethol hyn allu golygu dim i mi yn ddeallol. Mater o awyrgylch ac o draddodiad ydoedd a ddaethai i lawr o genhedlaeth i genhedlaeth.

Maddeuer y crwydro yna, ond y mae hyn yn wirionedd, hefyd—pryd bynnag y byddai John Jenkins yn ein tŷ ni, neu rywun tebyg iddo, fel Ifan Pant Glas yn sôn am ei ddryll, ei gaps, a'i gŵn, neu Dan Esgair Lyfyn, ei frawd ('Ben Tŷ'n Grug a'i Filgi' yn *Hen Wynebau*), yn actio (dynwared) y cwningod yn pori, ac yn codi ar eu coesau ôl, yn awr ac eilwaith, i wrando, a'r hen fwch hwnnw a'r sbotyn gwyn ar 'i gern e a adwaenai ef fel cyfaill personol, gallwn feddwl, yn rhoi rhybudd i'w gyd-gynffonnau i'w gwân hi, ni fu raid i'm mam, unwaith, geryddu'r ffwrwm aflonydd honno, am ei hanufudd-dod, 'wedi i'r dyn dierth fynd mas'. Dyna'r unig adeg y gellid gwarantu i bedair coes y fainc hon fod yn sefydlog fflat ar y llawr yr un pryd; a'm meddwl innau mor daer sefydlog â hithau.

Pechod parod ambell heliwr tylwyth fel ambell gynganeddwr syfrdan yw nad oes ganddo ddim arall ar ei ymennydd. Dyna pam y mae pobl, yn gyffredin, yn cilio rhagddo ac yntau'n rhy lawn ohono'i hun ac o'i bwnc i weld hynny. Ond gallai John Jenkins siarad yn ddiddan ar lawer testun, a dweud ei feddwl yn glir a chryno. Yn ei hwyliau gorau byddai ganddo, weithiau, ffordd garlamus o ddweud pethau:

Pan ddaeth y fan fara gyntaf i'r ardal, a'r ddau geffyl gwinau, hardd, yn ei thynnu, gan utganu o'i blaen, wrth nesáu at borth pob tŷ, byddai pawb yn prynu, ar y dechrau, fel mater o deyrnged i fenter mor newydd. Ond ciliodd y newydd-deb o dipyn i beth, a phrynwyr y torthau yn yr un modd.

'Rŷch chi'n gweld,' meddai John Jenkins, a sobrwydd y barnwr yn ei eiriau, 'fe fyddai gorfod byw am *bythefnos* ar fara Charles yn ddigon o gosb ar y pechadur *penna*, gan 'ta *beth* fu'i drosedde fe, cyn hynny.'

Ac ategwyd y sylw, ymhellach, gan ei gymydog yr ochor draw i'r afon, Dafydd 'r Efail Fach:

'Hi!' meddai Dafydd, 'rwyt ti yn dy le, fan 'na, John. Mae

dyn yn b'yta'r bara Charles 'ma, nes 'i fod e'n whyddo mas yn bacyn mowr wrth y ford. Yna, wedi codi lan, ac unioni, a rhoi 'stwythad neu ddwy, mae dyn, wedyn, cyn pen fowr o dro, yn teimlo'i hunan mor fflat ag astell gorff Jim Sa'r yr Albion.'

A chyda rhai ymadroddion cyffelyb y cymylwyd gogoniant bara Charles, dros dro, yn yr Hen Ardal. 'Rown i fan 'na yn Ffair Langadog p'y ddwarnod,' meddai John Jenkins, ryw dro arall, 'yn treio prynu treisiad (anner) flwydd, yr *Hereford* fach berta welsech chi, byth, gyda Tom Cwm Cowddu, mab yr hen borthmon, Dafydd Gilwenne, 'slawer dydd; a phwy ddaeth yno, o rywle, i dreio'i hwpo hi'n fargen, am wn i, ond ffarmwr bach teidi reit, cymydog i Tom, gallwn feddwl, a phâr o legins yn disgleirio fel y glas am 'i goese fe. Rown i'n gweld rhywbeth yn debyg yndo fe i rywun rown i wedi 'weld rywle, o'r bla'n, ac yn ffaelu'n lân â galw hwnnw i gof. Erbyn siarad, ymhellach, a rowndo tipyn yn ôl a bla'n, pwy ŷch chi'n feddwl oedd e? Wel, ŵyr i Twm Mati a arfere, 'slawer dydd, fod yn was gyda'r hen Ifan Dafis yn Esger Wen. Twm Legins Cochon oen ni, gryts yr ardal, yn ei alw e, weithe. Gydag e y gwelwyd y pâr cynta o legins lleder coch yn yr ardal. Roedd e wedi bod yn gwasnaethu ffor'na, tua Talley Road cyn dod lan aton ni; mae tipyn o steil tua Glan Tywi 'na wedi bod ariod. A dyna pwy oedd mam y bachan bach, wedyn 'te, mynte fe wrthw i—fe fyddech chi, Sara, yn 'i nabod hi'n net—roedd hi'n wha'r i Marged, gwraig gynta Hwn-a-Hwn. Mae'r byd 'ma'n fach iawn wedi'r cyfan pan eith dyn i ddechre 'i rowndio fe. Ond hyn rown i'n mynd i 'weud—aelie a thrwyne rwy 'i wedi sylwi sy'n dilyn tylwyth, fynycha; ond, weithie, fe gewch bâr o legins, hefyd.'

'John Jenkins! John Jenkins! rŷch chi'n siompol, heno, yto,' meddai fy mam, gan fynd ymlaen yn ofalus â'i 'chweiro' sanau.

'Gyda llaw, ddelsoch am y dreisiad?' gofynnai 'nhad.

'O ie, rown i wedi anghofio am yr *Hereford* fach. Naddo, wir, John. Fe ddaeth rhywun ymlâ'n man 'ny, pan own i'n siarad ag ŵyr Twm Mati oboutu 'i dylwyth, a fe gynigiodd goron yn fwy na fi, slap! Fe adewais i i'r dreisiad fach fynd, er 'i bod hi'n llawn gwerth yr arian, cofiwch. Rhyngom ni'n tri fan hyn, nawr, 'te, rown i'n *eitha balch* 'i gweld hi'n mynd, waeth doedd arna i ddim o'i heisie hi, o gwbwl—ond jist 'y mod i'n nabod yr hen Dom yn dda, ariod, a'i dad e'n well na hynny; a down i ddim yn leico mynd heibo, rywfodd, heb gynnig *rhywbeth,* fel math o shwd-ŷch-chi-heddi 'ma. Ond feddyliais i ddim mwy na'r ffwrn wal yma am 'i phrynu hi.'

Ac fel yna, cyn camu dros drothwy'r un ysgol, y dechreuais i ddysgu hanes a daearyddiaeth Sir Gaerfyrddin; ei ddysgu lawer ohono yn y man a'r lle, wrth ochr fy mam ar sêt y car, a gwrando arni'n sôn am ddynion a thai a choed a chaeau, am nant ac afon a llyn a welwn yn ystod yr ugain milltir ramantus, liwgar hynny ar yr ambell siwrnai o wledda llygaid a gawn rhwng Llandeilo a Llambed; ac a minnau, bellach, beth yn hŷn, wrth wrando ar John Jenkins, yn gymaint â neb, efallai, a'i hanesion am y byd mawr, llydan, y tu hwnt i'n gorwelion ni.

Dyw'r ychydig y dois i i'w wybod, wedyn, ond eilbwys, mewn gwirionedd—am blas Rhydodyn a mynachlog Talyllychau, am Grug-y-bar a Chaeo, am Domos Lewis, awdur 'Wrth gofio'i riddfannau'n yr ardd', a'i ddisgynyddion, hyd heddiw, bendith arnynt, wedi parhau i doncian yr eingion, yr un hen eingion, efallai, ar lawr yr un efail wrth ymyl y ffordd; am gysylltiadau agos Williams Pantycelyn ag ardal Llansewyl—iddo fod yn cadw ysgol yno am gyfnod byr, wedi colli ei swydd fel ciwrad Llanwrtyd, ac iddo, yn ystod y tymor hwn gael ei arwain i gyflawni un o weithredoedd mwyaf bendithfawr ei fywyd, sef ymddyweddïo i briodi Mary, merch Thomas Francis, Pen Lan, ffarm hyfryd y fan yna ar dop Rhiw Goch, yn union uwchben y pentre—y ddihafal Fali o Bantycelyn, wedi hynny.

Flynyddoedd yn ddiweddarach, a minnau, erbyn hyn, wedi cyrraedd mwy nag oed beic, dros fy un ar hugain oed, dyfnheais fy adnabyddiaeth o'r wlad hon drwy seiclo ei ffyrdd hi, do, ddegau ar ddegau o droeon, ar gefn fy *Rudge Whitworth* hirwyntog (model 1907), ie, a byrwyntog ddigon, weithiau, hefyd; a phob rhiw a rhwgn a charreg, fel yr oedd yr hewlydd, yr adeg honno, yn dwysbigo'r adnabyddiaeth bersonol. Ond rhaid gohirio gorchestion y beic hyd ryw dro arall.

I mi, dyma fro y broydd, y godidocaf ohonynt oll. Dysgais ei charu, mi gredaf, cyn dysgu cerdded. Ni theithiais y darn yma o wlad erioed—o Fwlch Cae Melwas i Fwlch Cefen Sarth ac o Graig Dwrch i'r Darren Fowr—heb deimlo rhyw gynnwrf rhyfedd yn cerdded fy natur—cynnwrf megis un yn teimlo penllanw ei etifeddiaeth ddaearol ac ysbrydol yn dygyfor ei enaid. Dyma wlad fy nhadau mewn gwirionedd. Fe'm meddiannwyd i ganddi; ac, yn ôl y gynneddf syml a roddwyd i mi, fe'i meddiannwyd hithau gennyf innau. Prin y collais wyliau erioed heb ymweled â hi. Hiraethais lawer tro am ddod yn ôl iddi i fyw ac i weithio, gan y teimlwn mai yno, ymhlith fy mhobl fy hun, y gallwn wneud fy ngwaith gorau—breuddwyd, yn ddiau, na ddaw i ben mwyach. Oherwydd, er treulio, eisoes, dri chwarter fy oes ymhell o'i golwg, a byw ynghanol cymdeithas garedig a diddan, nid aeth fy nghalon ohoni, unwaith. Nid oes i mi gartref ysbrydol ond yma. Y brogarwch *cyfyng* hwn, os mynner, a'i ganolbwynt yn 'y filltir sgwâr' yn Hen Ardal fach fy mebyd lle y gwelais i bethau tecaf bywyd a'm gwnaeth i yn Shirgar anobeithiol. Dyna graidd fy ngwladgarwch, os caniateir i mi ddefnyddio gair a enllibir gymaint, drwy'r cenedlaethau, heb i mi ei lychwino na'i ddifwyno ymhellach. I mi nid yw gwladgarwch y Cymry cydwladol—yr *inter-nationalists* eangfrydig yma—sy'n selog dros hawliau pob gwlad a chenedl, ond yr eiddynt eu hunain, ond truth arwynebol diystyr—gwladgarwch papur, parod i gael ei gario gan yr awel gryfaf, ar y pryd, boed y gwynt o Lundain, o Fosco, neu o unrhyw le gwyntog arall. Perygl y bobl yma, fel y dywedodd rhywun, yw eu bod mor llydan fel nad oes ganddynt ochrau i ddal dim. Eithr gwae nyni, Gymry, os yn ein llwfrdra moesol a'n materoliaeth bwdr y rhown yr hawl hon i neb bwy bynnag i sathru ar degwch bro ein mebyd a dinistrio gwerthoedd ei gorffennol hi. Os gellir dweud fod hawl ddwyfol ar ddim daearol yn bod, o gwbl, yn y byd yma, yna, yn sicr, y mae'r hawl hon ar dir Cymru yn eiddo cenedl y Cymry—ac nid yn eiddo'r un estron, gan nad pwy fo hwnnw.

PENNOD II

Aelwyd Penrhiw yn amser fy nhad-cu

Yn ôl hen weithredoedd cyfreithiol, yr enw cyntaf ar Benrhiw lle y ganed, ac y maged fi hyd nes i ni symud i Abernant, ydoedd Esgair Fyda, neu 'sawdl bryn y gwenyn meirch'. Rhaid fod yr enw hwn yn hen iawn, gan na chlywais i, erioed, yr hynaf o'r hen ardalwyr yn sôn amdano. Odid fod yn unman ranbarth mwy 'esgeiriog' na'r ardaloedd hyn, a barnu wrth nifer y llefydd sy'n dwyn yr enw Esgair Rhywbeth-neu-'i-gilydd. Yr Esgair, er enghraifft, ydyw enw'r lle nesaf i Benrhiw ar yr ochr dde o wynebu'r dwyrain; neu, a rhoi iddo yntau ei hen enw yn llawn—Yr Esgair Lygod; er fod y 'Llygod', hefyd, ar lafar gwlad, wedi diflannu mor llwyr â'r 'nyth cacwn' neu'r 'Fyda(f)' ar Benrhiw. (Hwyrach, erbyn hyn, mai enw rhif y consgript sydd arni, gan ei pherchennog presennol, Comisiwn y Fforestydd.) Enw'r ffarm ar yr ochr chwith yw'r Esgair Wen. Heblaw hyn, ceir yn yr ardal bedair Esgair arall (yngenir fel Esger, bob amser) Esger Tylcau, Esger Ceir, Esger Lyfyn, ac Esger Owen. Ac fel y nodwyd yn barod ceir yr enw'n fynych yn y cyffiniau agos.

Cyn y gellir deall Penrhiw a'r hen aelwyd yno, fel yr wyf i'n eu cofio gyntaf, rhaid gwybod rhywbeth am fy nhad-cu, Jaci Penrhiw, tad fy nhad, a sefydlodd yr aelwyd honno. Gan i mi, eisoes, yn yr ysgrif 'Y Tri Llwyth' yn *Hen Wynebau* draethu tipyn ar y tylwythau yn yr Hen Ardal bodlonaf yma'n awr ar atgoffa'r ffaith syml mai fy nhad-cu, Jaci Penrhiw, tad fy nhad, neu John Williams, a rhoi iddo ei enw llawn a phriod, ydoedd yr olaf o hen deulu Llywele i adael yr hen le hwnnw y bu iddo, unwaith, ryw gymaint o hanes. Ac yn ôl y traddodiad yn y teulu ef oedd 'yr unfed ach ar bymtheg a aned ac a faged yn Llywele'. A rhoi i ach neu genhedlaeth ond chwarter canrif, dyna bedwar can mlynedd. Fe adawodd fy nhad-cu y lle Ŵyl Fihangel 1838. Felly, a bwrw fod sail i'r traddodiad hwn dyna bum can mlynedd o gysylltiad di-dor â'r un llecyn, gan nad yw Penrhiw y symudodd fy nhad-cu iddo, wedi rhyw ddwy flynedd yng Nghlun March gerllaw, ond tua dwy filltir i'r dwyrain union o Lywele; ac Abernant yr aeth fy rhieni iddo o Benrhiw yn 1891, yn y canol, ar linell syth rhyngddynt, ryw filltir dda o bob un. A'm gwreiddiau mor ddwfn yn y rhan hon o'r wlad, nid rhyfedd fod fy serch innau, ie, a'm balchder digon gonest, hefyd, mi gredaf, yn ddwfn ynddi hithau. Yn diriogaethol, cyfyngu'n gyson y mae treftadaeth y teulu wedi ei wneud ers canrifoedd, nes bron diflannu'n llwyr erbyn fy nyddiau i. Ond nid yw hynny wedi fy mlino, unwaith, yn y gronyn lleiaf, gan y teimlaf i mi, rywfodd, gael cadw rhywbeth sydd yn fy ngolwg i yn ddrutach na thir nac eiddo, sef yr ymwybod â hen werthoedd ein tadau, ynghyd ag elfen o gyfrifoldeb personol am eu parhad. Rhyw naws o hen ddinasyddiaeth Gymreig nas lladdwyd gan hir ormes a thrais yr oesau yw peth fel hyn, gallwn dybied, rhywbeth sy'n fy llwyr anaddasu i fod yn ddinesydd teyrngar i unrhyw awdurdod arall. Ffugiol yw pob teyrngarwch nas seilir ar amodau o foddlonrwydd ac o gyfiawnder moesol.

Bûm yn synnu, rai troeon, pam yr aeth fy nhad-cu o Lywele, ffarm fawr, gymysg, o dir defaid a thir âr, o ryw bedwar cant a hanner o gyfeiri; ffarm dda, hefyd, unwaith y dringid y bryniau serth o bobtu a chyrraedd y gwastatir braf ar y top, a mynd i Benrhiw, ffarm ddiarffordd arall, llai na hanner ei maint, a heb fod yn hanner cystal lle. Ond o osod wrth ei gilydd rai darnau o hanesion teuluol a glywais yn gynnar, ynghyd â chofnodion Beibl Peter Williams, a'r arysgrif led gofiannol o'r achau a'r dyddiadau ar gistfedd fy nhad-cu ym mynwent Llansewyl, credaf i mi gael eglurhad gweddol foddhaol.

Blynyddoedd go anodd i 'nhad-cu yn Llywele fu 1835-38. Yn Hydref 1835 bu farw ei dad, Josuah Williams, mab yr hen Gynghorwr Wiliam Siôn, Llywele, y canodd Williams Pantycelyn farwnad iddo, a phregethu yn ei angladd. Yn gynnar yn Chwefror 1837 bu farw ei frawd ieuengaf, Josi, mab y Josuah Williams uchod, yn ddim ond pump ar hugain oed—gŵr ifanc hynod dduwiolfrydig yn ôl y dystiolaeth amdano, a'i feddwl ar bregethu'r efengyl. Clywais Beto Esgerceir (mam-gu Gwenallt Jones y bardd), hen wraig graff a phwyllog, a allai fod yn ei brin gofio, yn sôn am ei enw da yn yr ardal. Ei gyfaill pennaf ydoedd Dafi Dafis, Rhydcymerau (tad-cu D. Myrddin Lloyd). Ar ddiwedd Cofiant Dafi Dafis gan y Parch. James Morris, fe geir ysgrif goffa brydferth iawn i Josi Llywele gan Dafi Dafis ei hun yn ddyn ifanc. Cefais rai dyddiadau a ffeithiau tra phwrpasol yn yr ysgrif hon.

Ac yna, yn Ionawr 1838, bu farw Letys Williams, mam fy nhad-cu. Pedwar mab oedd yn Llywele, sef Jaci, fy nhad-cu, yr hynaf ohonynt, a Jemi a Bili a Josi. Roedd Jemi wedi priodi yn barod â Mari, merch Ysgnyw, Brechfa (chwaer i dad-cu yr Athro Llywelfryn Davies), ac yn byw yng Nghilwennau Ucha, ffarm arall, helaeth ei herwau ar stad Rhydodyn; a Nwncwl Bili druan, y trydydd brawd, a 'dafad ddu' draddodiadol y teulu, yng Nghwm Du Bach—y ddau le hyn, eto, am y clawdd â Llywele. Mae'r tri lle yma, bellach, a hefyd Esgerceir sy'n ffinio â hwy, a llawer hen le ac aelwyd arall, yn rhan o orestwaith Llywodraeth Lundain dan y teitl synfawr—*The Brechfa Forest*.

Diwedd y flwyddyn gynt, sef Rhagfyr 22, 1837, wedi ei adael, yn awr, yr olaf o'r plant ar aelwyd Llywele, priododd fy nhad-cu, ac yntau'n naw ar hugain oed, â Marged, merch hynaf William James, Cilwennau Isa, a Chlun March, hefyd, y pryd hwnnw, ond wedi ei eni a'i fagu yng Nghwm Gogerddan Ucha, ym mhlwyf Caeo, cartref Dafydd Jones yr emynydd, cyn hynny. Hyd y gwn i nid oedd yna'r un berthynas deuluol, er y digwydd fod gan y ddau gysylltiad â'r Hafod Dafolog, y ffarm y bu Dafydd Jones byw ynddi ym mlynyddoedd olaf ei oes (1763-77).

Enw morwynol fy hen fam-gu, priod William James, Cilwennau Isa, fy hen dad-cu, ydoedd Jane Price. Ganed hi yn 1797, yn y Tŷ Llwyd, Caeo, yn ferch i John a Margaret Price. Roedd y Farged Preis hon, yn ôl y farwnad iddi gan ryw 'John Jones o Gayo' fel y'i gwelir yn hanes y plwyf hwnnw, yn wraig go arbennig, gellid barnu, ac yn un o golofnau achos y Bedyddwyr ym Mwlch y Rhiw a Chwm Pedol. Brawd i Jane Price ydoedd Thomas Price y Beili Ficer, ffermwr a phorthmon, tad Price Bach y Siop a fu'n ffigur amlwg ym mywyd ardal Llansewyl ar hyd ei oes, a thad-cu, gyda llaw, Fred S. Price, swyddog tollau yn Abertawe, a hanesydd diddan y tri phlwyf—Llansawel, Caeo a Thalyllychau. (Wrth basio, dylid crybwyll mai Llansewyl, nid Llansawel, yw'r ynganiad lleol ar y pentref hwn gan bawb yng ngogledd Sir Gaerfyrddin.) Priododd Jane Price â'm hen dad-cu, William James, yn eglwys Caeo, ar y 28 o Chwefror, 1817—y priodfab yn saith ar hugain a'r briodferch yn ugain oed. Un o dystion y briodas ydoedd Daniel Price, perthynas go agos i'r wraig ifanc, ewyrth iddi, frawd ei thad, yn ddigon tebyg. Cyfreithiwr ydoedd Daniel Price, a chanddo ei swyddfa yn Nhalyllychau ac yn Llandeilo. Dilynwyd ef yn ei swydd gan ei fab, D. Long Price. Daniel Price a wnaeth weithredoedd Penrhiw i 'nhad-cu yn 1839, a D. Long Price, y mab, a wnaeth weithredoedd Abernant i 'nhad yn 1893. Rhyngddynt bu'r ddau hyn yn gyfreithwyr ac yn gynghorwyr i ganolbarth Sir Gaerfyrddin am y rhan helaethaf o'r ganrif ddiwethaf.

Yn ôl a glywais gan fy nhad, ynteu, roedd William James, ei dad-cu ef, neu Wiliam Jâms yn iaith yr ardal, adeg priodas ei ferch hynaf, Marged, yn ffarmio Clun March a Chilwennau Isa—dwy ffarm ddymunol, gyfleus, ac yn ffinio â'i gilydd, ryw hanner milltir, bob un, o bentre Llansewyl, i gyfeiriad Rhydcymerau a Llanybydder. Gŵyl Fihangel cyntaf wedi priodas ei ferch, y Nadolig cynt, sef Gŵyl Fihangel 1838, rhoddodd Wiliam Jâms Glun March i'r pâr ifanc, gan gadw at Gilwennau Isa ei hunan. A'r flwyddyn ddilynol, 1838-39 a stad Rhydodyn heb dderbyn Llywele, ei hen gartref, yn ôl, ac yntau wedi cymryd at ei gartref newydd yng Nghlun March, bu gan fy nhad-cu lond côl o waith, drwy orfod gofalu am y ddau le.

Beth amser cyn ymadael â Llywele roedd rhyw gweryl wedi bod rhwng fy nhad-cu a rhyw *agent* go fyrbwyll ar stad Rhydodyn y perthynai Llywele iddi. Yn ôl a glywais gan fy nhad, eto, rhyw achos digon pitŵaidd oedd i'r cweryl hwn i ddechrau: torasai fy nhad-cu bost i glymu buwch yn y beudy, a hynny heb ganiatâd yr *agent* hwn. Ac i wneud y peth yn ffolach byth, pren gwernen, y salaf o'r prennau, ydoedd. Aeth pethau o ddrwg i waeth; a lluniodd y gŵr mewn awdurdod ei fersiwn ei hun o'r stori, ac achwyn wrth y perchennog, Syr James Williams. Y diwedd fu i 'nhad-cu gael rhybudd ymadael o'r lle y buasai ei hynafiaid yn byw ynddo drwy'r canrifoedd. Yn naturiol, fe ffromodd yntau yn chwerw. Fodd bynnag, daeth Syr James, gydag amser, i ddeall yr amgylchiadau'n gywirach; a'r diwedd fu i'r rhybudd ymadael gael ei dynnu'n ôl, a chynnig i 'nhad-cu, fwy nag unwaith, i aros ymlaen yn y lle. Gwrthododd yntau, yn ôl yr hanes, fel y gwrthododd un o'i gyndadau, rywbryd ymhell cyn hynny, yn ôl traddodiad teuluol, pellach, dderbyn prydles ar Lywele am bumpunt y flwyddyn, tra rhedai dŵr yn afon Gorlech—am yr ystyriai fod ganddo well a thecach hawl ar y lle hyd yn oed nag a gynigid iddo gan y brydles hirhoedlog hon.

Ond ymddengys i mi, yn bersonol, nad ystyfnigrwydd noeth, er fod digon o hwnnw yn rhai o aelodau'r teulu, a barodd i 'nhad-cu, wedi dirymu'r rhybudd ymadael, wrthod cadw'r lle yn ei flaen; ond, yn hytrach mai grym amgylchiadau—megis marwolaethau yn y teulu, ei briodas, hefyd, a bod Clun March, wrth ymyl ei dad-yng-nghyfraith, ac yn ei ddwylo, ac yn hwylus iddo gymryd ato, a achosodd iddo, yn y flwyddyn dyngedfennus honno yn ei hanes, y flwyddyn 1838, fel yr olaf o'r gwehelyth, ymadael â hen aelwyd Llywele. Ond am ryw reswm neu'i gilydd, eto, caledi'r blynyddoedd hynny i ffermwyr, o bosib, ni fu Wiliam Jâms fawr o amser wedi hyn yng Nghilwennau Isa, gan iddo tua 1842 neu '43 symud yn ôl i Gwm Canol, gerllaw ei hen gartref yng Nghwm Gogerddan Ucha. Yno y bu hyd ei farw yn 1856 yn 66 oed, a'i gladdu ym mynwent eglwys Caeo.

Ac yng Nghlun March, yn ôl y cofnodion ym Meibl Peter Williams, y ganed y ddau blentyn cyntaf i John a Marged Williams, rhieni fy nhad—Jane, yr hynaf, a fu farw yn Ebrill 1839, yn ddeufis oed, a Joshua (Josi) a aned yn Chwefror 1840. Dwy flynedd union y bu fy nhad-cu byw yng Nghlun March, sef o Ŵyl 'Hengel 1838 hyd Ŵyl 'Hengel 1840. Symudodd, wedyn, yn uwch i fyny'r cwm i Benrhiw Fawr, a wahenir oddi wrth Glun March gan ffarm yr Esgair. Yno y ganed ac y maged y saith plentyn arall—Anne, Let, Bili, John (fy nhad), Jâms a Marged, yr efeilliaid, a Jane (yr ail Jane—i gadw enw Jane Price, ei mam-gu, yn fyw, mae'n amlwg, gan i'r gyntaf, fel y gwelwyd, farw'n faban). Roedd Josi a Rachel, gellid barnu, yn hen enwau yn y teulu, ac fe'u cedwir, hyd heddiw, yn gystal â'r enwau mwy cyffredin—Letys, William

(Bili) John a Jâms. Medd yr emynydd, Morgan Rhys, yn ei farwnad, arbennig bersonol mewn ambell fan, i Esther, gwraig Wiliam Siôn, Llywele, a fu farw yn 1770:

William ffyddlon bydd yn ddiwyd
Yn pregethu gair y bywyd; . . .
Rahel fwyn, a Siôn, a Josi
Glynwch wrth eich Priod Iesu . . .

Yn ôl gweithredoedd y lle prynwyd Penrhiw a'r Byrgwm gan fy nhad-cu, John Williams, Clun March, y pryd hwnnw, ar yr ugeinfed o Ragfyr, 1839, dan y teitl 'Tir Esker Vyda', ynghyd â'r darnau ychwanegol, Dôl y Felin, a'r Llain dan Fryn Dafydd—neu'r Ddôl Fowr, y Ddôl Morfa, a'r Ddôl Frasg'irch yn ôl yr enwau a glywais i arnynt, erioed, enwau sydd i mi, hyd heddiw, yn llawn o hyfrydwch y doldir meillionog hwn fel y cofiaf i amdano'n blentyn. Perthynai'r Ddôl Fowr i'r Byrgwm, a'r ddwy ddôl arall i Benrhiw. Talodd fy nhad-cu am y cyfan £1,005, pris digon uchel, gallwn feddwl, yn ôl y gwerth ar arian yr adeg honno. O ran arwynebedd roedd y ddau le tua'r un faint—ryw ychydig dros gan cyfer yr un, gan gynnwys yr allt dderi ynghyd â'r gwernach, y bedw, a'r helyg, mewn trallwng a rhwyth, lle bu'r afon ar ryw gyfnod yn rhedeg. Hyd y gallaf i ddeall nid oedd neb yn byw yn y Byrgwm pan brynwyd ef; a'r tai, hyd yn oed y pryd hwnnw, wedi syrthio i bwll. Nid oedd yno ond olion, y cof cyntaf sydd gennyf i. Gwnaeth fy nhad-cu y ddau le yn un ffarm. Pan sonnir am Penrhiw o hyn ymlaen, ynteu, golygir y Byrgwm yn ogystal—fel y mae Lloegr, yn hynod hwylus, yn gallu cynnwys Cymru!

Gwerthwyd y lle i 'nhad-cu gan glerigwr o'r enw Charles James o Evenlode yn Sir Gaerwrangon, yntau'n fab i glerigwr o'r enw William James, ac yn ŵyr i glerigwr arall o'r un enw, y ddau olaf o gyffiniau Caerloyw. Yn ôl cytundeb priodas rhwng William James, yr hynaf, ac Elizabeth Biddlestone o'r un dref eto, a wnaed yn 1756, yr oedd y William James hwn yn berchen Penrhiw a'r Byrgwm a rhyw dipyn yn ychwaneg o dir ym mhlwyf Llansewyl, yn y flwyddyn honno. Awgryma hyn y tebygolrwydd fod ganddo ef, neu rai o'i hynafiaid, gysylltiad â'r cylch hwn. Er yr holl rigmarôl cyfreithiol, a'r manylu a'r ailfanylu diystyr i leygwr, yn Rhwymyn y Cyfamod Priodas hwn, gallai'r dywededig William James, *'Clerk in Holy Orders in the City of Gloucester'*, fod yn hawdd yn Felchisedec, 'heb dad, heb fam, heb achau' o ran a ddywedir yma am ei berthynas â'r teulu dynol, namyn ei bod yn ei fryd yr awron i gymryd gwraig; a'i fod ar fore'i briodas yn cymynnu ei eiddo tiriog yn Sir Gaerfyrddin, 'i un Elizabeth Biddlestone o Ddinas Caerloyw a'i disgynyddion o'i chorff'.

Ymddengys i'r cyfenw James fod yn rhedeg yn gryf ym mhlwyf Llansewyl a phlwyf Caeo am ddwy neu dair canrif, er ei fod bellach wedi cilio'n lled lwyr. Wrth geisio olrhain llinach y clerigwyr William Jamsaidd o gylch Caerloyw, perchenogion Penrhiw, ddwy ganrif yn ôl, fe'm cyfeiriwyd yn yr *Alumni Oxoniensis* at driawd arall, yn dad, mab, ac ŵyr, yn dwyn, eto, yr un enw o William James, a'r cyntaf ohonynt, yn arwyddocaol iawn, yn enedigol o blwyf Llansawel. Ymaelododd ef ym Magdalen Hall (Coleg Hertford, yn ddiweddarach), mor bell yn ôl â Chwefror 21, 1673, a graddio o Goleg yr Iesu yn 1677. Bu wedyn yn rheithor Begelly, Sir Benfro. (Rhaid fod cysylltiad agos rhwng plwyf Llansawel a Rhydychen yr adeg yma, gan i ddau ŵr o'r plwyf hwn fod yn Brifathrawon Coleg yr Iesu, yn olynol, yn ei gyfnod cynnar—John Williams (1602-13) a Griffith Powell (1613-20). Graddiodd yr ail William James o Goleg yr Iesu yn 1704, a bu'n dal bywoliaeth Llanhamlach yn Sir Frycheiniog, a hefyd, yn ddigon tebyg, bluraliaeth Longney ac Elmore yn Swydd Gaerloyw. Ymaelododd William James y trydydd ym Magdalen Hall, a graddio yn 1738.

Yn awr, gan fod y clerigwr William James y cyntaf o Rydychen, graddedig yn 1677, yn hanfod o blwyf Llansawel, fel y gwelwyd, a'r William James arall, y cyntaf o driawd clerigol Caerloyw a'r cylch, yn berchen Penrhiw a'r Byrgwm a pheth tir ychwanegol ym mhlwyf Llansawel, mor bell yn ôl, o leiaf, â 1756, a'r dyddiadau'n asio'n rhesymol, o ran amser, y cwestiwn a ddaw i ddyn, yn naturiol, yw, tybed ai parhad o chwe chenhedlaeth o offeiriaid o'r un teulu yn dilyn ei gilydd yn ddi-fwlch o 1677 hyd 1839 yw'r ddau driawd yma o weision yr Eglwys; a'r pump cyntaf yn dwyn yr un enw traddodiadol, William James, a'r chweched wedi newid i Charles James. Gall yr olyniaeth fod yn hwy, wedyn, o ran hynny, gan y collir golwg arnynt wedi i'r olaf hwn werthu ei dreftadaeth yn Sir Gaerfyrddin i 'nhad-cu yn 1839. Er pob ymdrech deg methais â phrofi'n derfynol, drwy gyfrwng dogfennol, mai parhad o'r teulu cyntaf yw'r ail dri. Ond cadarnheir, yn lled sicr, y ddamcaniaeth hon drwy dystiolaeth amgylchiadol gan ŵr gofalus sy'n hyddysg yn y pwnc hwn yn ei dalaith ei hun, Mr Brian Firth o ddinas Caerloyw. Ac iddo ef yr wyf yn ddyledus am gymorth gwerthfawr a diflin yn yr ymdrech hon y bu raid i mi ei gadael fel y mae.

Ac o ddechrau damcaniaethu, tybed, eto, na allai fy hen dad-cu, William James, Cilwennau Isaf, Jamsiad arall o hil gerdd, o'r cylch hwn, fod hefyd o'r un gwehelyth; ac mai rhyw gyswllt teuluol neu'i gilydd, llwyr anhysbys erbyn hyn, ymhlith pethau eraill, a barodd i Marged ei ferch hynaf, a Jaci, ei fab-yng-nghyfraith, gymryd at Benrhiw a'r Byrgwm, a mynd i fyw yno yn gynnar yn eu bywyd priodasol. Gwyddys mor awyddus ydoedd rhai o'r hen deuluoedd yn y gymdeithas glòs yma i beidio â gadael tir i fynd allan o'r achau.

Ar y pwnc hwn bu'n syn gennyf, rai troeon, paham, ar ben dwy flynedd gron, y gadawodd fy nhad-cu Glun March, ffarm fach ddymunol a'i thir yn dod at y ffordd fawr, ac at dop pentre Llansewyl, a phrynu Penrhiw lethrog, anghysbell, a digon didriniaeth, hefyd, y pryd hwnnw, yn ôl yr hanes. Wrth geisio ymresymu'r peth, heb unrhyw ffaith na sibrwd deuluol, y tro hwn, i'm cynorthwyo, dyma rai o'r ystyriaethau a ddaw i'm meddwl fel eglurhad: roedd fy nhad-cu, yr adeg honno, yn ifanc fel gŵr priod, yn ddeuddeg ar hugain oed; yn weddol fentrus wrth natur, a heb arno rithyn o ofn gwaith. Efallai, hefyd, ei fod yn awyddus i berchenogi ei le ei hun, yn hytrach na byw mewn lle rhent, a chael ailbrofiad o gwmpo mas â'r *agent* neu'r meistr tir. Hefyd, wedi unwaith dorri'r rhwymau a gadwasai'r teulu, drwy'r canrifoedd, mor dynn wrth yr hen gartref yn Llywele, roedd e'n awr fel dafad a gollasai ei hen arhosfa; ni faliai gymaint, bellach, symud i ryw rosfa arall, cyd bod yno argoel am flewyn ffres. Ymhellach, yn nyddiau'r ceffyl brwchgáu a'r ceirti yn eu traciau trymion nid oedd y ffordd fawr yn debyg mor bwysig yn y bywyd economaidd ag ydyw hi, heddiw. Roedd hyd yn oed y priffyrdd, yn fynych, yn wael ddigon. Aml dro, fel y clywais ddweud, y galwyd fy nhad-cu (tad fy mam yn awr) yn Rhiw'r Erfyn o'i wely, ddyfnder nos, i ddod â cheffyl i roi plwc mas i lwyth o galch rhyw ŵr anlwcus 'o ochor draw'r mynydd', y suddasai ei gart hyd at y bŵl yn y fignen ar ben Gors Fach, gerllaw—a hynny ar y *ffordd fawr* o Landeilo i Lanybydder! Cofier, hefyd, mai dyma union ddyddiau mwyaf gorthrymus y tollbyrth, a chynnwrf y Beca, fel canlyniad. Rhwng popeth roedd y priffyrdd y cyfnod hwnnw bron yn fwy o rwystr nag o help i ffermwyr ymdrechgar.

Ac o ddod yn ôl at y cartref newydd a'i gymharu o ran safle ddaearyddol â'r hen gartref—er mor ddiarffordd Benrhiw y mae ardal siriol Esgerdawe i'w gweld bron yn gyfan o fwlch y clos—bwlch Cae-dan-'r-ydlan. Eithr o unigedd gogoneddus gwastatir uchel (*plateau*) banc Llywele, a hafnau dyfnion Cwm Gorlech, Cwm Acheth, Cwm Cilwennau, a Chwm Du, yn ei gylchynnu o bobtu, nid oedd dŷ cymydog yn y golwg yn unman. Er hynny, o rannau o'r tir, fe geid panorama godidog o wlad—Glyn Cothi y tu hwnt i bentref Abergorlech, draw at gefen Llanfynydd, ac yn ôl, drachefn, ar y chwith, at Ddinas Rhydodyn fel caer uwchben y Dyffryn, yn gwylio tawelwch Llansewyl, Crug-y-bar, Caeo, a Phumsaint. Gylch ymhellach, wele Graig Dwrch, y Mynydd Du, a'r dibyn serth uwchben Llyn y Fan Fach, a Bannau Brycheiniog acw draw yn y pellter glas. Diau mai'r olygfa hon oedd o flaen llygaid Morgan Rhys yn ei farwnad i Esther Siôn, y cyfeiriwyd ati'n barod wrth ei disgrifio yn gweld y pererinion yn dod i Lywele i fwrw'r nos, yn ôl traddodiad, er mwyn byrhau'r siwrnai blygeiniol iawn drannoeth i gymun Rowlands yn Llangeitho. Roedd y llwybr serth hwn yn groes gwlad, drwy Gwm Gorlech, heibio i Lywele ac i lawr i Gwm Du Bach a ffordd Rhydcymerau, a thros y mynydd i gyfeiriad Llambed, yn arbed rhai milltiroedd o deithio i bererinion Llangeitho o gyfeiriad y de-orllewin.

Medd yr hen emynydd am y wreigdda Esther Siôn:

*Bu dy draed a'th ddwylo'n ddiflin
Yma 'n gweini i blant y Brenin;
Roedd dy lygaid yn eu canfod
Dros fynyddau maith yn dyfod;
Hwyr a borau cyrchai'r seintiau
Tan y cwmwl i'r Llawelau . . .

Heddiw, cwat y gwdihŵ, yr ystlum a'r cadno yw'r hendre hon a fu unwaith yn llety fforddolion i Seion, mewn gweddi a mawl, a'i thir yn tyfu coed ar gyfer rhyfel nesaf y Sais.

Un dyfaliad pellach sydd gennyf i'w gynnig fel esboniad ar y symud buan o Glun March, y soniais amdano. Roedd fy nhad-cu yn ddefeidiwr wrth reddf, wedi ei fagu ar ucheldir deadellog Llywele. A chan fod Penrhiw a'r Byrgwm ynghyd yn fwy o faint, yn gymaint ddwywaith o dir, o leiaf, â Chlun March, ac yn well lle defaid, diau fod hynny yn atyniad go gryf iddo ef. Ac yn y cyswllt hwn fe ddaw yna bethau eraill yn ôl i mi o hen ystordy cof y teulu—pethau nad oes gennyf syniad pa mor hen y gallant fod. Dyma un stori a ddaeth i lawr o'r dyddiau gynt pan oedd y teulu'n byw yn Llywele.

Yn ôl hen draddodiad a gadarnheir bellach gan ffeithiau gwybyddus fe berthynai i Lywele, 'slawer dydd, ran helaeth o'r tir o gwmpas, gan gynnwys yn eu plith dir y Trawsgoed a thir Cwmdu. Fe gadwai'r lle, yr adeg honno, yn ôl y stori, yn bur agos i fil o ddefaid. Ac ymddengys i ryw un o hen fechgyn Llywele gael ei feddiannu gan yr uchelgais Satanaidd o ddod yn berchen ar fil gron o lydnod gwlanog. Aml dro y gwnaeth ef gynnig teg arni i gyrraedd y rhif gosodedig hwn drwy brynu rhyw nifer fach dros ben y rhif gofynnol i lanw'r bwlch. Ond yr oedd fel petai ffawd, neu ei angel gwarcheidiol, efallai, neu anlwc noeth yn ei erbyn, bob tro. Diwrnod cneifio, tua hirddydd haf, bob blwyddyn, pan eid ati, yn ôl yr arfer, i gyfri'r praidd a rhoi'r pitshmarc ar bob llwdn, fe geid fod y nifer, bob cynnig a wnaed arni, yn rhyw ddwy neu dair yn brin o'r fil hirarfaethedig—rhai o'r gorlan, ysywaeth, wedi cael eu galw adref er y flwyddyn gynt; eraill, trist yw adrodd, ymhlith y gwrthgilwyr anystyriol ar ddydd mawr y cyfri. A allasai dim fod mor bryfoclyd o siomedig i hen bererin a

* *Casgliad o Hen Farwnadau Cymreig* gan Thomas Levi, tud. 57-8 (Hughes a'i Fab, 1872).

roesai ei fryd ar gyrraedd nod mor uchel mewn bywyd? Aeth yntau ei hun adref yng ngolwg y fil ond heb ei chyrraedd.

Efallai, pwy a ŵyr, fod gan gymhlethdod y defaid colledig hyn rywbeth i'w wneud â chymhelliad fy nhad-cu i symud o Glun March i gynefin y mamogiaid a'r ŵyn ar dop Penrhiw a'r Byrgwm. Ac o ddechrau dirwyn o hen gof y teulu caniateir i mi ymhelaethu rhyw dipyn ymhellach am Lywele ar draul bod yn ymarhous yn dilyn yr hanes.

Roedd yna draddodiad distaw, distaw, yn nheulu fy nhad, o du ei dadau yntau, teulu Llywele, ein bod ni'n dod, rywle, o'r un achau â hen deulu Rhydodyn. Ond fe gedwid y stori hon mor gudd a dirgel fel na chlywais i neb erioed y tu allan i'r aelwyd, ond yr hen ŵr craff a hirben, Ifan Bryn Bach, yn sôn gair amdani. Yr unig un o'r tylwyth yr effeithiodd y traddodiad hwn yn drwm arno ydoedd ewyrth i mi, Dafydd Harris, Cathilas,* priod Anne, chwaer hynaf fy nhad—yntau, hefyd, rywle o'r un gwehelyth. Llyncodd ef y traddodiad mor llwyr nes drysu yn ei synhwyrau, a mynd i gredu, yn ei ddychymyg, fod rhai o ffermydd stad Rhydodyn yn perthyn iddo ef! Yn ei ddiniweidrwydd aeth â rhyw hen weithredoedd a phapurau yn ei feddiant, gan nad faint eu gwerth, at gyfreithiwr digydwybod. Swcrodd hwnnw ei wendid am flynyddoedd a derbyn ei arian prin. Mae gennyf i gof plentyn am Dafydd Harris yn hen ŵr tlawd, clebarddus, yn y got gochddu fotymog honno, fel math o Sgweier Hafila, yn dod i'n tŷ ni, weithiau; ei wraig wedi marw'n gynnar, ei gartref wedi chwalu, a'i blant yn ifainc ar wasgar. Ei fab hynaf ef oedd Harris Bach fy nghefnder, y cantwr bach nerfus-swynol hwnnw a fu'n was twt ym Mhenrhiw am ryw gyfnod. Yn ddiweddarach, aeth tri o'r plant gyda'i gilydd i Awstralia, a Joshua arall, yr iengaf ohonynt, yn eu tywys i mewn i'r Ganaan newydd yno!

Adroddir am Harris Cathilas wedi glaw yn y Cart, ryw dro, a Dafydd 'r Efail Fach, heb ei nabod, bryd hynny, yn gwrando arno'n sôn yn hyderus am Lan 'r Afon Ddu a rhai ffermydd da eraill a ddôi i'w ran ef ryw ddiwrnod. 'Hi!'

* Perthynai Cathilas ar un adeg i Mali, gwraig Williams Pantycelyn. Gweler *Pantycelyn* gan y Parch. Gomer M. Roberts, tud. 96.

meddai Dafydd, yn ei ddull nodweddiadol, wrth rywun gerllaw, 'dyna beth od, 'n awr. Fe wedodd y cwrw bŵer o bethe rhyfedd wrthw i, o bryd i' gilydd. Ond wedodd e ariod wrthw i, chwaith, 'mod i'n berchen stad Rhydodyn.'

Fodd bynnag, daeth i'r Llyfrgell Genedlaethol, tua diwedd 1946, gasgliad llwythog o hen lyfrau cownt, gweithredoedd, a phapurau eraill, perthynol i stad Rhydodyn, yn ogystal â dogfennau parthed tiroedd hen Fynachlog Talyllychau, gerllaw. Bu Mr Rhys Dafys Williams o Lansadwrn, wrth ymyl eto, y chwilotwr dyfal yn hanes y fro hon, yn fanwl drwy y rhain i gyd. Ac fel ffrwyth ei lafur ef syn yw dweud, fe gadarnheir, yn weddol ddiogel, drwy gyfrwng achau a thystiolaethau ysgrifenedig o ddiwedd yr unfed ganrif ar bymtheg a dechrau'r ail ar bymtheg, fod teulu Llywele a theulu Rhydodyn, yr adeg honno, o'r un gwehelyth; a bod sail hanesyddol, wedi'r cyfan, i'r traddodiad cudd hwnnw yng ngwaelod cof y teulu na soniai neb odid byth amdano rhag cael ei amau o fod yn gwyro i'r un cyflwr meddyliol â Harris Cathilas druan. Ond y mae'r stori hon a rhai ategion dogfennol o'i chywirdeb, ynghyd â'r hanes am y rhydd ddeiliaid yn Fforest Glyn Cothi, wedi darfod 'gwely'r llwyth', yn ymgyfreithio yn erbyn talu rhent i'r Goron, fel y'u ceir yn fratiog yn y pentwr papurau uchod yr wyf yn ddyledus i Mr Williams am grynodeb ohonynt, yn rhy faith a dyrys i fynd ar ei hôl yma. Fe weddai'n well i atodiad.

A bwrw, ynteu, fod y dystiolaeth rannol gyflawn hon yn gywir, y gellid olrhain y ddau dylwyth hyn, tylwyth Llywele a thylwyth Rhydodyn, yn ôl i'r un cyff tua diwedd oes y frenhines Elizabeth, dyna'r achau wedyn, fel y'u ceir gan Ieuan Brechfa a Lewis Dwnn, yn mynd yn ôl yn glir i Ddafydd Fychan o Rydodyn, noddwr Lewis Glyn Cothi a beirdd ei gyfnod, bum can mlynedd yn ôl, a thu ôl i hynny; a chanfod, hefyd, nad gwag, efallai, yr hen ddywediad mai fy nhad-cu oedd yr unfed ach ar bymtheg a aned ac a faged yn Llywele.

Nid yw'r hanes yn hawdd i'w ddilyn o gwbl; ond hyd y gellir deall pethau, Dafydd ab Rhys ab William, y cryfaf a'r cyfrwysaf ohonynt, yn ddiau, a lwc o'i du, oedd y cyntaf o deulu Rhydodyn i fanteisio ar Ddeddf Seisnig y Cyntaf

Anedig. Drwy gyfrwng y Ddeddf yma, rhwng 1550 a 1700, llwyddodd y gangen hon o'r teulu, cangen Dafydd ab Rhys ab William, a'i fab a'i ŵyr, Rhys a Nicholas Williams, ac eraill wedyn, i fachu fel eiddo iddi ei hun nid yn unig hendref Llywele, ond hefyd, y rhan helaethaf a gorau o dir y tri phlwyf, Llansawel, Talyllychau, a Chaeo. Ac am tua chan mlynedd yn olynol yn ystod y tymor yma, bu'r teulu hwn, wedi mynd yn Saeson yn awr, yn ei gyfenwi ei hun fel *'of the Capital Demesue of Edwinsford* (Rhydodyn) *and Llywele Mawr'*.

Ceir dau gofnod diweddarach am Lywele ym mhapurau stad Rhydodyn sy'n dra arwyddocaol, debygwn i. Yn 1736 y mae Catherin William, gwraig weddw, yn cael les o un flynedd ar hugain ar y lle am £7/10/0 y flwyddyn o rent. Yna, yn 1757, ar derfyn y tymor hwn, y mae ei mab, William Jones (Wiliam Siôn y Cynghorwr Methodus), yn cael estyniad i'r les yma am yr un flynedd ar hugain nesaf, ar dalu £9 yn y flwyddyn. Yn ychwanegol at y codiad o £1/10/0 yn y rhent y mae Wiliam Siôn yn talu £2 arall *neu* ei eidion gorau (*his best beast*), a rhyw fanion pellach fel *heriot*. Treth oedd yr *heriot* yma yn cyfateb i'r marwdy yn hen gyfreithiau Cymru a delid i'r uchelwr ar farwolaeth deiliad iddo. (Soniais yn barod am y stori yn y teulu i ryw un o hen bobl Llywele wrthod derbyn les o bumpunt y flwyddyn ar y lle am yr ystyriai fod ganddo hawl rydd arno.) Yn awr, wrth dalu'r swm hwn fel y perchen tŷ, ar farwolaeth ei fam, yr oedd Wiliam Siôn, mewn anwybodaeth yn ddigon tebyg, neu a'i ddiddordeb yn fwy yn y Diwygiad Methodistaidd nag mewn pethau materol, yn ei gydnabod ei hun yn ddeiliad syml ar yr un gwastad â deiliaid eraill yr ystad. Oherwydd o 1778 ymlaen, wedi i'r les hon ddod i ben, nid oes sôn pellach am brydles a olygai sicrwydd tenantiaeth a rhent bychan, mewn enw, na dim o'r fath. Yn y dull graddol hwn, gallwn feddwl, a barhaodd am tua dwy ganrif, heb ond rhyw ychydig o'r ffeithiau fel yma yn ddamweiniol ar glawr, y gwasgwyd ac y darostyngwyd teulu Llywele, fel llawer hen deulu arall yng Nghymru, i ildio'r naill ragorfraint ar ôl y llall fel cyd-berchenogion yn y llwyth gynt, y bonheddig yn dod yn iwmyn, a'u cael eu hunain, gydag amser, yn ddeiliaid cyffredin i ryw uchelwr tirol o'r un gwaed â hwy eu hunain i gychwyn; a'r rhent yn codi'n sylweddol bob hyn a hyn. Codasai rhent Llywele, er enghraifft, o £9 yn ystod y les 1757-78, i £30 yn 1802, ac yna i £64/4/0 erbyn 1836. A phwy a ŵyr na allai fod gan y codiad diwethaf hwn yn y rhent, wedi marw ei dad, y flwyddyn cynt, yn ychwanegol at y ffrae â'r *agent* penwan hwnnw, rywbeth i'w wneud ag ymadawiad fy nhad-cu â hendref ei dadau, ddwy flynedd yn ddiweddarach.

Ers cenhedlaeth dda, bellach, y mae perchennog presennol stad Rhydodyn, y rhannau sydd ar ôl ohoni, y Syr James Williams Drummond diweddaraf, ar ei drafel yn rhywle, heb unrhyw gysylltiad rhyngddo â'i ddeiliaid, namyn derbyn eu rhenti; a llawr parlyrau'r hen blas yn tyfu caws llyffaint (*mushrooms*) dan ofal Pwyliaid. Fel y dywed Rhys Dafys Williams mewn llythyr ataf, gan ddyfynnu o Lewys Glyn Cothi:

'Mae('r) deuddeg llwyth yng Nghaeaw
A phob llwyth yn wyth neu naw

ar wasgar ym mythynnod a ffermdai'r fro'. Ond o'r bythynnod a'r ffermdai gwyngalchog hyn, yn yr union gyfnod y bûm i'n sôn amdano, y cododd hen emynwyr gogledd Sir Gaerfyrddin—o Gaeo ei hun, o Lanfynydd, ac o Dalyllychau; a hwy a gadwodd einioes ac enaid y genedl yn fyw.

Ar wahân i'r ffaith eu bod yn landlordiaid digon caredig fel y mwyafrif o'u dosbarth, darfu am wasanaeth hen deulu Rhydodyn i'r bywyd a'r gymdeithas o'u cwmpas pan ddarfu'r Gymraeg ar eu min. Ac o gofio swyddogaeth uchelwyr Cymru gynt fel noddwyr ac amddiffynwyr bywyd y genedl yn ei gyflawnder, a'i hiaith a'i diwylliant, ei threftadaeth ddrutaf, yn anad dim—a fu mewn gwlad erioed arweinwyr mwy diffrwyth a chibddall na disgynyddion y rhain yng Nghymru, o gyfnod y Tuduriaid ymlaen? Gyda rhai eithriadau prin, anghofiasant bopeth am Gymru, ond eu stadau. Dyma, gellid barnu, brif effaith a dylanwad y teyrnedd Cymreig galluog hynny o orsedd Lloegr ar fywyd Cymru—gwneud Cwislingiaid o arweinwyr naturiol y bobl. A'r Gwislingiaeth hon, a ddaeth yn ffasiwn y dydd i'n huchelwyr Tuduraidd, a werthodd falchder y Cymry am saig o fwyd yr estron. Ac ar yr egwyddor hon, lle y mae Llundain a Lloegr yn ganolbwynt pob ystyriaeth, a Chymru a phopeth a fedd at ufudd wasanaeth y mawredd a'r ddoethineb helaethach yno, y seiliwyd yr unig wleidyddiaeth y gwybu ein cenedl ni amdani hyd at y dyddiau yma. Nid ydynt yn sylweddoli hynny, efallai, gan syfrdan sŵn y bythol bropaganda; ond disgynyddion ysbrydol uchelwyr Cymreig oes Elizabeth y Cyntaf sydd wrthi, heddiw, yn cyhwfan baneri'r Pleidiau Seisnig yng Nghymru yn oes Elizabeth yr Ail. Darfu am anrhydedd cenedl ym mryd mwyafrif pobl Cymru; darfu am falchder ynddi, ac am gywilydd drosti—ond mewn pledren wynt. Bu fyw Cymru, rywfodd, fel cenedl, mae'n wir, gan lwyddo i gadw ei phethau gorau, am bedair canrif, o leiaf, wedi brad ei huchelwyr yn yr unfed ganrif ar bymtheg. Ond a oroesa hi frad ei phroletariaid Seisniglyd yn yr ugeinfed ganrif? Fe atebir y gofyniad hwn, y naill ffordd neu'r llall, yn fwy neu lai terfynol, yn y genhedlaeth hon yr ŷm ni yn byw ynddi; a bydd gan bob un ohonom ei ran bersonol yn yr ateb. Ni leddir iaith na chenedl byth ond gan ei phobl ei hun.

Ond yn ôl at Jaci Penrhiw, ynteu, wedi'r crwydro maith hwn ar ôl ei achau ef a'i briod. Gan nad beth a allasai'r rhesymau fod a gymhellodd fy nhad-cu i brynu Penrhiw, nid hawdd, mi gredaf, fuasai i neb wneuthur yn well o'r fargen a gafodd nag y gwnaeth ef. Daeth lwc o'i du, yn un peth; a phrofodd y lle ei hun yn well, ac yn fwy cynhyrchiol, nag y gallai neb dybio ond a fu byw ynddo. Magwyd yno deuluoedd graenus; ac yn ôl yr hanes nid aeth neb o Benrhiw erioed heb fod yn well ei fyd, gan symud i le mwy o faint neu i fan mwy cyfleus. Mae'n lle diarffordd, fel y dywedwyd; ac yn lle slafus, oherwydd ei fod mor llethrog. Gorchfygodd Jaci y rhain drwy gyfuniad go anghyffredin o egni corff a menter dychymyg ymarferol. Bu medi trwm o'i lafur ef am genedlaethau wedi ei farw.

Nid wyf i'n cofio dim am fy nhad-cu, oherwydd bu ef farw ar y 21 o Fai, 1886, ryw fis cyn i mi gael fy mhen blwydd cyntaf. Bu'n cadw gwely ran helaeth o'i flwyddyn olaf—y corff gwydn, cymharol ysgafn, wedi ymdreulio i'r pen gan oes o waith caled. Roedd bron yn 78 oed pan fu farw, er mai

74, drwy ryw gamgymeriad, a osododd y masiwn ar ei garreg fedd. Priodasai fy rhieni ryw dair blynedd cyn ei farw, a daethai fy mam, fel y gwelwyd, i mewn i Benrhiw at fy nhad. Yn ystod ei gystudd blin ar y diwedd gofalodd fy mam amdano yn y gwely cwpwrdd o dderw trwm, yn y parlwr, â'r un llaw dyner ag y gofalai am ei ŵyr bach yn ei gadair ar lawr y gegin dan fantell y simnai fawr. Pan godai lawr i'r aelwyd, weithiau, clywais ddweud y treuliai lawer o'i amser, uwchben y gadair hon, yn diddanu, ac yn siarad â'r ddau breswylydd cysonaf yno—myfi a Twm y gath, 'yr hen Dwm' fel y galwai 'nhad-cu ef, medden nhw. Ac yntau'n gob go lysti ar ei oed, ar adegau, mae'n debyg, fe fanteisiai Twm braidd yn hy, ar ddeddf y cyntafanedig fel etifedd yr aelwyd, drwy ddringo i mewn i'r gadair ataf i, a mynd â mwy na'i siâr ohoni. Achosai hyn beth pryder i 'nhad-cu, ac yntau'n awr yn tynnu at ei ddiwedd; oherwydd, er cymaint cyfeillion ydoedd Twm ac yntau, byddai gweld ei ŵyr fel hyn, yn gynnar yn ei ddydd, yn cael ei ddietifeddu gan gwrcyn yn dipyn o anfri ar enw'r teulu. Pan fyddai Twm wedi mynd yn rhy eger am ei safle gymdeithasol, ffordd fy nhad-cu o gael gwared arno, am beth amser, ydoedd tasgu tipyn o sudd dybaco i'w lygad. Byddai rheg a chwyrnu a charlam drwy'r drws wedyn. Ond nid oedd pwdu yn natur Twm, na thor ar ei gyfeillgarwch. Wedi bod yn wincio am sbel fach dan goed y berllan neu ar dop Cae-dan-tŷ, yn ôl y dôi, eto, at ei ddau bartner, a'i gwt ar ei gefn. O lyfr cofnodion yr aelwyd y ces i'r manylion hyn, wrth gwrs, a minnau'n ddiau, ar adegau, fel y bûm lawer gwaith yn ddiweddarach, yn llais digon croes yn y cworwm.

Hwyrach mai help, ar y cyfan, ac nid rhwystr i sgrifennu'n wrthrychol am fy nhad-cu yw'r ffaith nad wyf yn cofio dim amdano'n bersonol, er i'm llygaid, yn ddiau, syllu'n syn arno, lawer tro. Ond y mae gennyf lun ohono a dynnwyd yn 1868, ac yntau'n drigain oed y flwyddyn honno. Yn ôl pob dim y deuthum i'w wybod amdano, petai'n rhaid arnaf i ddewis un gair i gyfleu prif nodweddion cymeriad fy nhad-cu, y gair 'arloesydd' fyddai hwnnw; oherwydd heb unrhyw awydd i dynnu sylw ato'i hun, gartref nac oddi cartref, ond, yn syml, ddilyn ei ddihewyd a'i farn naturiol, yr oedd, yn ei gylch ei hun, yn arloesydd mewn llawer gwedd ar amaethu a gyffyrddai â'i fywyd ef.

Hyd yn oed yn y llun uchod fe ddôi'r arloesydd i'r golwg. Bedwar ugain a chan mlynedd yn ôl, nid oedd tynnu lluniau yn beth cyffredin, o gwbl, ynghanol Cymru wledig. Bu raid, felly, hôl y tynnwr lluniau yn unig swydd o Lambed i Benrhiw —wyth milltir dda o ffordd yn groes i'r bryniau. Cyfyng ac unllygeidiog ydoedd cwmpas camera oes Victoria; ni allai ddal grŵp lluosog ar y tro. Ymddangosai'r llun gwreiddiol, cyn i ryw Iddew teithiol mwy gwreiddiol byth, ei fwyhau, fel dau lygad telescop, ochr yn ochr. Ynghanol y naill y mae 'nhad-cu yn eistedd, yn hen ŵr trwsiadus, braidd yn swchog, efallai, ond sionc yr olwg arno yn ei frits a'i legins carsi-mêr tyn, ei dei ddolen, a'i het ddu, dop-fflat (ond nid silcen) am ei ben. O bobtu iddo, ar eu traed, y mae ei ddwy ferch hynaf, Anne a Let, yn eu gwisgoedd gwlenyn trymion hyd y llawr, a'r grafet fraith ffasiynol ar y pryd, mae'n debyg, ar eu breichiau. Yn y cefn y mae 'nhad yn llefnyn pigfain, pedair ar bymtheg oed, yn edrych fel petai am fod mas ohoni. Ynghanol llygad arall y llun y mae Nwncwl Josi, y mab hynaf, yntau yn ei hat gopa-uchel, yn batriarch barfog wyth mlwydd ar hugain, ei ddwy chwaer ieuengaf, Marged a Jane, o bob ochr iddo, a'r sgarff fraith ar eu breichiau hwythau. Yn y ffrynt y mae Nwncwl Jâms yn stacan pedair ar ddeg; ei ddwy droed ryw ychydig ar led, llyfr bychan yn ei law a allai fod yn llyfr canu, megis i ddynodi'n gynnar ei safbwynt ei hun mewn bywyd, ynghyd â phrif ogwydd ei anian. Gwelir eisoes fod un o'r wyth plentyn yn eisiau yn y llun—Bili druan, partner mawr fy nhad, ddwy flynedd yn iau nag ef. Buasai Bili farw'r flwyddyn honno o'r declein, yn un ar hugain oed. Dyna, efallai'r esboniad pam y mynnodd fy nhad-cu, y dydd hwnnw, y tynnwr lluniau yr holl ffordd o Lambed. Ymhen tair blynedd arall yr oedd Marged, eto, y fwynaf o ferched, medden nhw, wedi marw o'r un dolur, yn ddwy ar bymtheg oed. Hi ydoedd cyd-efeilles Nwncwl Jâms; ac megis yr oedd canu yn bopeth iddo ef, gwaith llaw, mae'n debyg, gwau, gwnïo, gwaith crosia a siampler ydoedd ei hoff ddifyrrwch hi. Roedd ym Mhenrhiw deulu mawr, bob amser; clywais ddweud na châi Marged byth ddigon o waith i wau a chyweirio sanau iddynt oll; ac na rôi dim fwy o bleser iddi na dod o hyd i hosan dyllog lle y câi hi gyfle i ddangos ei medr a'i gwneud yn well na newydd.

Gorest o le digon di-lun o ran amaethu, mae'n debyg, ydoedd Penrhiw a'r Byrgwm pan brynodd 'nhad-cu hwy a'u gwneud yn un ffarm. Ond yr oedd yno dyfiant coed, o bob math, rhagorol iawn. Gwelai pawb hynny, ar unwaith. Ond gwelodd 'nhad-cu, ymhellach, cyn pen hir wedi mynd yno, os nad, yn wir, ymlaen llaw. Os gallai derw ac ynn a blannwyd yno gan Natur dyfu'n llewyrchus yn y cymoedd dwfn, cysgodol hyn, yn gymysg â'r mangoed cymharol ddiwerth—bedw a chyll a gwern a helyg—diau, pe plennid yno goed mwy gwerthfawr, gan law dyn, megis y pinwydd—larts a spriws a sgots—a choed llydanfrig, hardd fel y sycamor a'r castanwydd, y gallent hwythau dyfu, lawn cystal, yn yr un lle. A chyn pen fawr o dro dyma ddechrau ar y dasg galed o arllwys a chlirio'r ddau gwm serth—y Cwm Bach, yn union ar y dde, gyferbyn â'r ty, a Chwm Byrgwm dipyn i'r chwith—o'r anialwch diffrwyth a arferai fod yno yn noddfa i'r cadno a'r cyffylog a'r curyll, er mwyn eu gwneud yn lle addas i blannu ynddynt goed defnyddiol yn rhesi hirfain trefnus. Roedd hyn, cofier, gan mlynedd llawn cyn i'r fwltur imperialaidd o Lundain ddisgyn ar y parthau hyn a throi'r trigolion o'u hen gartrefi, gan dlodi'r wlad, am byth, o'i diadelloedd defaid a'i buchesi graenus a'r ceffylau gwâr a hoyw, heb sôn am y gymdeithas ddynol, gynnes a diwylliedig, a ffynnai yma drwy'r cenedlaethau.

Talodd fy nhad-cu yn glir am Benrhiw wrth ei brynu; ac yr oedd ganddo, hefyd, yn ddiau, ddigon o stoc ar ei gyfer yn dod o Glun March. Yn ystod y blynyddoedd cyntaf, a'r plant yn fân ac yn aml, ac iechyd fy mam-gu yn wannaidd, bu'n rhaid dibynnu ar weision a morwynion, a gweithwyr hur ar adegau arbennig. Roedd 'nhad-cu yn weithiwr caled, streifus ei ffordd, yn ôl yr hanes. Fel y dywedwyd, lawer tro, roedd diwrnod y gweithiwr, yn feistr a gwas, yr adeg honno, fel tragwyddoldeb—heb ddechrau na diwedd amser o'i fewn. Diau fod Penrhiw, y cyfnod hwn, yn lle digon caled i was a morwyn. Ond ni chlywais fod yno erioed achwyn ar fwyd; a, hyd y deallais, roedd 'nhad-cu yn ddyn digon caredig a hawddgar i weithio gydag e. Nid oedd gwenwyn na ffeindio bai diangen sy'n lladd ysbryd cyweithiwr yn ei natur; ac adwaenwn weision a morwynion iddo, yn bobl mewn oed, erbyn hynny, a fu'n aros yn y lle am flynyddoedd bwy gilydd. Dyma stori ddigon trawiadol a glywais amdano yn ei ddyddiau cynnar ym Mhenrhiw. Roedd hi ynghanol cynhaea medi, y tywydd yn dda, a phawb wedi bod wrthi'n ddygn ac egnïol, fore a hwyr, drwy'r wythnos. O gwmpas y tân y nos Sadwrn honno, a gweddill y teulu wedi noswylio, roedd y forwyn fowr, y gwas bach, a 'nhad-cu—y gwas a'r forwyn wrthi, yn ôl arfer pob tŷ ffarm, yn glanhau ac yn rhoi iraid ar y sgidiau, yn barod erbyn y Sabath, drannoeth. Dan bwys blinder a chaledwaith yr wythnos a gwres y tân coed syrthiodd y tri ohonynt i gysgu. Y gwas bach oedd y cyntaf i ddihuno, a gweld, er ei ddychryn, fod esgid fy nhad-cu yr oedd ef wrthi yn ei glanhau wedi syrthio o'i law i'r tân, a hanner llosgi yno. Am beth amser ni wyddai beth i'w wneud. Ond o edrych o'i gwmpas gwelodd ddau gysgadur hapus luddedig arall yn ei ymyl, a'r rhaser yn llaw fy nhad-cu ar hanner ei goruwchwyliaeth. Daeth awgrym iddo o'r shime lwfer, neu rywle tywyll o'r fath. Tynnodd yr ellyn yn esmwyth bach o afael fy nhad-cu, a gosod ei charn yn rhes y marwydos ar yr aelwyd. Yna cymerth y gwalch arno dipyn o gysgu ci bwtsiwr, yn y cornel, gan wylio'r canlyniadau. Deffrôdd fy nhad-cu, yn ffres reit rywbryd, a gweld ei raser orau yn goch yn y tewynion wrth ei draed. Yna gwelodd y crwt mewn trymgwsg, fel y tybiai, a'i esgid ef ei hun yn y lludw, gerllaw iddo, wedi ei difetha. Roedd gan fy nhad-cu ryw air llusg. 'Pw-pw!', mae'n debyg, ac yn ôl y stori, yr unig sylw a gaed ganddo wrth i'r tri ohonynt droi tua'r 'ca' nos' yn blygeiniol iawn y nos Sadwrn honno, ydoedd: 'Pw-pw! blant, blant, shwd 'r aeth hi fel hyn arnon ni?' Ys gwir nad oes tystiolaeth ar y pen hwn; ond, er gwaetha'r esgid a'r rhaser a'r gwas ysmala, fe fyddai'n syn os nad oedd Jaci Penrhiw yn ei le arferol yng nghapel Rhydcymerau, erbyn deg o'r gloch, fore trannoeth, a'i galon yn llawn diolch am fendithion y cynhaea, ac am ofal tirion Rhagluniaeth amdano, ymhob rhyw fodd. Odid hefyd na chafodd dodin bach cryf o facsad cartre cyn cychwyn o'r tŷ i gynhesu ei galon. Nid oedd pop na diod fain wedi dod eto i wanhau trwyth Diwygiadau'r ddeunawfed ganrif. Yr adeg honno yr oedd angen am rywbeth mwy nerthol na lemonêd i wneud blaenor Methodus.

Gwelir, felly, nad slafwr caled, diball, ar ei le ei hun, a dim arall, ydoedd Jaci Penrhiw. Yr oedd, hefyd, yn ddyn crefyddol, yn ôl y traddodiad y maged ef ynddo; ie, yn ddyn duwiol defosiynol ei natur, yn ôl syniad y rhai a'i hadwaenai orau. Yn ei lyfr, *Efengylwyr Seion,* yn Sir Gaerfyrddin, dywedir amdano gan y Parch. James Morris, y cofiannydd diddan, a fu unwaith yn weinidog ar yr eglwysi hyn, Rhydcymerau a Bethel, Llansewyl, ar sail tystiolaeth yr ardalwyr, ei fod yn nodedig am wresogrwydd ei ysbryd ar weddi. Dyma stori apocryffaidd a glywais innau, nas ceir yn yr *Efengylwyr*: Roedd Jaci'n dychwelyd drwy ddyffryn Cothi o dre Caerfyrddin ryw noson yn y gaeaf a chart dau geffyl ganddo, ac roedd wedi cael glasaid neu ddau ar y ffordd. Pan ddaeth i bentre Abergorlech lle y bu'n grwt yn yr ysgol (un o hen ysgolion Griffith Jones, Llanddowror, gyda llaw) gwelodd olau yn y capel yno, a chlywed canu. 'Hwre, boe, cymer ofal o'r ceffyle 'ma', meddai wrth ryw lanc, gerllaw; ac i fyny ag ef at y capel y tu uchaf i'r ffordd. Eisteddodd ger y drws. Cwrdd gweddi oedd yno; a chyn hir, craffodd un o'r blaenoriaid fod Jaci wedi troi i mewn atynt, a'i alw ymlaen i gymryd rhan. Sylw un a oedd yn bresennol ar yr achlysur ydoedd—na chlywodd weddi daerach a mwy eneiniol yn ei fywyd. Yna aeth Jaci a'i bâr ceffylau ymlaen ar ei ffordd yn llawen dros bant a thyle am y pum milltir arall i Benrhiw.

Roedd Jaci Penrhiw a'i frawd, Jemi Cilwennau, yn gyd-flaenoriaid yng nghapel Methodus Rhydcymerau am ran dda o'u hoes; a bu fy nhad-cu, am gyfnod, yn ôl hen ddyddiaduron sydd gennyf, yn ysgrifennydd yr eglwys honno. Trigai'r ddau tua'r un faint o bellter o Lansewyl a Rhydcymerau, ond fod Cilwennau Uchaf, ar ochr y ffordd fawr, a Phenrhiw, fel y gwelwyd, ymhell ohoni. Roedd y ddau, hefyd, mewn cysylltiad agos â'r chwaer eglwys ym Methel, Llansewyl, cyn i Nwncwl Jemi, wedi rhoi heibio ffarmio, fynd i fyw i'r pentre, a bod yn flaenor, bellach, yn eglwys Bethel. Roedd teimlad cynnes y ddau frawd at Bethel yn hawdd i'w ddeall, gan i'w tad-cu, y cynghorwr Wiliam Siôn, Llywele, yn nyddiau Pantycelyn, fod â rhan yn sefydlu'r achos a chodi'r capel yno. Yn ôl tystiolaeth yr hanesydd diflin, y Parch. Gomer M. Roberts, yn ei ddarlith ar 'Fethodistiaeth Fore Llansawel' nas cyhoeddwyd, hyd yma, codwyd capel cyntaf Bethel yn rhan olaf 1746—tua'r un adeg â chapel Cil-y-cwm, Llanddyfri, heb fod ymhell oddi yno. Y ddau gapel hyn, felly, yw'r capeli hynaf gan y Trefnyddion Calfinaidd yng Nghymru, yn ôl barn hanesydd pennaf yr enwad. Yr adeg honno, hefyd, yn ôl yr un awdurdod, bu 'i Lansawel bron â dyfod yn fangre athrofa gyntaf y corff Methodistaidd yng Nghymru'. Medd ef eto: 'Yr oedd ym mryd Howell Harries i gael ysgol neu athrofa i'r cynghorwyr yn Nhrefeca pe bai modd, ond ei anhawster mawr oedd cael arian'. Yna dyfynnir ganddo o waith yr hanesydd manwl arall, Richard Bennett, ym *Methodistiaeth Trefaldwyn Uchaf*: 'Felly, gan nad oedd olwg am goleg fe drefnwyd yn sasiwn Erwd gerllaw Llanfair Muallt, Chwefror 1, 1749, fod cynghorwyr ardaloedd Caerfyrddin i gyfarfod yn Llansawel ddeuddydd o bob wythnos, neu wythnos o bob mis, fel y byddai hwylusaf, i dderbyn hyfforddiant gan Williams Pantycelyn.'

Hyd yn oed yn yr eglwys fwyaf heddychlon ni all na ddêl rhwystrau ambell dro. Ac, ysywaeth, fe ddigwyddodd felly yn hanes eglwys Rhydcymerau tua'r flwyddyn 1873. Gan fod cyrff pawb a wybu rywbeth, yn bersonol, am yr helynt wedi oeri yn y glyn ers blynyddoedd maith, bellach, gellir, yn awr, sôn amdano heb i waed neb o'r ardalwyr presennol boethi dim. Rhyw dipyn o sgarmes ym mhentre Glan Duar, yn ymyl Llanybydder, wrth ddod adre o ryw ffair, oedd y dechrau, mae'n debyg. Barnai'r rheini a gofiai rywbeth o'r hanes, erbyn fy amser i, nad oedd asgwrnyn y gynnen, i gychwyn, yn ddim mwy sylweddol na'r ffroth ar wyneb cwrw Rachel Penrhiw Llyn. Ond bu Nwncwl Josi, darn o ddyn byr, cydnerth, ac o dymer go anhywaith, medden nhw, unwaith y codai ei wrychyn cochlyd, yn ffigur go amlwg yn y ffrwgwd. Roedd ef yn briod, erbyn hyn, yn byw yn y Trawsgoed, ac yn gyd-flaenor â'i dad yng nghapel Rhydcymerau. Bu'r ysgarmeswyr, chwarae teg iddynt, yn ddigon call i gadw'n glir o lys cyfraith. Ond yn hytrach na chael gwared ar yr helynt, mewn ffordd naturiol, fel y caed gwared ar y cwrw, gyda thipyn o ben tost ac ychydig gleisiau drannoeth, fe aed â'r peth i'r capel a'i wneud yn fater disgyblaeth eglwysig. Un ochr i'r hanes a ges i, wrth gwrs, a hynny'n ddistaw ac yn fylchog ddigon, ymhen blynyddoedd wedyn. Beth bynnag oedd y gwir yn union, teimlai tŷ a thylwyth a chynheiliaid breichiau'r cadfridog Joshua i weinidog yr eglwys ar y pryd, y gweinidog cyntaf a fu arni, gyda llaw, fod yn unochrog ac yn annheg wrth wrando'r dystiolaeth a roddid gerbron. Bu'r canlyniadau'n athrist, am y tro, o leiaf. Gadawodd teulu Penrhiw i gyd, a Nwncwl Josi'r Trawsgoed, eglwys Rhydcymerau, eglwys y bu ei hynafiaid mewn cysylltiad mor agos â hi er cychwyn yr achos yn y lle. Cyn diwedd y flwyddyn honno, hefyd, ymadawodd y gweindiog. Fel y dywed Syr O. M. Edwards, rywle, am y dyn hwnnw o ardal Llanuwchlyn, 'gadawodd fy nhad-cu grefydd, ac aeth i'r eglwys'. Ymaelododd yn eglwys y plwyf Llansewyl; ac yno y bu am y tair blynedd ar ddeg olaf o'i oes, gan ddysgu canu'r siantiau'n hwyliog, yn ei hen ddyddiau, fel y clywais ddweud. Aeth y plant, gartre, heb briodi—John a Jâms a Jane—at yr Annibynwyr yn Siloh, Llansewyl. Wedi i'm rhieni briodi ac i'm mam ddod i fyw i Benrhiw aeth fy nhad gyda hi at yr Annibynwyr yng nghapel Esgerdawe lle y buasai hi yn aelod erioed, fel y dywedwyd eisoes.

Rai blynyddoedd yn ddiweddarach priododd Jane, chwaer ieuaf fy nhad, â Dafydd Jones, Pwllcynbyd y pryd hwnnw, brawd hynaf mam Gwenallt, a mynd i fyw i'r Gelli Gneuen, Rhydcymerau. Ac yng nghyflawnder yr amser, tua'r deugain oed yma, priododd Nwncwl Jâms, yntau, a dechrau 'i fyd yn y Dolau Isa, gerllaw'r pentre—crud Tylwyth y Doleydd, gyda llaw, un o Dri Llwyth yr Ardal, fel y gwelir yn *Hen Wynebau*. Menyw gall, bwyllog, oedd Nanti Marged, gwraig Nwncwl Josi. Nid aeth hi o'r eglwys yn adeg yr helynt. Erbyn fy amser i, roedd y plant yn tyfu i fyny'n gyflym, ddeg ohonynt yn deulu cryf ac iach, ac yn ganwyr da o'r bron, yn llawnder mewn eisteddfod a chymanfa. Daeth 'nhad a ninnau'r teulu i fyw o Benrhiw i Abernant, o fewn milltir gyfleus i'r pentre. Roedd seti'r tri brawd yn nesaf at ei gilydd ym mhen blaen y capel ar y dde i'r pulpud: sêt y Trawsgoed, heb fod ynddi le i hanner y plant, yn y cornel; sêt Nanti Jane a'i theulu yn y canol, a Nwncwl Jâms, cyn iddo briodi, yn ei rhannu â hi; a'n sêt ninnau, wedi symud i Abernant, wrth fraich y pulpud, yn nesaf at y sêt fawr. Dyna, bellach, yr hen rwyg a wnaed mor sydyn a diangen rhwng teulu Penrhiw ac eglwys Rhydcymerau, wedi ei chyfannu'n llwyr drachefn, a heddwch a thangnefedd yn y tir.

Aeth y bŵs a'r badl a'r hir ben tost ar ôl hynny, i dir angof a'r pethau a fu, ers tro byd, bellach. Ni fyddwn innau wedi sôn, o gwbl, am yr helynt, yma, ond i ddangos sut y gall rhywbeth bach a ffôl a dibwys, weithiau, chwyddo'n anferth y tu hwnt i bob rheswm, a pheri loes a dioddefaint i lawer o bobl garedig a diniwed. Yn y pen draw, dengys, hefyd, fel y mae'n llawenydd meddwl, lle y bo tipyn o gynhesrwydd dynol, a thipyn o synnwyr cyffredin ac o naws Cristnogol yn ffynnu, y daw cymod, drachefn, a chyd-ddealltwriaeth fel a gafwyd mewn modd arbennig, yn yr eglwys hon y cefais i'r fraint o'm magu ynddi.

Ond cyn darfod â'r hanes, y mae Nwncwl Josi, pwtyn nerthol dechrau'r gynnen a'r cledro ar bont Lan Duar, gennym eto i'w goleddu'n ôl i'r hen gorlan. Beth fu ei hanes ef yn y cyfamser, tybed? Mewn llythyr ataf, ryw dro, ac yn llwyr ar ddamwain, dywed y Parch. Eirug Davies, hanesydd cywir ei fro ei hun, am gofnod yn llyfr yr eglwys sy'n dangos i Nwncwl Josi fod yn aelod o eglwys yr Annibynwyr yng Ngwarnogau yn 1873. Roedd hyn yn newydd i mi; ac yn beth syndod, gan fod pedair milltir dda dros wlad fryniog, arw o'r Trawsgoed i Warnogau. Ond y mae'r dyddiad 1873, blwyddyn yr helynt, yn eglurhad digonol. Daeth wedyn, ymhen rhyw flwyddyn, yn aelod o'r chwaer eglwys Annibynnol yn Llidiad Nennog, ddwy filltir yn nes adref. Pam nad aeth yno o'r cychwyn, mae'n anodd gwybod. Fodd bynnag, gwladychodd yn braf yn y Llidiad, lle y bu'n flaenor ac yn ŵr amlwg gyda'r achos am yn agos i ddeugain mlynedd, a hefyd yn arweinydd y gân yno. Am flynyddoedd lawer, yn nhymor y gaeaf, bu'n croesi cwm Gorlech serth, yn gyson bob wythnos, gan ddringo dros fanc Llety Llwyn Whith i gynnal ysgol gân i ardalwyr Llidiad Nennog. Fel Dafydd Ifans y Siop a gynhaliai ysgol gân mewn mwy nag un lle, a channoedd o arloeswyr tebyg ym mrwdfrydedd y deffro cerddorol a ddilynodd ymdrechion Ieuan Gwyllt, ni feddyliodd erioed am geiniog o dâl. Yr adeg honno, yn rhan olaf y ganrif o'r blaen nid oedd odid fab na merch a feddai rywfaint o glust at ganu na fedrai redeg tôn ar y Sol-ffa fel darllen llyfr. Cyd-flaenor â Nwncwl Josi am dymor maith ydoedd yr hen ŵr craff Dafydd Ifans, Bryn Llewelyn, un o ffermwyr tir uchel mwyaf blaengar gogledd Sir Gaerfyrddin. Ŵyr iddo ef, gyda llaw, yw D. J. Llywelfryn Davies, Athro'r Gyfraith yng Ngholeg y Brifysgol, Aberystwyth. Ac o enw'r hen ffarm nodedig hon y cafodd Llywelfryn ei enw nodedig yntau. I selio'r cyfeillgarwch agos, drwy'r blynyddoedd, rhwng y ddau ben blaenor, Nwncwl Josi a Dafydd Ifans, fe briododd Marged fy ngh'nither, merch hynaf y Trawsgoed, â Jâms, mab Bryn Llywelyn, brawd i fam Llywelfryn Davies. Fel y mae'n digwydd, nid wyf i'n perthyn, drwy waed, hyd y gwn i, i Gwenallt nac i Llywelfryn. Ond yn y modd hwn—modryb i mi yn priodi ag ewyrth i Gwenallt, a ch'nither i mi'n priodi ag ewyrth i Lywelfryn, ac yn y blaen. Gwelir, yn fynych, fel y mae hen deuluoedd a fu byw am gyfnod maith yn yr un rhanbarth, weithiau am ganrifoedd, yn dolennu ac yn clymu drwy'i gilydd, genhedlaeth ar ôl cenhedlaeth. A dyna'n sicr ran gadarnaf a diogelaf pob cymdeithas wâr. Bu'r Cymry yn nodedig, erioed, am eu balchder yn eu hachau; a thrwy hynny byddent, yn aml, yn gyff gwawd i'w cymdogion, y Saeson. Arwydd o'r dibristod ac o'r dirywiad yng ngwerthoedd ein bywyd cenedlaethol ni, heddiw, yw fod cynifer o Gymry yn cymryd cymaint mwy o ddiddordeb ym mhedigri eu cŵn, a'u gwartheg cadeiriog, nag yn nhras a hanes eu tadau a'u mamau hwy eu hunain. Aeth y geiniog yn sofran, yn ben ar bopeth; a'r ufudd was sy'n derbyn y gyflog uchaf am ei ufudd-dod yw pinacl ymffrost ein ciwdodaeth.

Rai blynyddoedd cyn diwedd ei oes, wedi iddo roi heibio ffarmio, aeth Nwncwl Josi i fyw at Jane ei ferch i'r Felin, Rhydcymerau, wrth ymyl y capel. Gweddw oedd hi i George, mab Dafydd Ifans y Siop, a gafodd ddamwain angheuol yn gynnar yn ei fywyd priodasol, gan adael pump o blant bach ar ei ôl, yr iengaf heb ei eni. Yn naturiol daeth fy ewyrth a'i lythyr aelodaeth gydaf ef o Lidiad Nennog i'w hen eglwys ei hun a adawsai ers cynifer o flynyddoedd. Trwy hynny, heb i neb sylwi na chofio dim, ond ef ei hun, efallai, rhoed y pwythyn olaf, yn ddeheuig iawn, yn yr hen rwyg, fel na allai neb, bellach, ganfod i ddim tebyg i rwyg fod yno erioed.

Bu farw Nwncwl Josi ar y cyntaf o Ionawr, 1915 yn 74 oed, a'i roi i orffwys yn dawel gyda'i deulu a'i hen gyfoedion ym mynwent Rhydcymerau. Heddwch i lwch yr hen farwn dawnus hwn, mab hynaf fy nhad-cu, a aeth â thipyn mwy na'i siâr o dalent y teulu. Nid oedd heb ei fai mwy na rhywun arall. Ond yr oedd iddo ei arbenigrwydd pendant fel cymeriad. Ar ddiwrnod garw a llawer o'r ardalwyr wedi hel pob esgus dros gyrchu i'r efail at Dafydd y Gof, os byddai Nwncwl Josi yno fe allai agor mas ar stori, gyda phesychiad clasurol, weithiau, wrth ledu ei ganfas, mewn modd a ddiddanai ei gynulleidfa cystal â'r un ddrama. Âi i mewn i ysbryd y darn, a chyn hir, fel y gwresogai ati, codai ar ei draed, fel ag i wneud cyfiawnder â phethau. Nid âi neb o'r efail tra fyddai Josi'r Trawsgoed wrthi'n adrodd stori ar ei ddau biler crwn cadarn; a chlywais ddweud ei fod yr un mor feistraidd a deheuig wrthi'n diwinydda yn yr Ysgol Sul. Sylwedydd craff a storïwr byr yn ystyr berffeithia'r gair ydoedd Dafydd 'r Efail Fach. Ond mabinogi gyflawn, liwgar, o ddefnyddiau cartre, fel rheol, wedi ei gwau gan ei ddychymyg ei hun, oedd gan Nwncwl Josi. 'Hi!' drwynol, sydyn, ydoedd cyweirnod rhagarweiniol stori Dafydd 'r Efail Fach. Ond carthiad gwddwg a 'Hy!—Hy!' urddasol, o waelod mynwes lydan a ddynodai gyffro awenyddol y 'Trawsgoediwr'—dyna'i enw barddol, gyda llaw. Ar wahân i ambell angladd ac eisteddfod enwog Dydd y Nadolig, unwaith y flwyddyn yn unig yr âi f'ewyrth drwy borth capel Rhydcymerau yn ystod ei deyrnasiad hir yn Llidiad Nennog, a'r Cwrdd Diolchgarwch ydoedd hwnnw. Ef a fyddai'n dechrau'r cyfarfod hwn bron bob amser. Darllenai bennod ddewisol at yr amgylchiad, ac adrodd yr emynau, gyda rhwysg braidd yn esgobol, efallai, i'r rhai hynny nad oedd e'n digwydd bod yn ewyrth iddyn nhw. Ond ar ei liniau roedd ganddo ddawn gweddi ryfeddol, gan gyfuno dwyster ac urddas a defosiwn.

Ym mynwent Caeo mae'r gair '*Gent*' ar garreg fedd un o'r

gwehelyth. Mae'n bosib na wyddai Nwncwl Josi ddim am hynny, ac nad oedd, ychwaith, yn hyddysg yn rhin cyfareddol y gair hwn cyn i bawb ohonom ddod yn Ysweiniaid. Beth bynnag am hynny ymddengys i fantell y *Gent* hwn sy'n gorwedd ym mynwent Caeo ddisgyn yn esmwyth a naturiol ar ysgwyddau solid Nwncwl Josi, fel na wybu ef ddim am ei phwysau. Câi ei le ym mhobman heb ofyn amdano. Yn ystod ei gystudd olaf yn nhŷ Jane, ei ferch, clywais Ifan, ei fab hynaf, sgwatyn arall, craff ei sylw, tebyg i'w dad, ond heb fawr o bresenoldeb hunan-ddigonol hwnnw, yn dweud: 'Roedd pedwar ohonon ni yn ddigon bach i dendo 'nhad 'slawer dydd pan oedd e'n iach; ond nawr mae pedwar ar ddeg yn rhy fach'. Y brodyr lleia, neu'r brodyr ienga, mewn mwy nag un ystyr, ydoedd 'nhad a Nwncwl Jâms, ar hyd eu hoes, yn ei ymyl ef, er na cheisiai byth ddangos hynny, whare teg iddo. Parchai'r tri brawd annibyniaeth ei gilydd yn llwyr, bob amser.

O'r dechrau cyntaf wedi i 'nhad-cu symud i Benrhiw ymddengys iddo fwrw iddi'n ddyfal ac egnïol 'yn cloddio a bwrw tail', yn diwreiddio ac yn plannu, yn tynnu i lawr ac yn adeiladu. Rhaid ei fod nid yn unig yn weithiwr hynod galed ei hun a chanddo'r ddawn i gael gan eraill i gydweithio'n ewyllysgar ag ef, ond ei fod hefyd yn gynlluniwr medrus ac ymarferol, gan wybod, drwy reddf, beth y gellid ac y dylid ei wneud. Cafodd fwy o'r nwyf gychwynnol, yr hyn a eilw'r Sais yn *initiative*, o lawer na neb o'i ddisgynyddion, ac efallai fwy na neb o'r cylchoedd hyn, ac ystyried ei gyfleusterau. Tai to gwellt isel oedd yn y wlad i gyd y pryd hwnnw. Ychwanegodd ef barlwr newydd ac ystafell uwchben at yr hen dŷ; fel yr oedd, bellach, yn annedd hir a chymharol eang, yn enwedig y gegin, yn ôl a weddai iddi fod fel cartref teulu lluosog, bob amser. Cododd laethdy cryno fel penty wrth ei ystlys, gyda chafnau llydain fflat, wrth y muriau, o gerrig gleision, oer, i ddal y llaeth yn hufennu. Roedd hyn ymhell cyn gwireddu'r hen ddarogan:

> Fe ddaw y gath a'r winci
> Ar hyd Glan Tywi i lawr,

sef y trên a'r telegraff, a rhaid oedd cario'r cerrig hirion, llyfnion hyn, mewn ceirti yr holl ffordd o gwarrau enwog Cilgerran y pryd hwnnw, pellter o ddeng milltir ar hugain a mwy, a chlirio aml dollborth ar y daith. Cododd yno res o feudai helaeth a dwy bing (bin) rhyngddynt, a'u toi â hen lechi bach, brau y cyfnod, gan nad o ble y ceid hwy. Yn ddiweddarach, ac o fewn fy nghof i, ail-dôdd fy nhad y rhain â llechi Caernarfon, a'r cymdogion, yn ôl hen arfer y wlad, yn ei helpu i'w cywain o stasiwn Llanybydder—pellter o ryw saith milltir.

Credai 'nhad-cu yn gadarn yn yr egwyddor honno a fynegir mor gryno yng nghwpled Dewi Wyn:

> Hawdd yw pawb yn rhoddi punt
> Mae'n debyg er mwyn dwybunt.

Ond nid y bunt yn unig a roddai ef, ond, hefyd, ei ben i gynllunio a'i chwys a'i lafur i gario allan y cynlluniau hyn. Cododd gloddiau lle nad oedd cloddiau o'r blaen, a'u plannu â pherthi o gyll a helyg, ysgaw, drain a bedw. Yn gymysg â'r rhain gwelid ambell gerdinen grawelog neu feillionen Sbaen (*laburnum*), onnen neu dderwen gadarn yn dyrchu ei phen uwchlaw'r lliaws epilgar wrth ei bôn. Yn y perthi gweddol agos at y tŷ ceid, yn fynych, lwyni eirin—gwynion (*greengages*), cochion, duon.

Trefnodd berllan o ryw draean erw o dir a'i chau i mewn yn daclus â chlawdd carreg a thywaden yr ochr isaf iddi, ar y ffordd i Gwm Bach. Edrychai'r dywaden las rhwng y rhesi cerrig gwyngalch dan y coed deiliog yn hynod hardd yn yr haf. Yn union gyferbyn yr oedd yr allt fer (*fir*) a hewl Cwm Bach yn mynd trwy ei chanol. Yn y berllan hon y plannodd 'nhad-cu rai degau o goed falau a phlwmwns, wedi eu hel o lawer lle. Nid oedd ar un ohonynt enw catalog fel a geir heddiw yn dynodi ei dras arbennig; ond fe gofiaf i aml un ohonynt a alwyd, yn ddigon tebyg, wrth enw'r person y cafwyd ef ganddo, megis 'Llwyn Niclas', 'Fale'r Ficer', a 'Llwyn Bŵen Bach'. (Wn i ddim pa Niclas na pha Ficer oedd y rhain; ond, mae'n amlwg, mai Bowen Bach, Rhydodyn, stiward y stad honno, ar un adeg, oedd yr olaf.) Am ryw reswm ni chredaf fod yno'r un ellygen. Ond yr oedd yno bren ceirios yn y clawdd isaf, uwchben y ffordd, na welais i ei fwy na'i harddach erioed. Bob haf byddai'n pyngo gan ffrwyth, ond fod llawer o'r sypiau cochion hyn yn rhy uchel ac ysgafn hoyw ar y brigau i neb allu eu cyrraedd, ond gwiwer na faliai ddim amdanynt. Câi'r adar eu gwala o'r gweddill. Gwn fod y peth yn chwerthinllyd o anhygoel i'r neb a ŵyr am Benrhiw, fel y mae heddiw—yr hewlydd ato, o bobman, bron wedi cau, a'r Comisiwn Coedwigo wedi ei amgylchynu o bob tu, ac eithrio'r godre, gyda glan yr afon lle nad oes hewl yn rhedeg. Ond clywais ddweud gan rai a gofiai am hynny y byddai Jonah Evans, Llambed, tad y masnachwr, Charles Evans, Mark Lane Stores, wedi hynny, yn arfer dod i Benrhiw unwaith y flwyddyn, yn gyson, am gyfnod, i hôl llond cart o ffrwythau. Erbyn hyn mae'n llawer iawn haws i bobl Llambed gael eu ffrwythau o ganolbarth Affrica nag o Benrhiw anghysbell.

Rhed tri chwm cul a serth yn gyfochrog drwy'r tir i lawr at yr afon ar y gwaelod—afon, gyda llaw, na chlywir nemor neb yn ei galw wrth ei henw, sef Marlais. Rhyw led cae y tu cefn i bentre Llansewyl ymuna'r afon hon ag afon Melindwr nas enwir eto'n gyffredin ond fel afon Rhydcymerau. A'r ddwy yn un, bellach, ymuna'r afon hon ag afon Cothi ryw filltir a hanner i'r de-ddwyrain i gyfeiriad Crug-y-bar. Enwau'r tri chwm hyn yw Cwm Byrgwm, Cwm Bach, a Chwm Ca' Mowr, gyferbyn â'r Graig Ddu, ar dir yr Esgair. Wedi clirio ochrau serth Cwm Byrgwm o'r prysgwydd a'r eithin a fu yno erioed fe'u plannwyd â choed pin o wahanol fathau—larts neu fer, fel y galwem ni hwy. Yn yr un modd plannwyd hefyd yr ochr dde i Gwm Bach gyferbyn â'r tŷ, ynghyd â rhyw ddau gyfer arall islaw Cae-dan-tŷ. Ond gadawyd Cwm Ca' Mowr fel yr oedd, a'i eithin tal yn gysgod i'r defaid a'r ŵyn adeg y rhew a'r eira. Yn ychwanegol at hyn plannodd fy nhad-cu allt hir a chul ar ffurf y llythyren 'L' o chwith, a'i gwaelod i fyny, gydag ochr a thop y Byrgwm yn ffinio ag Esgair Wen a Chwm H'ŵel. Yn union yr ochr arall i'r cwm gyferbyn â'r tŷ byw ar y fron lechweddog yr oedd gallt dderw o ryw ddeg cyfer, a'r afon, er ambell gilgwth chwyrn yn ystod llifogydd y gaeaf, wedi ei dysgu'n bur dda, er dyddiau fy nhad-cu, i gadw gyda'i gwaelod. Gyda glan yr afon, hefyd, yr oedd aml glwstwr o goed gwern, lle dôi'r clocswr yn ei dro â'i fwyell a'i gyllell gam i naddu a llunio 'gwandde' clocs. Ar y fron uwchlaw gallt Penrhiw, a hewl gul yn ffin rhyngddynt, yr oedd gallt dderw Tan'coed, yn rhyw ddeugain erw o dir.

Y ffarm nesaf at Benrhiw, yn union yn groes i'r cwm ydoedd Bryndafydd Isa; a Bryndafydd Ucha ryw ddau led cae yn uwch i fyny. Ar y dde iddynt, o'u gweld o glos Penrhiw, y mae'r allt dderw fawr, gallt Penrhiw a gallt Tan'coed ynghyd yn llawn hanner can cyfer, gan guddio ochr y bryn yn gyfan, o'r top i lawr at yr afon ar y gwaelod. I'r chwith, eto, a'r afon yn eu rhannu, y mae gallt Bryndafydd a gallt Rhydyfallen, hwythau'n rhyw ddeg i ddeuddeg cyfer. Gwelir, felly, mor drwm o goed ydyw'r cymoedd hyn i bob cyfeiriad.

Er na roddai'r Llywodraeth y dyddiau hynny unrhyw gefnogaeth i waith o'r fath na thalu dimai o grant ar ei gyfer, ymddengys fod plannu a thyfu coed larts yn rhyw gymaint o ddiwydiant gwlad yng ngogledd Sir Gaerfyrddin yn rhan olaf y ganrif o'r blaen. A hyd y gallaf i ddwyn i gof, yn awr, yn ein cylch ni, o leiaf, nid ar stadau'r 'gwŷr mawr' yn gymaint, os yn wir, o gwbl, y ceid y plannu a'r tyfu coed hwn, ond ar dir y 'gwŷr bach', y rhydd-ddeiliaid a oedd yn berchen eu llefydd eu hunain. Tyfid y planhigion, i gychwyn, o hadau mewn 'gerddi coed bach'. Rwy'n cofio, gyda hyfrydwch, hyd heddiw, am rai o'r gerddi hyn, ger pentre Tŷ Mowr, Llanybydder, ac ar ffordd Pencarreg. Roedd yn bleser eu gweld, ac ambell hen wraig mewn pais a betgwn â'i rhaw fach yn agor rhychiau, neu'n dyfal chwynnu ar ei chwrcwd. Rhedai'r rhesi'n syth fel edau lin, a'r miloedd picellau gwyrddion, main, yn gwanu'r awyr fel byddin o 'dir y dyneddon'.

Yn ychwanegol at y coed derw a dyfai'n naturiol o'u bonion eu hunain plannodd fy nhad-cu rywle o bymtheg i ddeunaw cyfair o goed larts yma a thraw ar hyd y tir yn y mannau a farnai ef yn fwyaf addas—ar fronnydd rhy serth i'w trin ac ar hytir noeth ar dop y banc. Yno byddent yn gysgod i anifeiliaid ac yn help i dyfiant porfa a chnydau ŷd, gan ychwanegu llawer at werth a chynnyrch y lle. Amrywiai'r darnau mewn maint, o gwarter cyfair mewn cornelyn lletwhith o gae, hyd allt Cwm Bach, gerllaw'r tŷ, a oedd yn agos i saith cyfair. Roedd, felly, o bump i ddeg erw ar hugain o'r tir o dan goed, neu ryw un rhan o wyth ohono. Uchder Penrhiw uwchlaw'r môr yw o bum cant i fyny at naw cant o droedfeddi; ac fel y dywedwyd, yn barod, y mae'n lle nodedig am ei dyfiant coed. Odid y gellid gweled glanach coed yn unman na rhai o'r gelltydd hyn yn nyfnder y cymoedd, yn rhengau sythion, tal a chadarn, a'r gwynt yn canu yn eu brig. Gan faint eu hoffter o'u daear y mae rhai o'r pinwydd a blannwyd yno, yn gymysg â'r coed eraill, dros gan mlynedd yn ôl, yn dal, hyd heddiw, yn wylwyr talgryf o gwmpas y clos, gan ei gysgodi ar bob tywydd.

Fel y gellid disgwyl profodd y plannu coed yma yn fenter lwcus i 'nhad-cu, ac yn fendith i'w ymdrechion. Wrth iddynt dyfu teneuid y gelltydd yn rheolaidd fel y câi pob pren faeth digonol a lle i anadlu. A dôi'r 'chwyn' hyn yn hwylus fel polion weiers i gau o gwmpas coed ieuengach, a'u diogelu rhag i dda a defaid bori eu blaenau a pheri iddynt dyfu yn ffaglau fflat diurddas. Nid oedd y wifren bigog farbaraidd wedi dod i fri yr adeg honno. Felly, roedd angen mwy o byst a gwifrau i wneud y cae yn sicr. Yn yr ydlan, yr oedd 'y pwll llif'; a dôi Morris y Llifwr ac Ifan ei fab heibio yn eu tro, un ar y top a'r llall i lawr, ynghanol eu chwŷs a'r blawd llif, i droi'r gwahanol fathau o goed yn estyll pwrpasol at gant a mwy o ddibenion ffarm.

Ni wn i ddim o hanes y gwaith oel a golosg (*coke*) a fu ym mhentre Brechfa yn rhan olaf y ganrif o'r blaen—pa bryd y'i cychwynnwyd, gan bwy, na pha bryd y darfu'n iawn, ragor na'i fod yn ffynnu y cof cyntaf sydd gennyf i. Ni wn ychwaith pa goed a losgid at y pwrpas. Ond ni ellid gwell man at waith o'r fath, gan fod digonedd o wahanol fathau o goed yn Nyffryn Cothi a'r wlad oddi amgylch, yn ardal y Darren Fowr ei hun, i fyny at Abergorlech a glynnoedd dwfn Gwarnogau. (Gyda llaw, enw newydd i ni, bobl gogledd Sir Gaerfyrddin yw 'Gwernogle' a geir yn awr yn gyffredin. Roedd yn bod cyn hynny, fel y gwelir yn nyddiadur Gwilym Marles, ond fe'i gwnaed yn boblogaidd, yn ôl a glywais i, gan hen weinidog yr eglwys yno, y Parch. T. Gwernogle Evans, a'i fabwysiadu wedyn ganddo ef ei hun fel hysbyseb dramwyol o'r newid. Whare teg i'r hen fardd a'r llenor diddan hwn, awdur *Y Deryn Du* a llyfrau eraill, pa esboniad mwy syml, parod, ac agos atom yn bosib ar yr ardal goediog, ramantus hon, na 'gwernog-le', rhag bod neb mewn penbleth am ei ystyr. Ond i ni, yr hen frodorion, 'Gwernogau' ar y Sul a 'Gwarnoge' ddyddiau'r wythnos yw'r lle wedi bod erioed, ac yn bod o hyd.)

Am ryw gyfnod yn amser fy nhad-cu buwyd yn cario coed o Benrhiw i waith oel Brechfa—pellter o ryw naw i ddeg milltir. Gwaith slafus ddigon oedd hwn o'r cychwyn: cwympo'r coed yn ddechau ar fannau serth ac anodd, rhag iddynt niweidio coed eraill wrth ddisgyn; eu llusgo i fan mwy hydrin lle y gellid eu llwytho ar gamboeau; eu clymu â chadwynau a rhaffau fel na allent whimlyd wrth gael eu hysgwyd a'u hysgytio ar y ddwy filltir arw dros dir yr Esgair ac i lawr hyd riw serth, dolciog Dafy Jâms, nes dod mas i'r ffordd fowr ar ben hewl Clun March, ger hen dŷ Meicel, tŷ'r gât ar un adeg. Yna ymlaen at dop pentre Llansewyl a throi'n gwta am Abergorlech gyda chapel Siloh, ar ein pennau i'r dde—man yn gofyn am geffyl siafft da os byddai cynffon y llwyth yn hir, gan y dôi'r ergyd ar gefn y strodur yn greulon pe digwyddai i flaenau'r coed daro'n sydyn yn erbyn y ddaear. Mae'r slafdod a'r straen a welais i'n grwt bach ar geffylau glew gan ddynion glew wrth drafod coed trymion mewn mannau diffaith wedi aros yn fy ngwaed i, hyd heddiw. Roedd Blac a Dic a Bess, hen boni Nwncwl Jâms, bob amser yn ei chanol hi, ac mor sownd â'r farn ar eu carnau, boed lethr gwyllt neu fawnog sigledig. Os mawnog, cerddent ei hwyneb yn gynnil-fonheddig fel cathod rhag i'w pedolau dorri'r croen ac iddynt ddechrau suddo. Deallai 'nhad ei ysgrubliaid yn well nag y deallai ei blant yn fynych. Lle y byddai perygl yno yr oedd ef ar ei orau. Ni welais ddamwain yn digwydd, o gwbl, na chlywed rheg ganddo unwaith, er gwyllted ei natur. Rhagluniaeth yn unig a'm gwahanodd i gyntaf oddi wrth hen gynefin fy nhadau. Yno yr own i yn fy elfen, a phob nerfyn ynof yn teimlo ac yn anadlu'r cyfan.

Roedd saith milltir arall o'r gwaith oel ym Mrechfa i

Nantgaredig, y stasiwn nesaf, saith milltir riwiog, flin, i geirts a cheffylau, i gywain yr oel a'r golosg ar hyd-ddynt i afael y trên. Y pellter yma a chost cyfatebol y cario, yn ddiau, a laddodd y diwydiant gwledig hwn yn y diwedd. Heddiw, a phethau cartrefol fel lorri Luton ac olew Persia, wrth law, ni fyddai'r rhwystr hwn yn bod. Ac y mae hen angen, drwy Gymru gyfan, am sefydlu diwydiannau gwledig bychain fel hyn a wnâi ddefnydd o nwyddau crai y fro, gan roi gwaith i'r plant yn eu cynefin eu hunain, a thrwy hynny gryfhau'r gymdeithas Gymraeg ymhob agwedd ar ei bywyd.

Gwelodd fy nhad-cu gwympo'r genhedlaeth gyntaf o'r coed a blannwyd ganddo ef yn ddyn ifanc, newydd briodi. Roedd ef adeg eu plannu tua'r un oed â'r coed hyn yn awr, adeg eu cwympo, yn rhyw ddeg ar hugain. Daeth yr arian a gafodd amdanynt yn hwylus ddigon iddo i roi tipyn o waddol i'r plant hynaf, Josi ac Anne a Let, fel yr oeddent, y naill ar ôl y llall, yn priodi. Gwelais mewn hen ewyllys o'r eiddo fy nhad-cu, nid yr olaf, yr ystyriai iddo roi gwerth deucant yr un i'r merched i ddechrau eu byd. Roedd deucant yn swm go sylweddol yr adeg honno. Bu gan fy nhad-cu ymhellach, les ar y Trawsgoed, cartref Nwncwl Josi, les dau neu dri bywyd. Roedd gan Nwncwl Josi, mae'n debyg, ffordd dda ar ei dad, a chlywais ddweud iddo ef, fel y mab hynaf, rhwng popeth a'i gilydd, gael yn agos i ddwbwl yr hyn a gafodd ei ddwy chwaer yma. Gwelodd fy nhad-cu, hefyd, flynyddoedd cyn ei farw yn 1886, blannu'r gelltydd hyn yn ôl i gyd, ac eithrio un ohonynt, o ryw ddau gyfair, a dorrwyd yn ei ddyddiau olaf. Gadawsom Benrhiw ymhen pum mlynedd wedi claddu fy nhad-cu. Cwympwyd yr ail genhedlaeth o'r coed hyn yn amser fy nhad a'm hamser innau, a'r lle, bellach, ar rent gan eraill; a chywilydd gennyf ddweud na phlannwyd brigyn yn ôl yno byth wedyn gan na mab nac ŵyr i 'nhad-cu. Aeth yr athrylith blannu a dyfrhau i'r bedd gydag ef. Y cwbl a ellais i ei wneud, hyd yma, er gwario arno, rhwng popeth, fwy nag a dderbyniais oddi wrtho, yw'r polisi negyddol o gadw'r lle, fel math o deyrnged i goffadwriaeth fy nhad-cu, rhag mynd i ddwylo Comisiwn y Coedwigo, er ei gylchynu bron gan dir y Fforest.

Yr oedd fy nhad-cu felly, ar ddamwain ffodus, neu o

fwriad pell ei gyrraedd, neu gyfuniad o'r ddau, efallai, wedi medi cynhaeaf un genhedlaeth o goed cyn i'r ffasiwn o blannu gelltydd ddod yn beth cyffredin yn yr ardaloedd yna gan berchenogion eu tir eu hunain. Er trigo o deulu Johnes yr Hafod yn Nolau Cothi gerllaw, eto, fel yr awgrymwyd, eisoes, nid oedd neb o blith landlordiaid y cylchoedd hyn o natur y bonheddwr mawrfrydig hwnnw a ymhyfrydai yn ei ddydd mewn datblygu adnoddau ei stad ei hunan a hybu amaethyddiaeth yn gyffredinol. Boddlonai'r rhain yn eithaf cysurus ar roi cinio rhent go dda ar ben tymor, a chael gan eu deiliaid, er eu mawr golled, yn fynych, gydymgeisio mewn magu ffesants a phetris iddynt hwy. Ac o'r ddau, gwell pwdryn na photsier, bob tro, wrth rentu ffarm.

Ond whare teg i hen ŵr, 'nhad-cu, er gwaethaf llawer rhwystr—lle trafferthus, pell o bobman, gwraig wanllyd yn marw'n ifanc a llond tŷ o blant ar ei hôl—nid mewn plannu coed yn unig y bu ef yn ddyn o flaen ei oes yn ei gylch cyfyngedig ei hun. Yr oedd, hefyd, yn fyw i werth pob peiriant a dyfais newydd y dôi i wybod amdanynt a allai leihau slafdod a hyrwyddo gwaith; a pharod oedd i'w pwrcasu a'u defnyddio ar ei le ei hun, gan herio pob rhagfarn geidwadol. Syn yw meddwl mai i Benrhiw lethrog ei gaeau, ar wahân i'r dolydd ar y gwaelod, y daeth y peiriant torri gwair cyntaf i'r cymdogaethau hyn, yr hen 'Bamford' drom ei chocasau. 'Diwrnod mowr', yn ôl Ifan 'r Ardd Las—Wil Celwydd Golau plwyf Llansewyl—a ddigwyddai fod yn was gyda 'nhad-cu ar y pryd, ydoedd diwrnod torri'r mashîn gwair hon i mewn ar dop Cae-dan-tŷ Penrhiw. Er mwyn rhoi reial brawf ar y peiriant, meddai Ifan, fe'i treiwyd, ar unwaith, ar y man mwyaf llethrog ar dop y cae. I'w gadw rhag mhoelyd, ychwanegai, 'rhwymwyd bowlen (*pole*) hir, mas bishyn dros dop y mashîn, yr ochr ucha. 'Y ngwaith i wedyn, rŷch chi'n gweld, yn hen grwt heb fod yn rhy drwm, oedd 'istedd fel giâr ar glwyd ar y bowlen hon tra fydde'r mashîn yn torri ystod yn gro's i'r ca'. A wir i chi, rown i'n leico'n jobin yn net. Ond, bois bach, fe a'th y whîl ucha dros ben twmpath o bridd y wadd ne r'wbeth, a wyddwn i o'r wheddel nes 'y mod i'n ca'l 'y nhowlu, whiw, lan fry-fry i'r awyr, ac yn disgyn, wedyn, fel broga, gritsh-gratsh, lawr trwy frigau'r co'd fer yn allt Cwm Bach yr ochor draw i'r cwm, ac yn ca'l 'yn hunan yn fflat ar lawr, bagalabout am fonyn lartshen. Wharddwch chi, bois, os mynnoch chi, ond mae e'n eitha gwir i chi. Fe all John Abernant (fy nhad) weud wrthoch chi—fe o'dd ar ben y mashîn. Ddigwyddodd dim shwd beth i fi ariod. Cap dy' Sul o'dd am 'y mhen i, un o'r cape hir, pigfain yma o'dd yn cydio fel cragen am ben dyn. Pan own i lan yn y man ucha, rown i fel 'swn i'n clywed rhyw sugyn yn 'i dynnu fe bant yn grwn oddi ar 'y mhen i. Ie, bois bach, fe gredes fod 'y mhen i'n mynd off gydag e. Dda'th y cap byth lawr, w! Ond sôn am gered, dyna'r cered rhyfedda weles i yn 'y mywyd ar bâr o gyffyle o'dd y prynhawn hwnnw, a'r hyrdi-gyrdi newydd yma'n mynd 'whr-r-r-' fel cloc larwm wrth 'u cwte nhw. Falle chredech chi mohono i'n awr, bois, ond 'r o'dd Cae-dan-tŷ Penrhiw, whech cyfer o ga', ar lawr bob gwelltyn ohono fe gyda ni erbyn amser te; a roedd hi sbel wedi cin'o arnon ni'n bwrw mas—y cyffyle druen wedi ca'l taraf rŷch chi'n gweld; ninne'n ffaelu'n lân â'u stopo nhw, dim ond 'u cadw nhw i fynd rownd-a-rownd, rownd-a-rownd i'r ca', gore gallen ni. Pan dorson nhw'r blewyn d'wetha, reit ar ganol y ca', fe gw'mpson, mla'n, dwp, w, ar 'u penne. Fe neid'odd dou neu dri ohonon ni mla'n atyn nhw, man 'ny. A dyna shwd y ceson ni nhw'n rhydd o'r mashîn. Ond, bois bach, pan o'n nhw'n mynd, w, dim ond cwmwl o fwg a whŷs o'ch chi'n weld, a rh'w sŵn od yn 'i ganol e.'

Clywais ddweud, ymhellach, mai i Benrhiw y daeth y dyrnwr a'r nithiwr cyntaf i'r ardal; mai yno y sbaddwyd yr ebol cyntaf, ar ei draed, yn y cylch, ac mai yno, hefyd, y codwyd y tŷ gwair cyntaf. Mae'n sicr fod stori ddiddorol y tu ôl i bob un o'r pethau hyn, pe gellid ei gwybod. Ni feddaf i ond bratiau o ryw ambell un. Ond gyda'i gilydd fe ddangosant fel yr oedd y Chwyldro Diwydiannol a dyfeisiau peiriannol y ganrif o'r blaen yn dyfal effeithio ar y bywyd a'r gymdeithas wledig ymhob rhyw ran o Gymru a Phrydain oll. Heblaw lleihau'r caledwaith trwm ynddo'i hun, gwych o beth ymhob ystyr, golygai'r dyfeisiau newydd yma, bron i gyd, y gellid gwneud wrth lai o ddynion ar y tir. Ar yr un pryd yr oedd y pyllau glo ym Morgannwg a Mynwy a'r diwydiannau trymion dibynnol arnynt yn datblygu'n gyflym, ac yn eiddgar i dderbyn gwasanaeth gwŷr a gweision cyfarwydd â gwaith caled. Telid, hefyd, uwch cyflogau nag y gallai amaethyddiaeth ei fforddio. Yr oedd oes fawr Victoria —masnach rydd, diwydiannaeth gyflym-gynyddol, bwydydd rhad o'r gwledydd pell yn gyfnewid am lo a pheiriannau— yn ymagor yn ei holl ogoniant. Roedd allwedd y gwareiddiad modern megis yn hongian wrth wregys Britania. Yn heulwen llwyddiant diwydiannaeth a thrachwant ymerodrol y dyddiau hynny ni feddyliai neb fod hadau Rhyfeloedd Byd yr ugeinfed ganrif yn cael eu hau yn ddyfal.

Ond yn ôl, eto. Am y tŷ gwair yn unig y gallaf i dystio'n bersonol. Codwyd y tŷ gwair hwn gan fy nhad, o fewn fy nghof i, ddechrau haf 1889—dair blynedd wedi marw fy nhad-cu. Roedd yn ugain llath o hyd, yn groes gyda gwaelod yr ydlan, a tho sinc ar ei ben. Rhennid ef yn bedwar 'golau', fel y dywedir, a phob golau yn bum llath sgwâr wrth bump o uchder. Fe'i llenwid dan sang, bob cynhaea, gan wair hadau o'r tir âr, gwair gwndwn o'r tir pori—Cae-dan-tŷ, Dôl Morfa, Dôl Fras Girch, a'r Ddôl Fowr, a gwair garwach o Waun y Byrgwm. Rwy'n cofio'n dda am Dafydd Sa'r, Llwyncelyn—y Bryngwyn Bach, a'r Wion, wedi hynny—ef a'i brentis yn dod yno i'w godi; ac yn cofio, hefyd, am fy nhad a'r dynion eraill yn torri tyllau dyfnion yn y ddaear i osod i lawr y deg post o binwydd a derw cadarn i fod yn bileri diogel i ddal y to uwchben. Roeddent yn ramio ac yn ramio y pridd a'r cerrig yn y socedi o gwmpas y bonion praff hyn rhag bod symud arnynt yn nydd y storm, y tŷ uchel yn wag, a'r gwynt yn whare'i gampau nerthol o'i fewn. Dyn dywedwst, llygatgroes, ydoedd Dafydd Sa'r, a'i locsen ddu o gwmpas ei wyneb mawr, llwyd, ac ôl y frech wen a gawsai'n blentyn yn amlwg arno. Nid oedd ganddo air yn sbâr wrth neb, ac ni thrawai ergyd wast unwaith mewn diwrnod. Pedair oed oeddwn i ar y pryd, ac fel clerc busneslyd y gwaith ni newidid llawer o eiriau rhyngom ni'n dau. Weithiau, cawn gil ei lygad bolwyn os awn braidd yn agos at blâm llym neu drowr a'i ebill arian. Dyn ydoedd ef a barchai'i offeryn fel y parcha'r sant ei enaid; ac am yr un rheswm, sef fod ei gymeriad yn dibynnu arno. Fel saer gwlad gelwid arno'n barhaus i wneud pob rhyw fath o orchwyl; ac, yn sicr, nid oedd odid neb a allai dynnu twlyn o'i law. Fe'i ganed i'r gwaith a gyflawnai; ac y mae hynny'n dri chwarter athrylith. Er y llygad tro, ac na chafodd awr o fathemateg yn ei fywyd, ond mathemateg greddf a phrofiad, dôi ei gynlluniau, o hyd, o rywle'n glir i'w ben; ac yr oedd ei law a'i fesurau'n ddi-feth. Drigain mlynedd yn ôl bellach, gwnaeth Dafy Dafys, canys dyna ei enw'n llawn, y gambo fach ysgon honno i fynd i'r hewl, i 'nhad yn Abernant, o goed wedi eu trin a'u sychu ym Mhenrhiw, y bylau a'r adenydd o dderw a'r cyrbau o bren onnen. Er iddi newid dwylo, lawer tro, wedi dydd fy nhad, druan, clywais, yn ddiweddar ar ddamwain, fod ei holwynion yn dal i gerdded y ffyrdd, o hyd, fel *watch*. A dyna i chi Dafydd Sa'r, y dyn sych, di-ddweud, yn ystod ei fywyd, a'r coed heddiw'n llefaru drosto.

Ganol y ganrif ddiwethaf pan dyfid ŷd yn drwm drwy'r wlad, a pholisi masnach rydd Lloegr a'i bwydydd rhad o'r gwledydd pell i borthi'r boblogaeth ddiwydiannol newydd, eto, heb ddifetha amaethyddiaeth, gartref, yr oedd dyrnu llafur ym misoedd y gaeaf yn rhan bwysig o waith pob ffarm. Fel yr enillai'r polisi hwn y dydd a throi Prydain yn wlad ddiwydiannol, yn mewnforio y rhan helaethaf o'i bwyd, troid y tir llafur fwyfwy yn dir pori, a chiliai'r gwladwyr i'r gweithfeydd am fwy o arian a llai o oriau gwaith. Cyd-redai hyn, hefyd â'r galw cynyddol am fwy o addysg, a chodwyd yr ysgolion rhad, Seisnig, gorfodol ar bob plentyn, a thrwy hynny droi teulu'r gwladwr o Gymro a ymfudai i'r gweithfeydd, mewn cenhedlaeth neu ddwy, yn Saeson llwyr o ran iaith; a'r mwyafrif mawr ohonynt, oherwydd y gyfundrefn addysg estron, heb wybod dim am eu gwreiddiau a gwerth eu hen etifeddiaeth, na malio ffeuen am dynged y genedl y perthynent iddi. Galwodd Padraic Pearse y gyfundrefn addysg yn Iwerddon o dan Lywodraeth Lloegr *'The Murder Machine'*. Gwelir y peiriant hwn yn amlder ei rym wedi cyflawni ei waith yn effeithiol, bellach, yng Nghymru, yn y Rhondda a chymoedd gweithfaol Morgannwg a Mynwy o'r bron. Heddiw, y mae ei ddiwydwaith dinistriol i'w weld ymhobman yn nwyrain Sir Gaerfyrddin, a thranc yr iaith ond mater o amser yn unig, oni ddeffry ymwybod a chydwybod y genedl yn fuan, fuan. Mae ei mwrddwyr taledig yn mwynhau'r gwaith yn braf. Ni ellir yma ond crybwyll y ffeithiau wrth basio. Gan mlynedd yn ôl, sef y cyfnod y sonnir amdano yma, yr oedd pedwar o bob pump o bobl Cymru yn siarad Cymraeg Heddiw nid oes ond rhyw un o bob tri.

Yr oedd y dyrnu â ffust wedi hen ddarfod yn yr ardal cyn cof gennyf i. Ond yr oedd ambell hen ffust ar winben mewn sgubor o hyd fel y ceir ambell bladur neu bladur-a-chadair heddiw fel cywreinbeth o'r dyddiau gynt. Roedd un yn ein tŷ ni wedi i ni ddod i Abernant lle nad oedd angen dyrnwr mwyach. Ffust fenthyg oedd hithau, rwy'n credu; ond rai troeon, gwelais 'nhad a ddysgasai'r grefft yn ifanc yn ei defnyddio i gloego drefa neu ddwy o sgubau i'r ieir pan fyddai'r Indian corn yn brin yn y Siop. Eithr fe glywais lawer o sôn am orchestion y dyrnu mawr 'slawer dydd—hyn a hyn o winshinau (*Winchester bushels*) wedi ei ddyrnu o'r un helem o girch du o waelod Ca' Pant; 'y codi o flaen y cŵn deillion' fel y dywedid (gan nad beth yw tarddiad y fath ymadrodd) am bedwar neu bump o'r gloch y bore, a dyrnu am ddwy neu dair awr cyn mynd i frecwast am saith, a dechrau ar waith arferol y dydd; y graith, hyd ei fedd, ar drwyn 'nhad-cu Gwarcoed wedi i John, ei fab, daro ergyd lletwhith pan oedd e'n grwt yn dechrau dysgu troi'r ielffust yn briodol o gwmpas ei ben; fy nhad yn dweud am yr hen ŵr, Deio Bryndafydd (tad y John Ifans y soniais amdano'n barod) yn adrodd amdano'i hun 'yn gwanu 'i law miwn i wastmwnt (*waistband*) 'i fritsh ac yn tynnu mas ddyrnaid o wablin a'i dowlu e, fflach, ar y plance dyrnu wrth 'i dra'd.' 'John bach, dyw pobol yr oes hon yn gwbod dim byd amdani,' ychwanegai'r hen ŵr, gyda phwyslais wrth ei wrandawr ifanc.

Rhag ofn na ddaw cyfle eto, mae'n demtasiwn i mi sôn gair ymhellach yma, allan o'r cyswllt, am yr hen ŵr hwn. Yn un peth, ef ydyw'r hynaf o'r hen bobl y gallaf i, mewn rhyw ffordd, ddweud fy mod i'n eu cofio. Pan ddywedaf fod ganddo wyrion heb fod ymhell iawn o oedran fy nhad, ac iddo farw rywbryd yn chwedegau'r ganrif o'r blaen, ymddengys y gosodiad hwn, yn sicr, braidd yn od. Ond gadawer i mi esbonio.

Nid oedd gan fy nhad ddim o gwbwl o ddawn 'y

cyfarwydd' fel Nwncwl Josi a allai raffo 'i stori ymlaen yn urddasol a chywrain nes peri hyd yn oed i'r cŵn i goco'u clustiau a gwrando arno. Ond yr oedd rhyw bedwar o bersonau yn yr ardal, a phedwar yn unig, y gallai 'nhad eu hefelychu yn eu dull a'u ffordd o siarad, gydag afiaith a chywirdeb. Adwaenwn i dri o'r rhain yn dda—gwŷr gwreiddiol eu priod-ddull na allent fod yn neb ond hwy eu hunain yn unman—Benni Bwlch y Mynydd, Twmi Sgubor Fach, a Jâms Cilwennau Ucha, 'ce'nder, wel'di,' yr oedd ef yn hoff iawn ohono. Y pedwerydd ydoedd Deio Bryndafydd. A chynifer o weithiau y clywais i 'nhad yn adrodd storïau'r hen ŵr tal, tenau, ymadroddus hwn, a'i ên yn mynd yn hwy bob tro, gallwn feddwl, gyda phob cyffes haelach na'i gilydd amdano'i hun, y da a'r drwg yn gymysg diwahaniaeth, fel y teimlwn yn sicir, rywfodd, fy mod i yn 'i nabod e lawn cystal ag un o'r tri arall.

Yn ôl yr hanes gan fy nhad bu Deio, yn ddyn ifanc yn dechrau 'i fyd, un haf cyfan yn cario calch o odynau'r Mynydd Du at godi'r coleg yn Llanbedr Pont Steffan. (Agorwyd y coleg hwn, Dewi Sant yr Eglwys Sefydledig, yn 1828). Roedd y pellter o Lambed i'r odynau calch yn rhyw ddeng milltir ar hugain, a Bryndafydd Isa, dipyn o'r neilltu i'r briffordd, tua saith milltir o'r dre.

Roedd Deio yn hanfod, yn wreiddiol, o 'Wyddelod Bro Gwenog', hwnt i Deifi, yng Ngheredigion—teulu o gyff Gwyddelig, yn ôl traddodiad, ac yn nodedig am eu ceffylau. Un ohonyn nhw, gyda llaw, ydoedd Jac Abertegan a ddylasai gan luosoced y storïau amdano, megis am Dwm Waunbwll, yn ddiweddarach, yng ngogledd Sir Benfro, fod wedi hen weithio'i ffordd i mewn fel ffigur hanner chwedlonol i lên gwerin Gorllewin Cymru. Roedd yr un elfennau annansoddol hynny sy'n perthyn i ambell un ag sy'n apelio at ddychymyg ardal, i ddechrau, i'w cael, ar raddfa lai, yn Deio Bryndafydd —'y pagan praff o'r pridd' a'r cybydd hoffus, digywilydd o onest.

Âi 'nhad i ryw fath o ecstasi wrth efelychu llais ac ystum Deio a'i ên gref yn malu 'i eiriau'n fân a chwim wrth garlamu ymlaen â'i stori, gan roi'r brêc yn drwm a sydyn, weithiau, ar ryw ambell air neu ymadrodd arbennig. Chwarddai nes bod y dŵr yn rhedeg i lawr ei ruddiau. Chwarddai'r cwmni gydag e. Roedd hyn yn demtasiwn ry gref i 'nhad yn ei symledd naturiol i ailadrodd y stori—a fflato'n ddieithriad yn yr ymdrech. Yna, er mwyn ei gwella, a cheisio 'i chodi'n ôl i lefel y cynnig cyntaf, byddai'n rhaid mynd drosti'r trydydd tro. Erbyn hynny byddai diddordeb y gwrandawyr wedi ei symud o'r stori i'r storïwr brwdfrydig a'i hadroddai; a chyda dim na fyddem yn barod i fynd drosti gydag e, unwaith eto, er ei fwyn ef ei hun y tro hwn. A dyna gamp, neu ddiffyg camp fy nhad, fel adroddwr stori. Byddai'r dynwared a'r asbri yn ddifeius, bob tro; ond dioddefai corff y gainc, yn fynych, gan y mân amrywiaethau heintus hyn. Eithr lluosowgrwydd y rhain a bair i mi yma ddwyn tystiolaeth megis gan un annhymig i mi weld a chlywed Deio Bryndafydd yn adrodd darnau lliwus o'i hunangofiant—er iddo farw genhedlaeth cyn fy ngeni.

Cyn cofnodi un o'r 'amrywiaethau' hyn yn weddol agos ati, rhaid cofio, i ddechrau, fod Deio'n rhodio yn y dyddiau hynny pan 'oedd cawri ar y ddaear'; a bod fy nhad fel pob crwtyn, ymhob rhyw gyfnod mewn hanes, yn perthyn i'r oes feddal, ddirywiedig sy'n ddieithriad yn dilyn oes ei dad-cu. Dyma fel y dechreuai'r hen ŵr arni, ryw dro, meddai 'nhad—a'i ên yn bwrw mas yn fwy pwysleisiol nag arfer:

'John bach, dyw pobol heddi'n gwbod dim o'u geni. Chysges i fowr yr haf hwnnw pan own i'n cario calch at golej Llambed—dim ond cwpwl o orie'n awr ag lweth pan gawn i gyfle. Ro'dd hi'n cymryd peder awr ar hugen gron i fi i rowndo'r siwrne; starto gyda swper cynnar 'ma pan fydde'r houl yn dachre cilo dros fanc Esger Wen. Rown i'n leico bod yn weddol agos at gât yr Hope pan fydde'r gweiddi mowr a'r wben a'r clatsio whipe yn dachre gan wŷr y calch er mwyn esgus dihuno'r hen foi i agor y gât yn union am ddeuddeg o'r gloch. Mowredd annw'l, John bach, ro'dd y sŵn yn ddigon i ddihuno'r marw ym mynwent Tan Llyche—deugen neu hanner cant o geirts a cheffyle wedi cronni'n dynn wrth gwt 'i gilydd yn rhuthro drwodd fel tarane, gynted ag y bydden nhw wedi talu'r doll; a bant â nhw gan ddachre raso'n amal, er mwyn bod gynta ar ben yr odyn i lwytho. Roedd genny gystal dwy gaseg fach a fu ar garne ariod. Ond down i byth yn hala mas o reswm fel y ffylied hynny, John. Fe alle damwen ddigwydd i ddyn neu i 'nifel. Diawcs i, rwy'n cofio, unwaith—ond dyna fe, rwy wedi gweud y stori honno o'r bla'n. Ro'dd gofyn cadw'r ceffyle fel meirch, a nhwynte ar y ffordd, fel hyn, ddydd a nos bron, ysgub fach o girch yn amal amal a brig go lew arni, a llywanen o wair hade'n rhogle i gyd. Wedi llwytho a thowlu toien neu ddwy o wellt gwenith dros y cart calch, os bydde hi'n bwrw, neu'n debyg i law, câi'r ceffyle awr neu ddwy i bori. B'yta 'nhamed sych wnawn i ym mola'r clawdd, rywle, gyda llawer erell o wŷr y calch, a gwrando arnyn nhw'n adrodd 'u storïe. Ro'dd llawer hefyd yn mynd i'r tafarn gerllaw; ceinog y peint oedd y cwrw. Ond mae ceinog yn geinog, John; ac os yw dyn am 'i gweld hi'n dod yn ddwy, ryw ddwarnod, y peth gore y gall e 'i neud yw 'i chadw hi'n dwym gyda'i gylleth yng ngwaelod poced 'i fritsh. Diawcs i, llawer gwaith y ces i gyngor fel yna gan yr hen bobol. Ond yr oes hon, John bach—hala yn 'u cyfer yw hi. Wedyn, mynd ar y plwydd; dou swllt a hanner coron yr w'thnos am 'u cadw nhw! All y wlad byth dala'n hir wrth 'i gilydd fel hyn, John . . . dim byth!

'Ro'dd Ann a finne'n ddynon cryf, lysti'r pryd hynny, John, a'r plant heb ddod; ac er caleted fu hi, weithe, fe gadwes y cynhaea gwair, a'r cynhaea llafur ymla'n ar y lle bach, drwy gydol yr haf, heb fowr o help. Torri lladdad bach o wair neu lafur 'n awr ag lweth tra bydde'r ceffyle bach yn pori ac yn ca'l tipyn o hoe—dist digon i Ann a'r crwt Dai 'ny o'dd yn was 'da ni ar y pryd, 'i drin e, tra byddwn i yn y calch. Rhyw fredych main o grwt 'ma o'dd Dai, a'i freiche fe fel bros; fe a'th bant tua'r gweithe 'na, rywle, wedyn. Ond, John bach, fe f'yte fwyd nes 'i bod hi'n arswyd 'i weld e. Mowredd annw'l, gwanu tato mowron fel 'y nyrne i, miwn i' ben, un ar ôl y llall—un *whalad* (a thro i'r ên i ddangos y ffordd), a ro'n nhw wedi mynd! dim *so-ôn* amdanyn nhw. A ro'dd e mor dene â'r crychydd drwy'r cyfan. Un perfeddyn sy 'da'r creadur hwnnw, medden nhw, a'r cyfan yn mynd trwyddo fe fel whistrell. Ro'dd Dai'r un fath rwy'n credu. Rwy'n cofio gweud wrtho fe un nosweth ar swper wrth 'i weld e'n yfed lla'th fel llo a chwlffyn mowr o fara a chaws yn 'i law e. 'Beth yw'r b'yta dou enllyn 'ma sy arnat ti, 'achan?' meddwn i. 'Fydd y lla'th 'na'r wyt ti'n yfed 'n awr fowr o dro cyn troi'n gaws yn dy gylla di fel y caws ma sy ar y ford, a fe elli gw'mpo'n farw cordyn unrhyw funud o ddiffyg troul. Diawcs i, John, fe sobrodd yr hen grwt trwyddo; ac o dipyn i beth fe stop'odd stapal 'i ên e whare. Cyn mynd i'r gwely fe'i gweles e'n cripian yn slei bach am y llaethdy i hôl basned o faidd. O hynny mas maidd oedd y cyfan gydag e.

'Mae lladd gwair yn waith caled, John, fel y gwyddoch chi. Dim ond wrth hogi'n awr ag lweth mae dyn yn ca'l codi'i ben ac uniawni tipyn ar 'i gefen. Fel mae'r hen air yn gweud:

> Percyn hir a wado'n galed
> Sy'n hala dyn i dragwyddoldeb.

'Roedd Dai druan yn rhy whip yn 'i arre i 'nilyn i'n torri ystod o wair, er 'i fod e'n ielstyn tal ar 'i o'd. A dyna lle byddwn i yn 'i ad'el e man 'ny yn y gŵer yn ale'r clawdd, a'i rip gras "rhyt-y rhwt! rhyt-y rhwt! rhyt-y rhwt!" yn hogi un bladur tra byddwn inne'n lladd â'r llall. Wrth 'y mod i'n iwso'r ddwy bladur bob yn ail, a Dai'n rhoi awch bach net arnyn nhw, ro'n ni'n gallu torri llawer mwy o dir na phe byse Dai druan yn lladd 'i hunan yn lle lladd y gwair, wrth dreio crafu ryw siâp ar 'yn ôl i. Ond diawcs i, gwaith caled i'r pladurwr o'dd dilyn dwy bladur, John. Dim ond am gwpwl o orie, tra bydde'r ceffyle bach yn ca'l 'u hanal, rown inne'n gallu 'i dala hi. Ond fel y gwedes i, fe gadwes 'mla'n fel 'ny—y calcho a'r lladd â dwy bladur, drwy'r haf. Rown i'n ca'l hanner sofren felen am bob llwyth o galch—arian arswydus y pryd hynny, John. A dyna'r adeg y dechreuson ni fagu tipyn o gefen ar y lle bach yma.'

A dyma ninnau'n awr yn gadael yr hen ŵr diddan, Deio Bryndafydd, arwr storïau bore oes fy nhad—yn ŵr cefnog ei hun, bellach, gan adael gwaddol a thraddodiad o 'fagu cefen' ar ei ôl i'w deulu o hynny hyd heddiw.

Wrth goffáu am Benrhiw yn amser fy nhad-cu mae gennyf, weithiau, ddwy neu dair fersiwn o'r un stori i'w cymharu a dewis ohonynt—fersiwn blaen, fân-amrywiaethus fy nhad, fersiwn glasurol Nwncwl Josi, a phob pesychiad 'Hy-Hy' yn ei le, a fersiwn liwgar, ramantus, dau was a fuasai'n gweini yno, yn eu tro, am rai blynyddoedd. Am y fersiwn olaf hon, fersiwn a fu'n mynd o ben i ben drwy'r ardaloedd am gyfnod hir, nid hawdd ei chysoni hi, bob amser, â'r gwreiddiol. Enw'r cyntaf o'r ddau was arbennig yma ydoedd Ifan Dafys, 'r Ardd Las, wedi hynny, neu Ianto Tŷ Mwg, a rhoi enw twt ei hen gyfoedion arno, weithiau. Soniwyd amdano ef, eisoes, ynglŷn â'r mashîn gwair, ac fe'i cwrddwn eto. Yr ail ydoedd Dafy Thomas, Nant Feinen, yn ddiweddarach, neu, a rhoi iddo yntau enw cyfarwydd fy nhad arno'n grwt, Dai Penrhiw Felen, ar ôl y lle y magesid ef ynddo yn ardal Llidiad Nennog. Y Dafy Thomas yma, gyda llaw, ydoedd tad John Thomas, Caerfyrddin yn awr, a'i frawd Tom Hefin Thomas, myfyriwr ifanc addawol iawn am y weinidogaeth gyda'r Annibynwyr a fu farw o'r declein cyn prin ddechrau ar ei yrfa. Pan enillodd Tom Hefin, y llanc tua'r ugain oed, y wobr yn eisteddfod dra enwog y Byrgwm, y pryd hwnnw, am draethawd ar hanes ei blwyf genedigol, plwyf Llanfihangel Rhos y Corn, dyma sylw'r beirniad, fel y cofiaf yn dda: 'Nid cwpan arian ddylai fod yn wobr am waith fel hwn, ond crochan aur'. Rown i mewn cysylltiad agos â Tom Nant Feinen, ei iechyd yn wannaidd iawn, erbyn hyn, pan oedd e'n chwilota'r wlad gan gerdded o fan i fan, a holi hen bobl am hen hanesion ar gyfer y gwaith llafurfawr hwn. Nid oes ond gobeithio fod y traethawd diddorol yma ar glawr gan rywrai o'r teulu; ac y caiff, ryw dro, weld golau dydd. Mae ynddo'n sicr rai pethau prin a gwerthfawr iawn wedi eu trysori.

Roedd 'nhad-cu, fel y gellid disgwyl, yn godwr bore. Ond wedi i'r plant ddod i oed gweithio, ac yr oedd hynny'n weddol gynnar yr adeg honno, fe gymerai ef ei hun, weithiau, gyntun bach ymhellach, ymlaen at amser brecwast yma, tua saith o'r gloch, cyn codi. Roedd wedi gofalu, wrth gwrs, fod y gweddill o'r teulu ar eu traed, ac wrth eu gwaith, er caniad cynta'r ceiliog. Dyma fersiwn gyfansawdd o un o'r storïau hynny am Benrhiw o dan yr hen oruchwyliaeth yn amser gorchestion y bore godi a'r dyrnu â'r ffust—wedi ei hadrodd gyda rhyw awgrym o ysbryd a steil Nwncwl Josi fel storïwr, ond heb geisio cadw at ei eiriau ef. Ni ellir yma, chwaith, gyfleu dim o gymorth cyfamserol y carthiad gwddwg.

Roedd yna geiliog ym Mhenrhiw yr adeg honno, mwy

bore hyd yn oed na'i berchennog—ie, a cheiliog yn ôl y farn gyhoeddus, mwy pryfoclyd na'r ceiliog hwnnw a ganodd 'yn y fan' 'slawer dydd. Roedd ei ganiad clir ar awr annhymig o'r nos eisoes wedi codi'r teulu'n gyfan fwy nag unwaith. Hwyrach, yn wir, nad oedd yno gloc ar gerdded, ar y pryd, ac mai wrth yr haul y dydd, ac wrth y ceiliog y nos y gweithient. Wn i ddim. Fodd bynnag, ymddengys i'r larwm hanner swyddogol hwn, un tro, straenio'i larincs i'r consert pitsh cyn i rai o'r preswylwyr brin gau eu llygaid am noson o gwsg. Clywodd Jaci lais y cantwr o'i wely, a gweiddi'n frisg dros y tŷ, ei bod hi'n 'mynd yn rhywbryd', a chodi pawb ar unwaith i fynd at ei orchwyl. Yna syrthiodd ef ei hun yn ôl i gysgu'n hapus, wedi gwneud bore da o waith. Aeth Josi a Bili a John, a'r ddau dderyn iach hynny, Jâms a Dai Penrhiw Felen, yr iengaf ohonynt, o tua'r un oed, ati'n gwcsog ddigon i fwydo'r da a'r ceffylau a'r moch, a charthu odanynt; a'r merched yn y tŷ yn paratoi ar gyfer y godro a gwaith y dydd. Wedi bod wrthi am amser maith a gorffen pob dim o'r gorchwylion arferol, wele, nid oedd 'sefyll' ym Mhenrhiw. Aed ati, wedyn, i ddyrnu—tragwyddol benyd gyda llafur caled pob gweithiwr ar y tir yn y dyddiau llafur-fawr hynny—dau blencyn dyrnu o dderw trwchus ar lawr y sgubor a digon o le i ddau bâr o ddyrnwyr, un bob pen, i droi eu ffustiau yn yr awyr heb daro'i gilydd. Ac yno y buont wrthi'n dyrnu, yn dyrnu, ac yn dyrnu, 'clap! clap! clap! clap!' yn gwbwl undonog am oriau, ac oriau, heb argoel na sôn am doriad gwawr.

O'r diwedd, a'r ffustiau'n fud am foment tra byddent yn taenu brig rhes arall o sgubau ar y planciau, ac yn dirgel wrando am y waedd gynefin i frecwast, wele, yn lle'r waedd clywsant sŵn pâr o draed plentyn yn rhedeg, yn gyflym, yn groes i'r clos at ddrws y sgubor. Jane fach, yr iengaf o'r plant oedd yno, ac yn llefain 'i chalon hi. 'Ann' (ei chwaer hynaf), meddai hi, 'newydd weud yn y tŷ nad oedd hi'n mynd i ddyddio byth wedyn!'

Ond yr awr dywyllaf yw'r awr agosaf i'r wawr, bob amser. Fel mellten, trawyd dychymyg bywiog y crwt Dai Penrhiw Felen gan y syniad o gynnal cwrdd ymostyngiad, yn y man a'r lle i ofyn am i'r wawr dorri, unwaith yn rhagor, ar blant dynion. (Roedd cwrdd ymostyngiad, yn ymbil am atal y glaw mawr wedi bod yr hydref cynt, meddai'r hanes.) Neidiwyd at yr awgrym yn eiddgar, a gorfodi'r cynigiwr, o fodd neu anfodd, i gymryd at y rhannau arweiniol. Roedd yno leisiau da, a chafwyd hwyl anghyffredin ar ganu'r pennill cyntaf a roddwyd mas gan yr arweinydd:

> Disgwyl wyf ar hyd yr hirnos,
> Disgwyl am y bore ddydd . . .

Bu dyblu a threblu'r gân ar y ddwy linell olaf—

> Disgwyl golau, disgwyl golau
> Pur yn nhwllwch dua'r nos.

Yna eisteddodd y dyrnwyr i lawr ynghanol y gwellt a'r sgubau i wylio a gwrando ar Dai'n mynd rhagddo, gan fod yn barod i ufuddhau, os byddai galw ar neb ohonynt. Dechreuodd yntau'n union ar adrodd y Salm Fawr. (Un o orchestion pennaf yr Ysgol Sul, y cyfnod hwnnw, ydoedd dysgu'r Salm hon ar dafod leferydd; ac yr oedd gan Dai, mae'n debyg, gof rhyfeddol—fel Tom, ei fab, ar ei ôl.) Yn ôl fersiwn Dai ei hun o'r stori, dewiswyd y Salm Fawr gyda bwriad teilwng mewn golwg: pe digwyddai, wedi'r cyfan, i amcan y cyfarfod fynd yn fethiant, fe geid, o leiaf, sbel go lew cyn gorfod poeri ar eu dwylo ac ailgydio yng nghoes y ffust. Yn rhyfedd iawn, fel yr oedd Dai'n mynd yn ei flaen, a'i hwyl yn codi, dechreuodd y porthi selog o blith y sgubau dawelu; a phrin yr oedd yr adroddwr wedi dod at y geiriau ystyrlawn, 'Pa fodd y glanha llanc ei lwybr?' nag y gwelodd arwyddion amlwg fod y cwmni defosiynol o'i gwmpas yn cyflym suddo i afaelion cwsg esmwyth. O weld cymaint difaterwch ar bob llaw ar awr mor ddu yn hanes dyn, ac yn sicr, ni ellir ei feio am hynny—'fe ddantws Dai'. Yn fuan, yr oedd yntau wedi ymuno â chôr yr hapus dyrfa yn y gwellt gerllaw.

Ond nid dyna'r fan yn hollol y terfyna'r gyfranc hon fel y clywais adrodd arni lawer tro. Y nos honno, wedi i Jaci glwydo'n ddiogel, nesaodd y ddau ddyrnwr iengaf yn ddirgel at y fan lle clwydai'r ceiliog yntau, fry ar ei 'sgynbren. Gan un ohonynt yr oedd lantarn rwyllog a chan y llall yr oedd morthwyl o dan ei got. Gydag annel ddifeth y dialydd disgynnodd y gorthrymydd o'i orsedd i'r dyfnder du odano, fel llawer un o'i debyg; a'i lais ni chlybuwyd mohono mwyach. Yn y cwest o flaen Jaci ar frecwast drannoeth. 'Ca'l strôc na'th e', mynte Dai; a chytunodd y rheithwyr.

Ond fe ddaeth y rhod ddŵr; a phan fyddai'r dŵr yn brin, yr horspwer pedwar ceffyl yn cerdded mewn cylch, a'r gyrrwr ar ei bedestal yn y canol a'i whip goes-gelynnen yn ei law i flaen gyffwrdd â'r dodjer a'r diog, i droi'r peiriannau dyrnu a nithio a'r *chaffcutter* ym Mhenrhiw. Dechreuodd y pethau hyn newid y ffordd o weithio ac ysgafnhau llawer ar dreth y corff. Ond gwaith fydd gwaith o hyd, a llether fydd llether tra rhed nant ac afon wrth ei droed; ac, ar ryw ystyr, gwyn eu byd preswylwyr y gwastadedd.

Cyfeiriwyd wrth basio at yr arfer o 'sbaddu ceffylau ar eu traed yn dod gyntaf i'r ardal acw. Dyma ran o'r stori honno fel y clywais i hi. Roedd 'nhad-cu wedi bod am wythnos fach o ddŵr y môr yn Aberaeron, ryw haf, fel y gwnâi yn gyson rhwng y ddau gynhaeaf. Yno cyfarfu â dyn o Sir Aberteifi a fuasai allan yn America yn ffarmio am lawer o flynyddoedd. Daeth y ddau yn gyfeillion. Wrth siarad am y wlad newydd soniodd yr Ianci o Gymro am ffordd yr Americanwyr o sbaddu ceffyl, heb ei gwympo, drwy wasgu ei ffroenau â phinsiwrn, neu offeryn cyffelyb at y pwrpas, nes y byddai rhannau o gorff yr anifail yn mynd yn gwsg a dideimlad; ac yna ei dorri a gweithredu arno. Argyhoeddwyd fy nhad-cu ar y pen a daeth â'r sbaddwr yn ôl ganddo i Benrhiw. Wedi torri ebol neu ddau yno, a'u gweld yn gwella'n rhwydd a buan, mentrodd rhai o'r cymdogion ofyn iddo ddod atynt hwy. Y canlyniad fu i'r gŵr dierth aros ym Mhenrhiw am bythefnos dda yn sbaddu ebolion bob dydd yn yr ardaloedd o gwmpas. Ni fu anhap o gwbl; fe wellhaodd yr ebolion i gyd fel y crics. A dyna'r modd y dechreuwyd yr oruchwyliaeth ofalus hon yn y dull newydd am y tro cyntaf yn y rhan yna o'r wlad—yn ôl a glywais i.

Gwaith caled a bywyd caled, yn ddiau, ydoedd hi ym Mhenrhiw 'slawer dydd o'i gymharu â'n safonau esmwythach ni, heddiw. Eto, gan luosoced y storïau a glywais, gallwn feddwl fod rhyw hwyl a sbort ddiniwed, yn feunyddiol ar waith yno; a bod canu'n adloniant parhaus ar yr aelwyd. Clywais 'nhad yn dweud am y tri ieuengaf ohonynt, Jâms a Jane ac yntau—roedd Josi, ac Ann y ferch hynaf, a chanddi lais rhagorol, a Let y nesaf ati, wedi priodi erbyn hyn, mae'n debyg—wedi bod, un tro, mewn Cymanfa Ganu yn Ffald y Brenin pan oedd côr enwog Price bach Wern 'Digaid (Wern Fendigaid), gerllaw, yn ei fri, ac yn dysgu anthem newydd yn gyfan o'i chanu gyda'r côr ryw nifer o droeon—Jâms wedi dysgu'r bas, Jane yr alto, a 'nhad ei hun y tenor. Ni fu'r gwarchodwyr, gartre, fawr o dro yn dysgu'r 'ledin part'; a bu mynd mawr ar yr anthem hon bob cyfle a gaent am ddyddiau wedyn. A diau fod yr hen ŵr yn mwynhau'r canu cystal â neb ohonynt.

Bu'r tri, hefyd, yn aelodau o gôr Price Wern 'Digaid am flynyddoedd gan gerdded y llwybrau gwlyb a'r rhiwiau serth, chwech neu saith milltir o ffordd, yn gyson, i'r ymarferion. Cydoesai'r côr gwledig hwn â Chôr Mawr Caradog yng Nghwm Aberdâr. Yn ei gylch nid oedd a'i curai. Ysywaeth, ychydig o ddawn gerddorol teulu fy nhad a gafodd Pegi, fy chwaer, a minnau. Roedd fy mam, ei hun, yn ddi-glust mewn cerddoriaeth, er fod ganddi gnither o'r un enw â hi, Sarah, merch Nwncwl Tomos 'r Erw Wion, yn gantores amlwg yng nghôr Price bach. Gyda llaw, fe welais i, unwaith yn fy mywyd, yr hen wron hwn, Price Wern 'Digaid, arweinydd y côr yma. Ar y cei yn Aberaeron yr oedden ni, a'r môr gwyrdd yn llawn o dan y carej bach a redai ar raff weiers, yr adeg honno, uwchben genau'r afon i gario'r bobl o'r naill ochr i'r llall. Câi'r dyn a drôi'r olwyn i'w weithio geiniog y pen am y trip. Crwt wyth neu naw oed oeddwn i, wedi mynd draw yno gyda'r teulu am ychydig ddyddiau o ddŵr y môr. Roedd German Band o dri offeryn yn whare i'r dyrfa—trwmped, drwm, a soddgrwth (*cello*)—er nad oedd gennyf i, na neb arall, yn ddigon tebyg, yr un syniad beth y gelwid y creadur boliog hwn a gynhyrchai, ar droeon, y fath nodau dwfn, llesmeiriol.

Am ryw reswm rhy ddyrys i geisio'i 'sbonio saif y trwmpedwr hwn yn fyw ryfeddol yn fy nghof hyd heddiw, nid nodau clir ei 'gorn, min-gorn mawr' yn gymaint, ond safiad ac osgo ei gorff, y trowser glas, y got werdd a'r braed coch arni, y cap crwn, pigloyw, y gwallt du, crop, crop, uwch gwar wedi llosgi yn yr haul. Gwelswn gylch y tylwyth teg ar ambell gae gwair, a chlywed am gŵn annwn, ambell dro, yn cyfarth yn y niwl ar fanc Llywele; ond ni chredwn yn gryf iawn ynddynt. Ond petawn i wedi cerdded i mewn i'r cylch cyfrin mewn breuddwyd llygad-agored ni allai'r effaith fod yn rhyfeddach arnaf nag ar y prynhawn heulog hwn gerllaw'r carej bach ar gei Aberaeron. A'r dwthwn hwnnw y gwelais i Price bach Wern 'Digaid, yntau wedi'i gipio, megis gan y tylwyth teg, canys un ohonynt hwy ydoedd Price, hefyd, er mwyn i mi gael y siawns o'i weld, am unwaith, yn y byd hwn.

Ar gwr y dorf yr oedd e, yn hynafgwr brigwyn, ysgafngorff, gan ryw fân symud, weithiau, fel aderyn ar hop. Amlwg oedd fod rhywbeth o'i le ar y trwmped neu'r trwmpedwr, canys fe'i gwyliai'n sarrug. O'r diwedd, darfu ei amynedd, yn llwyr, gellid barnu, a dechreuodd geryddu a chyfarwyddo'r wharaewr yn iaith groyw Sir Gaerfyrddin, er difyrrwch i'r dorf, a pheth penbleth i'r Almaenwr, ar y dechrau, na ddeallai air ohono. Rown i yn y man a'r lle, wrth gwt 'nhad, a chlywais ef yn adrodd yr hanes lawer tro, wedyn.

'Rwyt ti'n rong, 'achan, rwyt ti'n rong,' gwaeddai'r hen gerddor clustfain o'r bryniau, yn yr unig iaith a wyddai. 'Rwyt ti'n rong, rwy'n gweud,' gwaeddai drachefn. 'Cer' 'n ôl dros y slyrs 'na, yto, i ti 'u ca'l nhw'n reit, y tro nesa.' Ond rhagddo, fel Gŵr y Fantell Fraith gynt, yr âi'r trwmpedwr, gan fwrw ei wegil yn ôl, gyda balchder, yn awr ac eilwaith, a'i fochau'n pantio ac yn llanw gan ymchwydd y miwsig.

Mae'n bosib mai wedi codi'r bys bach, unwaith yn ormod, yr oedd Price druan wrth dorri mas mor annisgwyl y prynhawn hwnnw; ni charwn fod yn bendant. Ond y mae gennyf ryw led argraff mai'r gwendid hwn, ynghyd â haelioni naturiol ei galon, a barodd i flynyddoedd olaf oes yr hen arweinydd nodedig hwn beidio â bod mor siriol ag y dymunai'r dorf luosog hynny a fu'n canu, unwaith, gydag afiaith, yn ei gôr. Ffarm fach yn ymyl Ffald y Brenin yw Wern 'Digaid; ond bu unwaith yn gartref i un o wir feibion cerdd a roddodd, am gyfnod, fywyd ac ysbrydiaeth newydd i ardaloedd cyfain dan gyfaredd ei fatwn.

Ond er llawer anfantais y gellid ei nodi o fyw mewn lle fel Penrhiw rhaid fod yno fanteision, hefyd, i wrth-dafoli hynny gan y cawn lanciau dawnus na allai neb ddwyn offeryn o'u dwylo, fel Ifan 'r Ardd Las a Dafydd Nant Feinen yn aros fel gweision yno, am flynyddoedd. Sbring fowr y gwaith a deheulaw fy nhad-cu, wedi i Josi'r mab hynaf briodi a gadael cartref, ydoedd 'nhad. Er mai cymedrol ei ddoniau ydoedd ef, ar wahân i ganu, yr oedd yn un o'r rhai rhadlonaf ei ysbryd yn fyw, ac yn barod am dipyn o ddifyrrwch bob amser, cyd byddai'r gwaith yn mynd yn ei flaen. Nid wyf yn credu i ddiogyn fentro i'r un cae â 'nhad, erioed. Roedd gwaith yn beth rhwydd a didrafferth iddo, a'i natur dda yn gwneud ei egni'n heintus i'r sawl a gydweithiai ag ef.

Am fy nhad a Nwncwl Jâms, 'diawtht i, Cyw Melyn Ola Penrhiw', fel y soniai amdano'i hun, weithiau, odid y bu erioed, o ran natur, fwy o wrth-gyferbyniad rhwng dau frawd. Roedd gan Nwncwl Jâms ryw fath o gymhlethdod a ymylai bron ar athrylith, nid yn unig i beidio â gwneud unrhyw fath o waith ei hunan, hyd y gallai, ond, hefyd, i osod rhwystrau ar ffordd pawb arall a fynnai weithio. Parodd y gyneddf chwithig hon yn Jâms, yr iengaf o'i blant, lawer o ofid a blinder i 'nhad-cu, yn ystod ei oes, mae'n debyg, cynneddf yr asyn a all gymryd yn ei ben i stopio'r traffic drwy grynhoi ei bedair bagal fach at ei gilydd, difrifoli ei glustiau a sefyll yn gadarn ar ganol y ffordd. Nid diogi yn gymaint mohono; oherwydd wedi i'w natur boethi, neu i naws o gywilydd ei orddiwes, efallai, fe weithiai ambell ddiwrnod cyfan fel baedd; a threulio'r pythefnos ar ôl hynny i ryw figitian gweithio, ac i goffáu ei orchestion y dydd nodedig hwnnw pan ddisgynnodd yr ysbryd arno. Nid natur ddrwg, ychwaith, mo'r esboniad; canys yr oedd pawb yn ddigon hoff ohono, ac eithrio rhyw ambell un fel fy mam druan, y bu tynged arni i'w gymryd o ddifri. Roedd traddodiad yn nheulu Llywele fod rhyw un, ac weithiau ddau o'r rhain, yn ymddangos ymhob cenhedlaeth. A mynych y danodwyd i mi, yn grwt, pan fyddwn wedi bod yn fwy o asyn nag arfer, mai y fi oedd i gario ymlaen draddodiad digamsyniol Nwncwl Jâms a'm hen ewyrth,

Nwncwl Bili, brawd fy nhad-cu, ar lwybr collfarn y teulu. Rhwng cronfa egnïon cloëding, ansymudol Nwncwl Jâms, ynteu, ar y naill law, a hylif egnïon gorsymudol fy nhad ar yr ochr arall, rhaid fod yna ddrama fywiog yn fynych ar waith ar aelwyd ac ar gaeau Penrhiw. Ond er y mellt a'r taranu y gellid eu disgwyl, ar adegau, rhwng dwy natur mor groes i'w gilydd, roedd yno, hefyd, yn y gwaelod, ddigon o gariad brawdol Iago ac Ioan i ddofi'r stormydd hyn heb iddynt wneud rhyw niwed mawr iawn; o leiaf, tra bu 'nhad-cu byw, ac y parhaodd iechyd fy nhad.

I'r dieithr o fewn y porth nad oedd y canlyniadau o gymaint pwys iddo, ni wnâi mympwyon a stranciau Nwncwl Jâms ond ychwanegu at yr hwyl feunyddiol a geid yno, yn gymysg â'r gwaith caled, gan roi, hefyd, ddefnyddiau llawer stori dda i ŵr o ddychymyg fel Ifan 'r Ardd Las.

Caniateir yma, cyn gorffen â'r bennod hon, grybwyll byr am un arall y clywais am lawer o'i droeon gan fy nhad, Twm Coch wrth ei enw, yr unig enw a glywais arno, cawr o ŵr a fuasai yn y fyddin, am gyfnod, cyn dod yn was i Benrhiw at 'nhad-cu. Perthynai Twm i'r *Rifle Corps*, neu i'r *Rifle Cord*, yn ôl ynganiad 'nhad, cysylltiedig, yr adeg honno, â phlas Rhydodyn, ac âi yno i ddrilio, ryw nifer o ddyddiau bob blwyddyn. Roedd hyn yn fuan ar ôl Rhyfel y Crimea a'r *Indian Mutiny.* Yn ôl Fred S. Price, hanesydd y plwyf, math o filisia lleol, tebyg i'r Hôm Gard yn ein dyddiau ni, gallwn feddwl, oedd y Corfflu hwn dan y teitl swyddogol—*4th Company, Carmarthenshire Rifle Volunteers*, a'r cyfreithiwr, David Long Price, Talyllychau, yn Gapten arno. Fe'i difodwyd yn 1869, wedi yfed llawer o gwrw, ond heb ladd neb, drwy lwc. Ni wn i a fu Twm Coch yn y Rhyfel ai peidio; ond yn ôl 'nhad, eto, a oedd yn grwt ifanc, ar y pryd, ac yn edmygwr mawr o'i arwr, roedd craith bwled yn amlwg ar ei frest. Beth bynnag am hynny, a barnu wrth y straeon amdano, yr oedd Twm Coch yn gyfuniad hynod gyflawn o dri anhepgor milwr yn y rhyfel creulon a llwyr ddiangen hwnnw—natur dda, twpdra, a nerth corff anarferol:

Ours not to reason why,
Ours but to do and die . . .

Parhaodd Twm Coch yn ŵr dewr a rhadlon ei ysbryd hyd y diwedd. Adroddwyd wrthyf amdano gan gyfaill o ardal arall a'i cofiai yn ei flynyddoedd olaf, yn dlawd ei amgylchiadau ac wedi cael ergyd o'r parlys, ond yn dal, rywsut, i lusgo o gwmpas. Roedd e'n tynnu swêds ar gae cymydog ryw fore 'windrewog' o hydre, meddai'r cyfaill hwnnw amdano. Tynnai Twm y sweden o'r rhych â'i law iach, a'i throsglwyddo i'r llaw ddiffrwyth. Crynai hon gymaint nes bod y pridd a lynai wrth y gwraidd yn disgyn yn siwrwd i'r llawr. 'Dyma hi, rŷch chi'n gweld,' meddai Twm yn siriol. 'Rhagluniaeth wedi bod yn garedig iawn, unwaith yto—rhoi i'r hen Dwm Coch yr unig jobin teidi y galle fe'i neud yn 'i hen ddyddie', gan chwerthin 'che-che-che!' (dynwarediad fy nhad ohono), fel y gwnâi'r tro hwnnw gyda 'nhad-cu wedi iddo gario ar ei ysgwydd ryw anferth o fonyn pren a droliasai i ryw ddwnsiwn gwlyb lle na allai'r un ceffyl fynd yn agos ato.

Cystal dwyn i ben yn y fan hon y darlun y ceisiwyd ei roi o Benrhiw yn ystod y chwe blynedd a deugain bron y bu fy nhad-cu byw yno, sef o Ŵyl Hengel 1840 hyd ei farw, ddiwedd Mai 1886, yn bedwar ugain ond dwy oed. Bu gweddnewid mawr ar y lle, fel y gwelsom, yn ystod ei oes ef. Arllwyswyd y cymoedd o'u tyfiant gwyllt, cynhenid, a'u plannu'n elltydd dan drefen gymen caib a llinyn; a throwyd y gwndwn tewgroen yn gaeau o borfa las rhwng cloddiau a pherthi cysgodol ac ôl y bâl a'r bilwg arnynt. Dan ei law ddiwyd, fedrus ef, daeth Penrhiw lethrog, ddiarffordd, yn un o ffermydd graenusaf, mwyaf blaengar, a chynhyrchiol y cylch. Er mor wahanol yw golwg y lle heddiw, heb neb yn byw yn y tŷ, ers blynyddoedd, a'r adeiladau, o ganlyniad, yn mynd ar eu gwaeth; eto, y mae ôl llafur yr hen ŵr a'i gynlluniau i'w gweld yno, o hyd, mewn llawer man. Ac mewn rhyw ffordd gyfrin, annelwig, teimlir dylanwad ei ysbryd, i raddau, hyd heddiw, gan, o leiaf, un o'i wyrion. Y mae gor-wyrion iddo, a phlant y rheini, yn byw nid nepell o'r hen gartref hwn, na wyddant i'r fath ddyn fod erioed. Ymddengys nad yn hollol ofer, wedi'r cyfan, y rhannodd fy nhad-cu serch a sylw ei ddyddiau olaf rhwng Twm y Gath a'r ŵyr hwnnw.

PENNOD III

Aelwyd Penrhiw yn fy amser i

Anhepgor cyntaf yr hunangofiannydd yw cof da. Yr ail yw'r hunanhyder talog hwnnw a bair i ddyn gredu fod yr hyn sydd o ddiddordeb iddo ef yn rhwym o fod o ddiddordeb i bawb arall hefyd. A'r trydydd yw dewrder, didwylledd, neu ynteu fath o symlrwydd cynhenid a'i gwna hi'n hawdd iddo wisgo'i galon ar ei lawes. A ninnau wedi ein gwneud fel yr ydym, diau mai'r olaf, bob amser, yw'r mwyaf atyniadol. Mewn hunanymholiad mor onest ag y meiddiaf ei gynnal arnaf fy hun teimlaf fy mod i'n ddiffygiol ddigon yn y tri. Ac eto, dyma fi wedi mentro arni hyd y fan yma, gan deimlo, weithiau, fel Macbeth gynt, ynghanol ei rysedd tynghedus fod troi yn ôl, bellach, yn llawn mor anodd â mynd ymlaen. Gadawaf yr ail a'r trydydd anhepgor uchod yn awr heb eu cyffwrdd, gan sôn, yn unig, am y cyntaf, sef y math hwnnw o gof a roddwyd i mi.

Ar rai ystyron ni chredaf i neb, y gellid, yn garedig, ei ystyried yn llawn llathen, etifeddu cof salach nag sydd gennyf i. Am ddysgu rhywbeth ar dafod leferydd rwyf wedi bod, erioed, yn anobeithiol. Llenyddiaeth, er enghraifft, yw prif hoffter fy mywyd. (Mater o 'gorff y farwolaeth' nad oes a'm gweryd rhagddo fu gwleidyddiaeth—a Chymru yw'r corff marw hwnnw.) Mae barddoniaeth a rhyddiaith dda yn wledd wastadol i mi; ac nid oes dim yn ddiflasach gennyf na gwaith troetrwm, diawen. Ac eto, anodd gennyf gredu fod neb yn y wlad, y gellid, yn rhesymol, ei alw'n llengar a ŵyr lai o farddoniaeth ar ei gof na mi, er cymaint y carwn ei drysori, a'm hymdrech gyson, yn y gorffennol, i wneud hynny. Petai fy mywyd yn dibynnu ar hynny ni allwn warantu y medrwn ddysgu un wyneb-ddalen o ddrama ar fy nghof fel ag i fynd trwyddi'n gywir ar lwyfan, er cymaint fy niddordeb yn y ddrama, hithau, a'm hoffter o weld ei chwarae. Roedd fy mam yn adroddwraig go dda, yn ferch ifanc, mae'n debyg; a chlywais hi'n dweud y byddai'n ddigon iddi ddarllen drosodd, yn ofalus, bennod neu salm neu ddarn adrodd, dro neu ddau, cyn mynd i'r gwely'r nos, i'w gwybod yn iawn ar ei chof, fore trannoeth. Ac yr oedd Pegi fy chwaer yr un fath. Fe ddysgai fy nhad, hefyd, dôn newydd mewn dim o dro.

Ond amdanaf i, dyn a'm helpo! Diau i'r pall a'r anghaffael hwn ar natur fy nghof fod yn rhwystr i mi yn fy arholiadau fel myfyriwr. Ni fyddwn byth yn methu; ond er gweithio'n galed a chydwybodol, bob amser, yn gymysg â llawer o ddiddordebau eraill, mae'n wir, byddai fy enw, fel rheol, dipyn mawr yn nes i waelod y rhestr nag i'r top.

Rhyfeddwn, yn fynych, at gof y plant y bûm i'n athro arnynt drwy'r blynyddoedd wedi gadael coleg. A synnwn i fawr nad y fi, o bawb o'm cyd-athrawon, a bwysai drymaf ar y disgyblion druain i ddysgu'n helaeth ar eu cof, a hynny'n ddiau fel canlyniad i'm profiadau cynnar i fy hun. Cas gennyf, yn grwt, ydoedd dweud fy adnod ar goedd yn y capel; ond disgwylid i ni'r plant ddysgu'n gyson y testun bore Sul a'i adrodd yn y seiet y nos Wener dilynol. Ni ddown i i fyny â'r disgwyliad, bob amser, mae'n wir; a digon tolciog yr awn trwyddi'n fynych. Ond yn y modd hwn rhaid fy mod i wedi dysgu ugeiniau lawer, efallai gannoedd o adnodau yn oedran y plant a ddysgwn yn yr Ysgol Sul, ac yn iau na hwy. Mae fy nyled i'r drefn a'm gorfododd i, fel eraill o blant yr Hen Ardal, i ddysgu'r adnodau hyn wedi bod yn ddiderfyn; canys dyna'r pethau sydd wedi glynu sicraf, o ddigon, yn fy nghof, hyd heddiw. O ddysgu'r adnodau, bob yn un, ond yn gyson fel y gwnaem ni, nid oedd y gwaith yn anodd. Credaf fod cof yr ifanc, yn ei gyfnod mwyaf plastig, yn gyfrwng gwerth ei lenwi hyd yr eithaf â'r trysorau drutaf. Dyma fanc cyfoethocaf bywyd. Fel hen athro, hefyd, fe wn am lawer llanc a llances a aeth yn ddisglair fuddugoliaethus drwy ysgol a choleg ar gof da fel eu pennaf cynhysgaeth. Wedi gwybod popeth a ŵyr pawb arall mae ganddynt, wedyn, fywyd ar ei hyd i chwilio am wreiddioldeb. Y cymhathiad a'r mynegiant newydd hwn o'r cyfan yw nod angen athrylith.

Diau na roddwn i, ar y pryd, y pwys dyladwy ar ddeall cynnwys yr adnodau hynny a ddysgwn ar fy nghof, gan mai tasg, i raddau pell, oedd y trysori hwn. Ond yr oedd swyn yn y geiriau, ac yn sŵn eu treigl, a barodd i mi'n gynnar garu'r iaith, a dechrau ymglywed â rhin ei chyfoeth dihenydd. Dyweded doctoriaid yr isymwybod y peth a fynnont, ni theimlais i, erioed, i sylweddau trwm y gwirionedd yn yr adnodau hyn beri unrhyw surni na diffyg traul ynof, yn ôl llaw. Ond gwn, yn hytrach, yn gwbl sicr, iddynt fod i mi yn gynhaliaeth amhrisiadwy, yn ddiwylliannol, moesol, ac ysbrydol weddill fy oes.

Ond rhag bod yn rhy lawdrwm ar y math o gof a etifeddais rhaid brysio i roi gair o eglurhad. Am ryw bethau mae gennyf gof purion—cof da, yn wir, medd rhai o'm cyfeillion. Er enghraifft, ni fu cofio ffigurau erioed yn drafferth gennyf; a saif dyddiadau hanes fel pegiau i ddal y prif ddigwyddiadau a'r symudiadau yn sefydlog yn fy meddwl. A pho luosocaf y pegiau hyn hawsaf oll ychwanegu atynt. Rhyw fath o gof cymhathol, cydgysylltiol sydd gennyf, nid cof y blotinpapur sy'n gallu cadw'r cyfan yn llythrennol daclus, wrth law, i'w ddefnyddio'n hwylus, bryd bynnag y mynner, wedi hynny. Gallaf gofio a gwerthfawrogi, ar hyd fy oes, naws ac ysbryd darn o farddoniaeth neu o ryddiaith a afaelodd ynof, ryw dro, heb gofio cymaint â sill o'r cynnwys geiriol. Angerdd yr awen a alwodd y geiriau hyn i fod, gan greu rhyw ymateb tebyg ynof innau, yn hytrach na'r geiriau ysbrydoledig eu hunain ym mherffeithrwydd eu trefn fel mynegiant sydd wedi aros gennyf. Ni chwenychais odid ddim erioed yn gymaint â'r cof a roddwyd i ambell un i drysori ynddo faint a fynnai o emau gwych yr oesoedd. Ond i mi mae'r geiriau eu hunain yn suddo mor ddwfn, rywle, i'm hisymwybod fel na all yr ewyllys, o gwbl, eu gorchymyn yn ôl i'r wyneb. Un fantais sydd, hyd y gallaf weld, o feddu cof diffygiol fel yr eiddof i: daw'r mwynhad o ddarllen, drachefn, yr holl ddarnau hyn yn ôl, bob tro, yn llawn mor rymus â'r tro cyntaf y'u profwyd.

Wrth geisio dadansoddi'r math o gof sydd gennyf teimlaf, hefyd, fod ynddo ryw elfen leol, ddarluniol, go amlwg. Cofiaf, yn fyw iawn, lu o bethau a ddigwyddodd ym Mhenrhiw cyn symud i Abernant yn chwech oed. Lleolir y pethau hyn, gan amlaf—yr hyn a glywais neu a welais, yn glir mewn rhyw fan neilltuol—yn y tŷ, ar y clos, mewn cae, neu gerllaw'r afon ar waelod y tir. Mae'r newid lle yn yr oed cynnar hwnnw yn help sylweddol i mi, felly, i wahanu'r pethau a gofiaf cyn fy mod i'n chwech oed oddi wrth y pethau a gofiaf wedi hynny. Teimlaf fod y pethau hyn oll yn rhan o dyfiant fy mhersonoliaeth fel y mae bysedd fy llaw yn rhan o dyfiant fy nghorff. Fe'u cofiaf nid yn gymaint â'r cof fel un o gynheddfau'r meddwl, ond â phob nerf a gewyn sydd yn fy nghyfansoddiad, fel petai. Ac ar ryw wedd, efallai, mai'r cofio mewnol, anymwybodol yna yw'r cofio dwysaf a dyfnaf. Os yw'n deg, gan hynny, ddefnyddio term fel 'cof cymhathol', cof sy'n cymryd y gwrthrych i mewn fel rhan annatod o'r dyn ei hun, diau ynteu fod gennyf gof cymharol dda. Ac ar y math o gof cyfansawdd yma a roddwyd i mi, a'i brofi drwy ddyddiadau a ffeithiau dogfennol lle bynnag roedd hynny'n bosib, y bu raid i mi ddibynnu yn y gwaith hwn; a'm ffyddlondeb iddo yw'r prawf ar fy nidwylledd i mi fy hun ac i'r gymdeithas y'm maged yn aelod ohoni.

Y cof cyntaf sydd gennyf i amdanaf fy hun ydyw fy mod i'n un o deulu mawr ar aelwyd Penrhiw, ac mor hapus â'r dydd yn hir. Enwais rai o'r teulu yma'n barod—fy nhad a'm mam, Marged 'yn wha'r, Margaret Anne gofrestredig, neu Pegi fel y byddid yn ei galw'n fynych; Nwncwl Jâms, brawd iengaf fy nhad, heb briodi, ac a wnâi ei gartref gyda ni; y ddau was—y gwas mowr a'r gwas bach, pwy bynnag a fyddent; y forwyn fowr a'r ail forwyn, hwythau; gweithiwr neu ddau, yn ddigon mynych, a nifer ohonynt adeg y cynhaeaf: Dafydd Trefenty a'i farf frithlwyd, hir, na symudai gam yn gynt na'i gilydd, ond a wnâi swrn da o waith dechau mewn diwrnod; John Bryn Llefrith, gŵr byr, gwyllt, egnïol, yn fy atgoffa, bob amser, am lun Seimon Pedr yn y Beibl Mawr—yn llawn bwriad da, ond mor lletwhith ei ddwylo pwt, melynddu ag y gallai dyn fod; a John y Felin, Hafod Wen, wedi hynny, balfog, ymadroddus galonnog, 'John Thomas, y dyn consernol', meistr y gwaith ble bynnag y byddai. (Gwêl *Hen Wynebau.*) Ie, a Rachel y Pandy, yr hen wraig fach, ddoeth a llawen, yn ei bwthyn to gwellt ar waelod tir Maes Teile, mor sionc a chryno â neb a wisgodd bais a betgwn erioed. Roedd Rachel yno'n wastad ar bob achlysur neilltuol, a llawer o'i hamser heblaw hynny—diwrnod lladd moch, neu ladd eidion, weithiau, diwrnod crasu bara c'irch a'i thorthau mor denau â'r waffer, a diwrnod cneifio, wrth gwrs; ac ymhlith yr achlysuron neilltuol hyn, ryw dro, medden nhw, yr oedd y bore yr agorais i fy llygaid gyntaf ar y byd rhyfedd yma. Ac yn sicr, o blith byd-wragedd y byd, ni allai neb siriolach fy nghroesawu iddo. Yno, hefyd, er dyddiau fy nhad-cu, gallwn feddwl, yr arferai'r hen John Drefenty ddod (heb unrhyw gysylltiad, hyd y gwn i, â'r Dafydd Drefenty uchod, ond ei fod yn aros dan ei gronglwyd ef a Mari ei wraig garedig tua diwedd ei oes). Hen lanc diniwed a rhywbeth bach yn brin ynddo ydoedd John. Dôi i Benrhiw, gallwn feddwl, bob tro y teimlai chwant ychydig ddyddiau o newid aer arno, er nad oedd ei gartre, yn groes i waelod Esgair Wen, ond rhyw dri chwarter milltir oddi yno. Arhosai am ryw wythnos neu debyg, gan wneud rhywbeth bach o fewn ei allu megis glanhau'r clos a hôl y da i odro. Yno, hefyd, ar un o'r troeon hyn, y bu'r hen bŵr ffelo farw, wedi salwch ond o ychydig ddyddiau. Er nad own i ond rhyw bedair oed ar y pryd cofiaf yn dda am yr wylnos yn y tŷ, y noson cyn yr angladd—a'r distawrwydd od ym mhobman, hyd yn oed ymhlith y creaduriaid ar y clos, debygwn i, yn ystod y dyddiau pan oedd yr hen John Dafys druan, o dan ei grwys.

Heblaw'r bobl hyn i gyd roedd ym Mhenrhiw, bron yn ddieithriad, ryw un neu ddau o anffodusion y teulu. Yno, gyda llaw, y treuliodd Nwncwl Bili, fy hen ewyrth, brawd fy nhad-cu, gryn dipyn o'i ddyddiau olaf, yn fusgrell ddigon, erbyn hyn, a'r atgof am bob sbri, yn ddiau, wedi diflannu mor llwyr â'r pen tost a'i dilynai gynt; ond ei styfnigrwydd piniwngar, gellid barnu, yn parhau heb leddfu fawr. Dôi Anne, ei ferch ddibriod, c'nither fy nhad, felly, a ofalai amdano'n bennaf yn ei flynyddoedd diwethaf, atom am ambell gyfnod, hefyd, a Let, ei merch hithau, yn groten fach tua'r un oed â mi, gyda hi.

Ac nid dyna'r cyfan o'r gwelygordd a gysgodid ar adegau dan gronglwyd Penrhiw. Un arall ohonynt oedd Pegi'r Lofft, rhyw Felchisedec benywaidd na allai hyd yn oed Nwncwl Josi egluro ei chysylltiad â'r teulu, ragor na'i bod hi, rywle ymhell, yn un o Jamsiaid tylwyth fy mam-gu, mam fy nhad. Margaret James, yr un ag enw morwynol fy mam-gu, oedd ei henw llawn hithau, i'r ychydig bach a'i gwyddai, gan mai fel Pegi'r Lofft y'i hadweinid gan bawb. Hen ferch ydoedd Pegi, ac fel Melchisedec, hefyd, mor hen fel na wyddai neb yn yr ardal ei hoed yn iawn, hyd y diwedd, am wn i. Cawsai'r teitl Pegi'r Lofft, fel y clywais ddweud, am iddi ar ryw gyfnod, fod yn byw ar lofft Tŷ'r Gof, yn y pentre—math o *flat* y dyddiau hynny, mae'n debyg. Gwelsai Pegi amser gwell ym more'i hoes. Ond ni pharhaodd yr hen fyd yma i wenu ar un mor gyndyn wreiddiol ac annibynnol ei ffordd â hi. Whare teg i Nwncwl Josi a Nanti Marged, a'u tyaid mawr o ddeg o blant ar eu ffarm uchel ac ar adeg ddigon gwan ar ffermwyr, ni adawyd Pegi'r Lofft yn ei henaint a'i hunigedd a'i chardod plwyf digon main, wrthi ei hun yn hir iawn. Cymerasant hi atynt i'r Trawsgoed; ac yno y bu hi, weddill ei hoes, yn hapus ei byd ymhlith y lliaws plant.

Ond nid un i ymgysuro'n foddlon, fel merched a gwragedd yn gyffredin, yng ngwaith a chlydwch y tŷ byw a'r aelwyd ydoedd Pegi'r Lofft. Ymddengys fel petai rhyw fath o gymhlethdod rhyw yn ei natur; oherwydd, er mai ysgafn a benywaidd ydoedd hi o ran corff, eto, allan yn yr awyr agored yn dilyn gwaith arferol dynion y mynnai hi fod. Nid apeliai creaduriaid ryw lawer ati, chwaith. Yn ei phais a'i betgwn a hwnnw wedi ei godi'n dorch gryno am ei chanol, a'r tu ôl yn disgyn yn gynffon bigfain, sanau du'r ddafad am ei thraed, a'r byclau pres yn cau ei dwy glocsen fach deidi; pâl neu gaib neu filwg yn ei llaw—o gwmpas y clos, yn yr ardd, neu'r ydlan, neu'n tocio perth—dyna fel y gwelech chi Begi'r Lofft, drwy'r dydd, mor ddyfal a deheuig â'r wenynen. Petai hi byw yn y genhedlaeth hon, ar ben tractor y gwelid hi, a'i phocedi'n llawn pinnau sgriws a sbaneri yng ngwasg ei chlun; ac nid ildiai ei sêt i'r un ymhonnwr trowserog, chwaith. Smociai ei phib glai, yn gysurus, yng ngŵydd y bobl, pechod bron mor rhyfygus yn yr oes addolgar honno ag amau dwyfol hawl Victoria i lywodraethu'r haul a'r planedau a gwlad y Zulus. Bu Pegi farw, fis Mawrth 1897, wedi byw ei phedwar ugain mlynedd a mwy yn fath o *suffragette* anymwybodol, a hynny genhedlaeth gyfan cyn i'r gair hwnnw gael ei le gyntaf o fewn y geiriadur Seisnig.

Roedd tras ysbrydol y Felchisedec hon yn llawn mor ddyrys i'w holrhain â'i thras ddaearol. Hyd y deallais i nid âi hi byth i'r cwrdd. Ac anodd gwybod, yn iawn, p'un ai Eglwysraig, ai Sosin, ynteu paganes ronc ydoedd Pegi yn y bôn, gan mai hwy oedd yr unig bobl a gâi anhawster i doddi'n naturiol a chyd-grefydda â ni yn ein hardal un-capel, un-enwad. Fodd bynnag, fe'i claddwyd hi yn eglwys y plwyf, Llanfihangel Rhos y Corn, a hynny'n ddiau ar ei chais ei hun, gan na wn i erioed i neb o'r tylwyth, na phell nac agos, gael ei gladdu yno. Roedd Llanfihangel, hefyd, neu Lanhingel fel y swniem ni'r enw, filltiroedd o'r Trawsgoed, draw ymhell ar ganol y mynydd, a rhan gyntaf y daith yno, yn groes i Gwm Gorlech, yn serth a garw; a chario'r corff fyddid, yr adeg honno, gan nad faint y pellter. Anodd, yn wir, yw deall heddiw, pam yr aed â hi yno. Ond rhaid fod rheswm: rhyw hen reswm, o bosib, na allai'r hynaf yn yr ardal ei ddirnad, erbyn hynny, ac nad rhan o odrwydd annibynnol Pegi ar hyd ei hoes yn dal i oglais y byw (ie, a'u crafu hefyd hyd yn oed, wedi ei marw, gan fel y pinsiai'r elor eu hysgwyddau), a dim arall, ydoedd y daith hirfain honno, a'r arch ar y blaen, dros wastatir cefn y mynydd.

Rhyw brin ddeuddeg oed oeddwn i; ond rown i yn yr angladd ac yn ei gofio'n dda. Diwrnod godidog o wanwyn cynnar ydoedd hi; Jos fy nghefnder, o tua'r un oed â mi, yr own i mor hoff ohono, yn bartner gennyf, ac yn dangos yn y pellter rai o'r ffermydd, cyfarwydd iddo ef, llefydd y gwyddwn eu henwau'n dda, yn barod, a rhyw gymaint am rai o'u preswylwyr. Dyna Hafod 'r Wynos yn y twmpath coed, fan draw. Onid yn Llether Bledrig a ffiniai â'n tŷ ni y maged Tomos, y gŵr? Dôi bechgyn y Fo'l, y Foel Gloferog, yn llawn, Gruffydd a Dafydd, i ganu'n gyson i steddfod Nadolig Rhydcymerau; a gwelswn yr enw 'Blaen Holyw' gan nad beth ei ystyr, ar gart moch bach ym marchnad Llanybydder. Enwau'n apelio at grwt, hefyd, ydoedd Clun Bwch, Waun'r Ewig, Ffynnon Gog, a Nant y Perchyll. Ie'n wir, er mai yn angladd Pegi'r Lofft druan yr oedden ni, diwrnod rhamantus oedd hwnnw i mi, y byrgoes bach yma yn cael yr olwg gyntaf ar y byd a'i ryfeddodau o uchelderau mynydd Llanllwni a Llanfihangel Rhos y Corn. (Caf sôn, eto, efallai, am daith arall dros y mynydd hwn, gyda mintai'r fudfa, y tro hwnnw, a minnau, bellach, flwyddyn neu ddwy yn hŷn.) Roedd y syndod o weld, am y tro cyntaf, y llefydd yr oedd eu henwau a'u preswylwyr yn hysbys i mi o'r blaen, yn creu ynof, y pryd hwnnw, yr un math o gyffro a chwilfrydedd byw ag a deimlir yn gyffredin gan ddyn o fynd i wlad arall y gŵyr ef ryw gymaint am ei hanes a'i phobl, yn barod. Roedd dyn yn byw pob eiliad o'r amser, ac yn ei ail-fyw, drachefn, ymhen blynyddoedd lawer.

Maddeuer i mi am ganlyn Pegi'r Lofft fel hyn, dipyn ar y mwya, peth na feiddiodd yr un dyn erioed ei wneud, yn ystod ei hoes hi, mae'n debyg. Ond sôn a fyddwn i amdani fel un arall o'r gwehelyth a ddôi'n achlysurol i aeafu ym Mhenrhiw. Byr fyddai arhosiad Pegi, bob amser, rhyw wythnos neu debyg ar y tro, gan ei bod hi'n dra phendant a deddfol ei ffordd—yn hen ferch, megis, er dydd ei geni. Cyrhaeddai Pegi'n hwyr y prynhawn, yn ôl y cof sydd gennyf i, gyda'r cart neu'r car o'r pentre. (Roedd Rhydcymerau tua hanner y ffordd rhwng Penrhiw a'r Trawsgoed lle cartrefai hi gyda Nwncwl Josi a Nanti Marged.) Roedd 'nhad yn serchog a chroesawus i bawb, a Mam cystal â hynny, mewn ffordd fwy tawel. Gallaf glywed heddiw dinc sirioldeb ei groeso i'r hen wraig wrth ei derbyn i lawr o'r cerbyd a'i phecyn bach cryno o ddillad gyda hi.

Mewn lle coediog fel Penrhiw roedd yno gludwair fawr o goed tân, bob amser, wrth dalcen y tŷ, gerllaw'r cartws to gwellt a'i chwe philer crwn o gerrig gwyngalch. Nid oedd segurdod yng nghroen Pegi. A'r gludwair, yn anad unman arall, oedd ei theyrnas hi. Hi oedd brenhines y gludwair, ble bynnag y byddai. Fe'i gwelaf yn awr yn ei chlocs bach cefnisel a'i phais ddu'r ddafad gota a'r streipen goch, fras arni, yn cerdded yn bwyllog deirgwaith neu bedair o flaen y gludwair hon, gan synnu'n ddiau fod y lle wedi syrthio i'r fath annibendod dryslyd, a hithau wedi ei adael mor gymen y tro diwethaf y bu yno. Yna dechreuai rhai o'r coed symud —gwrysgen yma, mân-frigach draw, ac wele onnen ifanc, lathraidd, yn codi megis ohoni ei hun, gan gymryd ei lle'n dalïaidd gyda'i whiorydd mewn man arall. Cyn pen hir, heb fawr o gyffro gweladwy, edrychai'r gludwair wyllt, ffluwchog, megis yn ei hiawn bwyll, ac fel petai rhywun wedi cribo ei gwallt. Roedd bwyell fach, ysgon ym Mhenrhiw; 'bwyell Pegi'r Lofft' y gelwid hi, gyda llaw. Pryd bynnag y dôi'r si fod Pegi'n arofun dod draw gofalai 'nhad fod y fwyell fach yn cael ei llyfanu fel y raser. Wedi cael y gludwair dan drefn, unwaith eto, dewisai Pegi'n ofalus nifer o wrysg a changhennau a'u llusgo at blocyn y dienyddle. Yna, wedi teimlo min y fwyell, cymerai hithau ei gorsedd yn naturiol ar y stôl odro y tu ôl iddo, gan ddechrau'n ddeheuig ar ei gwaith. Gosodai'r mân-goed a'r bras-goed yn garnau bonfon, cyhyd, ar wahân, yn hwylus at law'r stocer ar yr aelwyd. Cyn dod i'r tŷ, a'r hin yn fwyn, tynnai fwgyn yn y fan honno yn ei chwrcwd myfyrgar uwchben ei deheuwaith. A dyna'r darlun o'r hen wraig honno sydd wedi aros gennyf i ers dros drigain mlynedd. Gwyn ei byd Pegi'r Lofft yn ei chludwair goed!

Hen dŷ to gwellt hir ac isel ydoedd Penrhiw fel yr hen dai, yn gyffredin, wedi ei naddu i mewn i ochr y fron serth er mwyn i'w lawr fod yn wastad. Fy nhad-cu, fel y dywedwyd, a'i gwnaeth yn hir drwy estyn y parlwr ato. Roedd y gegin yn helaeth, a'r trawstiau deri trymion o dan y ceubrenni croes yn isel. Wrth y rhain y crogai wmbredd o nwyddau arferol tŷ ffarm—y cig moch yn hamau ac ystlysau dyfnion, ambell ddarn o gig eidion wedi halltu'n ddu, a rhwydi sialots a rhaffau winwns Ffrainc, basgedi o wahanol ffurf a maint, pledren mochyn neu ddwy yn llawn o lard, a dau ddryll, sef dryll fy nhad o dan y mamplis uchel, a dryll Nwncwl Jâms na saethai ergyd byth, ond y bore hwnnw y caf sôn amdano eto; ac nid yn fynych y gwelid y llofft hon heb ryw helwriaeth neu'i gilydd, clustiog neu bluog, yn hongian wrthi. Gwerthid y rhain yn gyffredin i'r carier lleol, neu mewn rhyw siopau neilltuol yn Llandeilo neu Llambed, pan eid yno. Ond, yn aml ddigon, ceid cip ar goes neu fôn adain un o'r rhain yn bowlio'n galonnog i wyneb y cawl serennog wrth ochr darn o gig mochyn neu gig eidion pan godid clawr y ffwrn ac ychwanegu'r cennin a'r persli a'r basnaid blawd arferol ryw ychydig cyn codi'r cawl at ginio. Nid oedd rhostio cig yn beth cyffredin yn ein cylch ni, a hynny'n ddiau am nad oedd yno le tân pwrpasol at y gwaith; hefyd, tân coed sy'n fwy ysbeidiol ei wres a geid, fynychaf. Ac o sôn am gawl nid oedd gwell yn bod na chawl y sguthan dew, ladronllyd honno, y byddem ni'n dynwared ei 'chw' gwynfannus yng nghoed Cwm Bach, yn nyddiau hau:

C'irch du, du, yn 'y nghwd i,
C'irch du, du, yn 'y nghwd i

meddai'r sguthan, o hyd ac o hyd, drwy gydol y dydd—y c'irch hwnnw, yn wir, a ddylai fod yn y tir yn dechrau bragu, ers tro.

O flaen drws y tŷ safai'r geulan uchel y torasid sail i'r adeilad, allan ohoni, a hewl gart weddol lydan rhyngddynt. Rhwng y parlwr a'r gegin, yn union gyferbyn â'r drws yma, yr oedd drws arall yn arwain i bantri helaeth lle cedwid y bwydydd. Eid allan drwy'r pantri hwn i'r llaethdy, a'r meinciau llaeth o gerrig gleision dwfn a'r crochanau mawr odanynt i ddal yr hufen. Roedd y llaethdy hwn, hefyd, a'r to teils arno, yn ychwanegiad diweddar at y tŷ byw. Roedd yn y tŷ bedwar gwely ar daen yn wastad: y ddau ar y llofftydd lle cysgai'r gweision a'r morwynion, a lle i wely arall wrth ochr pob un, ar gyfer Nwncwl Bili neu Begi'r Lofft, neu rywun arall pan fyddai eisiau; a'r ddau wely cwpwrdd mawr, deri o'r dyddiau gynt, a'r ddeuddrws bylog yn cau arnynt fel dodrefnyn mawr, trwm, yn ystod y dydd—un yn y parlwr lle cysgai 'nhad a'm mam, a Phegi'n wha'r yno, rywle, gyda hwy; a'r llall yng nghornel pella'r gegin gyferbyn â'r ford fawr a'r ffyrymau o bobtu iddi, a gyd-redai â wal y talcen. Yn hwnnw y cysgai'r ddau bartner, Nwncwl Jâms a finnau, er y cof cyntaf sydd gennyf.

Rhaid fy mod i wedi cysgu'n hapus drwy lawer noson hir, y pryd hwnnw, heb wybod dim fod fy ewyrth ymhell oddi wrthyf ar hynt garu yn rhywle, a chyrraedd adref yn yr oriau mân. 'Canu'r dydd a charu'r nos' gellid barnu ydoedd arwyddair bywyd Nwncwl Jâms ym more'i oes. Ac fel ei nai, ar ei ôl, llewyrchodd y bore hwnnw ymlaen hyd nawnddydd teg y deugain oed cyn iddo, o'r diwedd, allu cywasgu ei serchiadau crwydrol i fynwes un feinir, a phriodi honno. Roedd rhyw lwc yn dilyn Nwncwl Jâms, o hyd, rywfodd, er ei fynych strancio styfnig yn erbyn ei les ei hun, gellid meddwl. ('A diawtht i, gan bwyll 'n awr, boith!' meddai ef.) Ac felly'r tro hwn, wedi'r hir ymbwyllo; oherwydd pan briododd, o'r diwedd, â Nanti Elinor y Dolau, coffa da amdani, ni allasai fod wedi cael ymgeledd fwy cymwys iddo'i hun, na neb a'i deallai'n well, pe cawsai ddeugain mlynedd arall yn nyrys daith yr anial i chwilio am y cyfryw. Canys er mai deryn bychan ydoedd nid deryn hawdd ei drin ydoedd 'cyw ola Penrhiw' fel y galwai ei hun, weithiau. ('Diawtht i, nage, gwlei,' mynte'r cyw, gan blannu ei 'sbardunau yn y pridd, a dechrau hogi ei big.)

Peth diweddar yng Nghymru yw caru'r dydd—caru 'yn wyneb haul, llygad goleuni'—yn ddig'wilydd, fel yr Orsedd. Canys y sawl a garent, y nos y carent, oedd hi gyda ni. Hebrwng y ferch adref o'r ffair, o'r steddfod, o'r acsiwn, o'r gymanfa, neu o gwrdd yr wythnos, neu wneud oed arbennig i fynd i 'gnoco' arni yn ffenest y stafell lle cysgai—dyna oedd yr arfer; ac os byddai'r gwynt o'r de a'r amgylchiadau'n caniatáu, eid i mewn i'r gegin yn ddistaw, a phawb, bellach, yn eu gwelyau, a sgwrsio yno ar yr aelwyd tan yr oriau cynnar. Yr enw swyddogol ar hyn ydoedd 'cael tŷ'. Rhan o swyn y caru hwn ydoedd ei ddirgelwch honedig i'r cariadon. Ni wyddai neb amdano ond hwy eu hunain, esgus, fel crwt a chroten, weithiau, yn ymhoffi yn ei gilydd, yn ddistaw bach, mewn dosbarth ysgol. (Yr athro a'r plant eraill, wrth gwrs, yn gwybod dim!) Ond odid byth y gwelid y ddeuddyn yn gyhoeddus, gyda'i gilydd, hyd nes y byddent ar fin priodi, er fod y cyfan mor hysbys i'r byd a'r betws â phe cyhoeddasid eu gostegion ddwy flynedd ynghynt. Roedd traddodiad y 'caru'n gwely', os bu yno, erioed, wedi hen farw cyn fy amser i. Ond fe sgrifennwyd llawer o ddwli ar y pwnc hwn gan ddynion llwyr anwybodus o'r grefft. Beth, mewn gwirionedd, ydoedd y caru hwnnw at y caru noethlym, lloiaidd, a welir, heddiw, ger pob cilfach a glan!

Efallai y gellid cynnig dau awgrym pam y mae'r Cymry wedi bod yn fwy o blant y tywyllwch nag o blant y goleuni yn eu dull o garu: sef, yn gyntaf, mai rhyw fath o swildod sensitif, hanner rhamantus ydyw a bair deimlo fod yna elfen o gyfriniaeth ddofn mewn serch a gyll ei rhin a'i chysegredigrwydd o'i harddangos gerbron y byd. Fel crefydd, peth personol, rhwng dau, ydyw serch; ac nid yw pawb yn ddigon catholig i wneud y gyffes ar goedd, i drydydd person. Dewisach ganddynt hwy fod yn brotestaniaid *ymneilltuol*. I'r Cymro gwledig, rhywbeth a ddaeth i mewn yn swci yn sgil Santa Claus, neu yn hyglyw ymwthgar fel Guy Fawkes, yw'r caru cyhoeddus yma—fel cynnal arddangosfa. Er y gellid dadlau'n hyf yn ei erbyn, eto, fe gollwyd llawer o swyn a diddanwch mewnol o golli'r hen ffordd Gymreig. Yr ail awgrym yw gwasgfa gaethiwus bywyd y werin yn y dyddiau gynt, a olygai fod pawb wrthi'n ddyfal o fore bach tan hwyr y dydd, fel nad oedd fawr o gyfle i unrhyw fath o gyfathrach gymdeithasol ymhlith yr ifanc, ond trwy ei ddwyn, yn lladradaidd, o oriau dwfn y nos. Ac ar fusnes y 'caru'n gwely' yna, b'le bynnag y'i ceid, onid yw'n ddigon gadw mewn cof galedwaith y dydd ar y ffarm a chaledwch y nos ar gadair, neu fainc, neu sgiw ddiglustog, i sylweddoli sut yr awgrymodd greddf a synnwyr cyffredin i ddeuddyn ifanc, digon blinedig, yn fynych, y gallent godi gris mewn datblygiad drwy esgyn i oruwchystafell, ac yno ymorffwys ar wely esmwyth, fel yr unig fan yn y tŷ y caent ynddo dipyn o gysur, beth bynnag am lonyddwch, am ryw ychydig oriau? Ond ni ddaeth wyneb sobr Mrs Grundy byth i'w le wedi clywed am y cwymp cynnar hwn tuag i fyny.

Wedi un o wibdeithiau nosawl Nwncwl Jâms ar hynt garwriaethus y cyfeiriwyd atynt, yn barod, a'i ddychwelyd adref rhwng cyfnos a gwawr, yr eithaf iddo ef, a minnau gydag ef, fyddai gallu crafu mas o ddyfnder y gwely cwpwrdd, cyn y dôi gweddill y teulu at ei gilydd i gael brecwast tua hanner awr wedi saith neu wyth o'r gloch. Byddent hwy, eisoes, wedi cyflawni awr neu ddwy o ddiwydwaith arferol y bore—porthi'r anifeiliaid a charthu odanynt i'r dynion yn y gaeaf; a'r godro, y tynnu hufen llaeth y dyddiau cynt, a'r paratoadau eraill i'r merched. Un teulu oedd yno o ran bwyd a phob cysur teuluol arall. Ond gan nad oedd lle i bawb wrth 'y ford fowr' eisteddai 'nhad a'm mam, ni'r ddau blentyn, a Nwncwl Jâms wrth y ford fach, gron, yn nes i'r tân o dan fantell y simnai lydan. Ond fe fynnwn i, pryd bynnag y dôi'r whim arnaf, eistedd yn lordyn wrth ochor Dafydd, 'y gwas mowr'. Ac yno, wrth wrando ar y pryfocio ffraeth ar Nwncwl Jâms, yn groes i'r gegin, y dysgwn i am ei helynt diweddara gyda'r merched, a'r awr blygeiniol, wedi caniad y ceiliog coch, y daeth e adre'r bore hwnnw—a finnau, gysgadur hapus, heb lefelaeth iddo fe fod o'i wâl gynnes wrth fy ochor, o gwbwl. Mae gennyf ryw gof hefyd am yr hwyl yn y tŷ pan wisgodd un o'r morwynion gap helyg am 'i ben e y bore y priododdd Elen y Wenallt, un o'i hen gariadon; ac am fy mhenbleth innau ynglŷn â'r term 'cap helyg'. Clywais sôn am y peth, lawer gwaith wedi hynny; ond dyna'r unig dro erioed i mi wybod am ei gyflwyno, yn ôl hen arferiad rhyw oes a fu, i'r carwr siomedig.

Ac o sôn am garwriaethau Nwncwl Jâms clywais fy mam yn adrodd am un tro go smala yn digwydd iddo. Cyn deall llwyr ergyd y tro hwnnw rhaid, yn gyntaf, gofio mai un o'r troseddau pennaf y gallai'r cryf a'r iach fod yn euog ohono, yn ôl rhôl anrhydedd yr ardal, ydoedd methu codi yn y bore. Roedd hi'n ardal iach mewn llawer o bethau. Gallai dyn dorri rhai o ddeddfau'r deyrnas hon, a theimlo, os dim, yn fwy o ddyn o'r herwydd—ond iddo beidio â chael ei ddal. Gallai, hefyd, fentro'n go hael ar rai o reolau'r deyrnas nad yw o'r byd hwn, heb deimlo gymaint â hynny'n llai na dyn. Ond am y sawl a dariai'n hir yn ei wely yn hytrach na mwstro oboutu'i waith, wel, Duw a'i helpo. Yng ngolwg y gymdeithas fywiog, lew hon am ei chetyn, fe'i gosodid ar unwaith gyda'r diog yn llyfr y Diarhebion, a dry yn ei wely fel drws yn troi ar ei golyn. Ei unig obaith oedd y bedd, lle 'nid oes na gwaith na dychymyg'.

Ryw fore tuag amser brecwast, ynte, pwy ddaeth i mewn i'r gegin ond yr hen gymydog pwyllog, hirben, John Ifans, Bryndafydd Isa, y digwyddai Nwncwl Jâms, y pryd hwnnw, fod yn cellwair tipyn â Margaret, ei unig ferch. (Gyda llaw, dyna'r 'Margaret' gyntaf i gyrraedd ein cwmwd ni—a'r olaf, rwy'n credu. 'Marged' yw hi wedi bod gyda ni, erioed, ac yn bod, diolch am hynny.) Diau i John Ifans graffu nad oedd Jâms i'w weld o gwmpas y lle, a drwgdybio ble'r oedd e, oherwydd nid oedd ein hewyrth yn nodedig fel bore godwr. Roedd Jâms Williams wedi bod ar ei sgawt rywle y noson gynt, a hynny'n rhoi warant am hun ychwanegol y bore wedyn. Pan ddechreuodd Nwncwl ddeffro a rhwbio'i lygaid, fodd bynnag, er ei syndod a'i benbleth, un o'r pethau cyntaf a glywodd ydoedd llais John Ifans, tad Margaret, os gwelwch yn dda—a'i dad-yng-nghyfraith yntau, ryw dro, pwy a ŵyr?—yn holi'n ddidaro amdano, a hynny bron am y pared ag e. Nid oedd dim i'w wneud ond cwato'n ddistaw bach o'r golwg yn ei wâl yn y gwely cwpwrdd a oedd a'i dalcen at yr aelwyd. Mwynhâi fy mam ddigrifwch y sefyllfa gystal â neb; a bu galed arni'r bore hwnnw wrth geisio dal pen rheswm â John Ifans, a gweld y ddwy lodes o forwyn yn gwneud llygaid a chuchiau i gyfeiriad y gwely cwpwrdd wrth fynd mewn a mas beth yn amlach nag oedd raid iddynt, rhag colli dim o'r datblygiadau. Roedd dweud celwydd, hyd yn oed mewn achos mor deilwng â hwn, fel tân ar groen i'm mam. Arhosodd yr hen walch drygionus, John Ifans, ymlaen bron dan amser cinio, gan dindwyran yn hamddenol o gwmpas y tân, a rhoi ambell gip i gyfeiriad y gwely, a Nwncwl Jâms, o hyd, druan, yn ei wâl, ar ei gyffes ei hun, yn ôl llaw, bron hollti am ollyngdod—mewn mwy nag un ystyr. Arafu, rywsut, wnaeth y garwriaeth hon o'r dydd hwnnw ymlaen. 'A, diawtht i, Tharah (Sarah), 'do'th dim ishe gwylltu, gwlei, mae cythtal pythgod yn y môr ag a ddalwyd o hyd,' mynte'r cyw, mor galonnog ag erioed, wrth fy mam ryw getyn ar ôl hynny.

O ochr ei thad, Dafydd Morgan, Gwarcoed, Rhiw'r Erfyn cyn hynny (1820-98), Bedyddwyr selog oedd teulu fy mam, yn hanfod o linach y gŵr da hwnnw, Enoc Francis o Gastellnewydd Emlyn (1688-1740) a'i fab Benjamin Francis, Horsley (1734-99), yr emynydd a'r pregethwr nodedig. Roedd mam-gu Dafydd Morgan, fy nhad-cu i, o ochr ei fam, yn gyfnither i Benjamin Francis, ac yn nith i Enoc Francis. Ac ewythr i 'nhad-cu, brawd ei fam (fy hen fam-gu i, felly), oedd David Williams* ('Iwan', 1796-1822) bardd, ac efrydydd a phregethwr ifanc addawol a faged yn eglwys Aberduar, Llanybydder, lle'r oedd ei lystad, David Davies, yn weinidog. Bu yn Ysgol Dafys Castell Hywel, ac fel Benjamin Francis bu yntau yng Ngholeg Bryste. Am gyfnod, wedi hynny, bu'n athro ysgol yn y Tabernacl, Caerfyrddin. Ef, gyda llaw, a ddewiswyd yn weinidog cyntaf yr eglwys Fedyddiedig Seisnig, Mount Pleasant, wedi hynny, yn Abertawe. Bu farw o'r declein yn chwech ar hugain oed. Wele'i englyn ef ei hun i'w nychtod:

* Gweler Ysgrif y Parch. W. J. Rhys ar 'David Williams (Iwan)—Athro "Ieuan Ddu"'yn *Seren Gomer*, Awst 15, 1941.

Y dolur rwyma'm dwylaw—ac ysig
Yw'm coesau i rodiaw;
Y gynnes ochr sy'n gwyniaw:
Llawn o friw oll wy', neu fraw.

O fewn yr un flwyddyn, 1822, bu farw o'r un dolur, ei ddisgybl ifanc, disglair, Ieuan Ddu, fab Gomer, sefydlydd *Y Seren*. Cyn pen dwy flynedd yr oedd Gomer ei hun wedi tewi; a chladdwyd y tri gerllaw ei gilydd ym mynwent Eglwys Fair, Abertawe.

Fel y bu fy nhad-cu yn teyrnasu'n esmwyth ac yn effeithiol ym Mhenrhiw am yn agos i hanner can mlynedd, felly, hefyd, y bu fy mam yn pwyllog ac yn tawel lywio pethau yno am yr wyth mlynedd cyntaf o'i bywyd priodasol wedi iddi symud i mewn i'r lle at fy nhad yn union wedi priodi. Ar yr wyneb gellid barnu i fywyd fy mam fod yn llyfn ac esmwyth, ar ei hyd. Eto, bu yno rai stormydd—cerrynt croesion yn y dyfnder na wyddai odid neb amdanynt ond hi ei hun. Petai nofelydd neu ddramaydd yn trin y defnyddiau hyn, ac nid cofnodydd ffeithiau, wrth basio, diau y gallai ganfod ym mywyd syml fy mam o leiaf ddau gyfnod ac ynddynt elfennau pwrpasol at ei ddibenion ef. Adwaith personol i ddigwyddiad arbennig oedd yn y naill, a gwrthdrawiad personol yn y llall. Ceir sôn am y rhain eto.

Perthynai i'm mam ddyfnder a dwyster cymeriad a gwir wyleidd-dra ysbryd. Gallai fod yn llawen mewn cwmni ac yn ffraeth a pharod ei hateb; a'i hergyd tawel, weithiau, os byddai raid, yn gywir a chyrhaeddbell. Roedd hi'n gwbl ddihunan a diawydd am gael ei gweld. Y bywyd mewnol oedd ei thrysor hi. Ni chafodd fawr o fanteision addysg, mwy na neb o'i chyfoedion—dim ond ambell gwarter o ysgol y gaea, yn ôl yr arfer hyd at Fesur Addysg Gorfodol 1870. Un llyfr oedd ganddi—y Beibl, ac esboniad Jâms Hughes, fel gwas da iddo, wedi ymdreulio yn ei wasanaeth, a hithau wedi gwnio siaced o frethyn du amdano i'w gadw rhag ymddatod pellach; yn gystal â'r *Lladmerydd*, cylchgrawn yr Ysgol Sul, y meddyliai hi gymaint ohono. Ar hyd ei hoes wedi symud i Abernant bu hi a Nel 'r Efail Fach yn ddwy gyd-athrawes ar ddosbarth o ferched o'r deuddeg i'r deunaw oed yn Ysgol Sul Rhydcymerau.

Byddai'n paratoi'n gyson ar gyfer y wers, ac yn mwynhau cwmni'r plant a'r merched, rhai ohonynt yn cerdded pellter maith i ddod yno. Clywais hi'n adrodd amdani ei hun yn ferch ifanc wedi mynd, ryw dro, i Gymanfa Ysgolion mewn capel cyfagos. Aethai'n ble chwyrn rhwng y gweinidog a holai'r pwnc a rhyw Apostol Paul o ddiwinydd yn y gynulleidfa ar bwynt o athrawiaeth. Gan i'r ddadl rhwng y ddau ornestwr brwd a digymod hyn, y naill yn ceisio trechu'r llall, fynd braidd yn ddiystyr i fwyafrif y bobl, a hithau'n amser te, ers tro, dechreuodd y gynulleidfa gilio, a'r seti'n gwacáu. Eisteddai fy mam, mae'n debyg, rywle ar y llofft yng nghornel sedd yn union uwchben yr arena lle'r hyrddid adnodau fel gwaywffyn tanllyd o'r naill ochr i'r llall, ac ambell air brathog fel adfach wrthynt. Mawr oedd ei dychryn a'i phenbleth, meddai hi, pan ganfu'n sydyn mai hi oedd yr unig wrandawr ar ôl ar y galeri; ac i lawr â hi dros y grisiau'n ddistaw bach gan adael pwynt yr athrawiaeth o hyd yn fater agored rhwng y dyrnaid o ddoctoriaid ar lawr y tŷ . . . Mae'n debyg na setlwyd mo'r pwynt astrus o dan sylw yn y Gymanfa honno; nac am lawer Cymanfa wedyn, diolch am hynny. Heddiw, ymhen pedwar ugain mlynedd arall, nid oes dim yn werth dadlau a chweryla yn ei gylch yn ein Hysgolion Sul—hynny sy'n aros ohonynt. Mae'r cyfan yn olau dydd; neu yn dywyll nos.

Ni chlywais fy mam yn gwneud dim yn gyhoeddus erioed, ac eithrio holi'r Ysgol Sul, weithiau, pan ddôi tro ei dosbarth hi. Gwnâi hynny'n syml ac yn ddigon pwrpasol. Ond yn fynych, fynych, a hithau'n ddyfal wrth ei gwaith, heb feddwl fod neb yn gwrando, fe'i clywn hi'n llafarganu ei gweddïau a'i myfyrdodau mewn ymson leddf, ymbilgar, gan blethu salm ac adnod ac emyn yn brydferth drwy'r cyfan. Er yn garedig a chyfeillgar â phawb, nid oedd yn chwannog i amlygu ei theimladau, nes ymddangos, yn wir, ambell dro, o bosib, braidd yn oer a disentiment. Ffurfiai ei barn yn bwyllog a rhesymol; ac nid yn hawdd y twyllid hi. Roedd yn gywir a gonest fel y dydd, ac yn ddi-sigl yn ei theyrngarwch i'r bobl a'r pethau y credai ynddynt. Hanner addolai ei thad, Dafydd Gwarcoed, a Henry Jones, Ffald y Brenin, ei gweinidog cyntaf a'i derbyn-iasai'n aelod; a chredai nad oedd gilfach y tu yma i'r nefoedd yn debyg i Gwm y Wern, lle maged hi, y cwmwd bychan o shiprys enwadol, yn Annibynwyr a Methodistiaid, rhwng y ddwy ardal, Rhydcymerau ac Esgerdawe—a 'nhad-cu yr unig flaguryn Bedyddiedig yn eu plith . . . Carai'n ddwfn, a digiai'n ddwfn hefyd, os digiai o gwbl. Y dicter hwn a'i hanallu i wella düwch y clais ar natur lednais, ddwys, ydoedd un o anffodus bethau ei bywyd. Ni chroesai 'i meddwl i dalu drwg am ddrwg; ond câi flas ar lyfu'i chlwyfau, yn hytrach na cheisio'u hanghofio.

Yn ffodus, fel y cawn weld, eto, ni ddaeth y profiad hwn i'w rhan, ond am gyfnod lled fyr yn ei bywyd, sef yn y blynyddoedd hynny y bu hi ym Mhenrhiw wedi marw fy nhad-cu. A chyn i'r profiad yma ei threchu, hi ei hun a fynnodd symud oddi yno, a mynd i le bach fel Abernant, wedi i iechyd fy nhad dorri lawr. Y symud hwnnw, yn y pen draw, a barodd mai yn rhai o siroedd eraill Cymru, yn Sir Benfro, yn bennaf, y treuliais i weddill fy oes, hyd yma—ac nid yn ffarmwr bach, digon dygn, efallai, fel fy hynafiaid, ar fy hen dreftadaeth fechan, lethrog, yng ngogledd Sir Gaerfyrddin, lle'r arhosodd fy nghalon drwy fy mywyd. Canys ni wn i yr un ddinas barhaus arall ond y ddinas barhaus hon yn fy serchiadau y gadewais gysgodion ei chaerau yn un ar bymtheg oed. Gymaint o fywyd dyn, wedi'r cyfan, sy'n ddamweiniol, wedi, a chyn ei eni.

Mae'n naturiol i bawb synied yn dda am y sawl a'i hymddug. Credaf innau am fy mam fod ynddi lawer o elfennau cymeriad mawr, pe cawsai'r cyfle i'w datblygu'n gyflawn. Roedd hi o gynheddfau cryfion, yn eang ei chydymdeimlad, ac arswydai rhag unrhyw fath o dwyll. Roedd ei chymeriad yn debyg i'w thŷ ac i'w gwisg gartref. Pe dôi yno ddyn dieithr am dro, heb wybod dim amdani, hwyrach y câi achos i sylwi ar ei siôl fach dipyn yn anniben ar ei gwar, neu ar y ffedog fras o'i blaen, ar hen ffedog arall, neu ddwy, efallai, odani; neu y gwelai frws llawr neu fwced, rywle, lle na ddylai fod. Ond pe galwai yno'r wraig fwyaf trwynfain yn y wlad, a chael chwilota, wrth fodd ei chalon, ymhob drâr a chilfach yn y tŷ a'r llaethdy lle cedwid y bwyd, hefyd, fe gâi yno dystiolaeth o lwyredd a threfn a glanweithdra na allai lai nag ennyn ei hedmygedd. Ac odid y cyffyrddodd llaw dynerach a mwy gofalus â dyn nac anifail erioed, na llaw fy mam. Ac nid oedd y cyfan o'r allanolion hyn ond mynegiant o'r gydwybod fyw, bythol effro, oddi mewn, cydwybod na adawai lonydd iddi, er llesgedd a blinder ei blynyddoedd olaf, heb gyflawni pob dim mor drylwyr ag oedd bosib iddi. Testun ei gweinidog, y Parch. J. Ellis Williams, tad Eluned, ddydd ei hangladd ydoedd, 'Yr hyn a allodd hon hi a'i gwnaeth'.

Yn y dyddiau gynt, fel yr wyf i'n eu cofio, cyn i'r dyfeisiau modern yma ysgafnhau tipyn ar bethau, credaf nad oedd yr un dosbarth, ac eithrio'r glowyr, yn gweithio mor galed â gwragedd ffarm—y ffarm fach fel y ffarm fawr. Nid oedd dechrau na diwedd i'w diwrnod gwaith. Fel yn hanes cynifer o rai tebyg iddi, drwy'r oesau, ni allai'r caledwaith di-fwlch drwy gydol bywyd cyfan lai na llesteirio tyfiant a datblygiad fy mam i'w chyflawn faintioli fel person. Perthynai i'r hen oruchwyliaeth o ddygnwch a diwydrwydd di-arbed lle nad oedd munud o hamdden i ddarllen a meddwl. Ni soniai fy mam fawr am ei chrefydd, dim ond canmol y daioni a welai mewn pobl eraill, a bod yn dirion iawn wrth eu gwendidau. Fy marn i yw fod ei bywyd, bob munud a gâi, yn un weddi ddirgel ar ei hyd. Pegi, fy chwaer, ydoedd ei ffafret hi. Wedi tyfu i fyny rown i'n ormod o ddelw-ddrylliwr rhyfygus yn ei golwg. Ond mi wn hyn—ymhob argyfwng yn fy mywyd y mae ysbryd fy mam wedi bod, rywle, yn agos iawn ataf.

Anodd, yn sicr, yw gwella ar ddiffiniad yr Athro W. J. Gruffydd o'r dyn diwylliedig: sef y dyn hwnnw sy'n cyffwrdd â bywyd yn y nifer luosocaf o fannau. Ac i ateb gofynion y diffiniad hwn ni chredaf i fod yr un alwedigaeth yn fwy ffafriol i hyn nag eiddo'r sawl sy'n byw ar y tir ac yn cael ei fywoliaeth ohono. Yn y gwaith hwn y mae dyn yn gorfod ymwneud beunydd â'i gyd-greadur o ddyn ac o anifail ac â Natur ei hun ymhob agwedd arni. O'r crud i'r bedd y mae etifedd y tir mewn cysylltiad agos iawn â holl bwerau cyfrin bywyd, er fod cynefindra parhaus â hynny, caledwaith amgylchiadau, weithiau, neu drachwant am elw, bryd arall, yn pylu min y synnwyr hwn ynddo. Y mae natur ei alwedigaeth, hefyd, yn gofyn ganddo droi ei law at bob ryw fath o orchwyl, o swydd y fydwraig hyd at waith y torrwr beddau, a phopeth sy'n gorwedd rhyngddynt, a llawer o orchwylion amryfal yn gofyn am grefft a medr nas ceir ond o hir, hir ymarfer, a'u meithrin yn nyfnder traddodiad.

A dyna'r byd rhyfeddol o gyfoethog y'm ganed i iddo: byd heb ynddo fawr o bryder nac awydd am arian, ragor na thalu'r ffordd yn weddol gyffyrddus, heb fynd i ddyled; byd, hefyd, hyd y gwelaf i, lle'r oedd pawb, yn ôl ei oed a'i brofiad, mor gyfatebol gydradd ag y gellir disgwyl i'r un gymdeithas ddynol fod. Ie, ac ymhellach, byd lle'r oedd dyn ac anifail bron fel un teulu, gan mor gynnes ac agos oeddent at ei gilydd. Mae'n wir fod yn rhaid gwerthu rhai o'r anifeiliaid, weithiau, a lladd ambell un, yn ôl y galw, 'at y tŷ'. Ond yr oedd hynny mor naturiol â lladd y gwair a'r llafur pan fyddent yn barod, adeg cynhaeaf. Ys gwir, eto, pan fyddai Nwncwl Bili a'i osgorddlu arfog o'i gwmpas ar y clos yn barod i roi'r mochyn ar y car lladd, a'r creadur hwnnw druan â'i sgrech olaf yn protestio i'r nefoedd yn erbyn ei dynged, yr awn i i'r tŷ a gwasgu fy nwylo am fy nghlustiau, a phwdu am hanner awr gron wrth 'yr hen Nwncwl Bili cas yn lladd y mochyn'. Eto'r dyddiau wedyn, ni fyddai neb yn plannu ei ddannedd mân yn asen faethlon y mochyn hwnnw gyda mwy o sêl na mi—cyn i wareiddiad tyner y gylleth a fforc ddechrau cau amdanaf.

Fe fûm i'n hoff o greaduriaid erioed: eu hoffi nid yn faldodus a babïaidd fel plant yn magu ac yn mwytho cath ar yr aelwyd, ac, yn fynych, yn ddigon diffaith a di-help i'w mam eu hunain; ond eu hoffi fel cyfeillion agos ataf y gallwn siarad ac ymresymu â hwy. Ni welais greadur erioed na allwn fod yn ffrind personol ag ef—ac eithrio neidr a llygoden, fawr neu fach. Cyhoeddwyd gelyniaeth farwol yn fy ngwaed rhwng y rhain a mi er y dydd y taflwyd fy hendaid cyntaf mas o ardd Eden, gynt, oherwydd ystryw ddieflig un ohonynt. Mae'r mwrddwr yn brochi'n hyll ynof bob tro y gwelaf, neu y clywaf y smic lleiaf o sŵn y cyfryw.

Defaid, ar wahân i ambell oen swci fel yr hen Sam, yw'r unig greaduriaid na ddeuthum i'w hadnabod fel y dymunwn; a hynny am eu bod yn rhyw fodau rhwng gwyllt a gwâr, ac i mi, leygwr byr ei olygon, yn yr hanner pellter hwnnw, mor rhyfedd o debyg i'w gilydd. Ni chefais i, fel Ffransis Payne, yr hyfrydwch cynnes o gadw llond côl o ddafad ar fy arffed i'w chneifio, a thrwy hynny gael cyfrinach ei chlust. Gadewais i gartref braidd yn rhy gynnar at y gwaith hwn. Ond fe fûm, yn grwt, yn Llywele a'r Trawsgoed, lle'r oedd diadelloedd mawr, yn cario defaid i lond sgubor o gneifwyr storigar—gwaith yn gofyn am bâr o freichiau gewynnog a dwy droed fuan a sicr, i wau rhwng y meinciau a chodi llwdn, un ymhob llaw, whiw, heibio i gluniau'r clipwyr dyfal. Gan fod gennyf i well dwy fraich nag o ddau lygad i lywio'r gwellau'n glòs rhwng y cnaif a'r croen, fe'm cedwid i, yn llanc, yn hwy nag y dylid, efallai, fel argludydd llydnod.

Am y gwartheg tawel, mwyn, adwaenwn nifer ohonynt yn lew, a chael mynych sgwrs â hwy—Penfraith, Blacen, Cornfelen, Seren, ac yn y blaen, llond hewl o famau'n waglo'n weddus yn eu cotiau duon fel gwragedd boddlon yn Israel yn cnoi eu cil ar y ffordd adref o gwrdd gweddi. Yn rhyfedd, efallai, ond fe allwn, heddiw, ymhen trigain mlynedd nodi lle'r pyst y clymid rhai o'r gwartheg mwyaf parchus a chyfrifol hyn wrthynt, gwartheg bonheddig, bob un, nad estynnai neb ohonynt ei thafod arw i geisio'r hyn nad oedd eiddi o breseb ei chymydog.

Ond fel y mae'n digwydd, nid yn y beudy yn nhywyllwch y gaeaf, ond ar y caeau, neu ar y clos yn cnoi eu cil yn hamddenol ar brynhawn teg o haf a dwy neu dair god'raig yn dyfal dynnu wrth eu cadeiriau y daw'r gwartheg hyn fynychaf i'm cof; a cherllaw iddynt, ond ychydig ar wahân, y tarw, fel delw Roegaidd o eidion, a'i ddrefl myfyrgar yn disgyn yn edau arian i'r llawr. Ar fainc y tu allan i dalcen ucha'r beudy yr oedd tunnen fawr yr hidlid y llaeth iddi, y naill fwcedaid ar ôl y llall, cyn ei gario i'r meinciau cerrig yn y llaethdy i oeri a hufennu. Un tro arbennig digwyddai'r *Cribyn Flyer,* y march poblogaidd hwnnw, a'i gyd-efell, Dai Perth yr Eglwys, ei berchennog, fod yn bwrw nos yno ar ei gylchdaith weinyddol eang. Gwelodd Dai ei gyfle—bwcedaid o lefrith ffres yn sefyll gerllaw'r dunnen ry lawn i ddal rhagor. Cyn i neb sylwi diflannodd y bwced trwy ddrws y stabal yr ochr arall i'r buarth, a'r *Cribyn Flyer* yn uwch ei war a'i weryru drannoeth o yfed y cynnwys. Ni waeth i'm mam ddechrau ceryddu'r gwalch ewn a gâi, fel yr oedd, lety rhad iddo ef a'i geffyl ar eu rownd un noson bob pythefnos, o Ffair Dalis, Llambed, yn nechrau Mai, hyd Ffair Fach yr Haf, Llanybydder, ganol Gorffennaf, yn ôl sifalri a chwstwm gwlad, er dyddiau Marchogion Arthur, am wn i.

Gyda'i weniaith a'i smaldod, ei regi a'i rwygo, ei gablu a'i rico, yn union fel y talai, ni allai neb ddal bariced ymadroddus Dai yn hir, pan fyddai'r march yn y cwestiwn. Ni allai fy mam, chwaith, lai na gwenu yn wyneb yr haerllugrwydd newydd hwn, er diced y gallai fod oherwydd y golled ddiangen. Deallai Dai ei dywydd yn dda o hir ymarfer â galwedigaeth mor arbennig. A chyda'r athroniaeth gysurlon hon yn ei gynnal, nad oedd dim yn rhy dda i'r *Cribyn Flyer* wrth gyflawni ei ran yn arfaeth y creu, ac y dylai ef ei hun gael rhywbeth go lew yn ei gysgod; gan frolio ei geffyl, cellwair â'r merched, a lladrata'n agored yn y dull hwn, er mwyn yr achos, y treuliai ei hafau'n llawen wrth ddilyn trywydd cesyg o dŷ ffarm i dŷ ffarm, ac o bentre i bentre, drwy gylch eang o wlad Myrddin a Cheredigion. Roedd pawb yn hoff o'i weld yn dod at y tŷ; ac efallai, yn ddistaw bach, yr un mor barod i'w weld yn mynd. Roedd Dai'n feistr perffaith ar ei geffyl, tra na châi neb arall ei gyffwrdd. Mae genny gof byw amdano yn fy nghodi i ar ei gefn yn y stabal, a minnau'n cydio yn awenau Pegasus. Dyna'r unig dro, hyd yma, i mi fod yn farchog, yn llythrennol; ac ni chredaf i neb o'r urdd honno fwynhau ei ddyrchafiad yn fwy. Cofiaf amdano, hefyd, yn gosod ei ben rhwng coesau ôl y march, yn cydio yn siwrl ei egwydydd, a chodi un droed iddo ar yn ail â'r llall. Roedd y *Cribyn Flyer* yn stociwr da. Mae ei ddisgynyddion yn dorf luosog yn y parth hwn, y ddwy ochr i Deifi, hyd heddiw, petai modd eu cyfri; a llawer un ohonynt wedi rhoi ceiniog fach net ym mhoced y sawl a'i porthai. Mae yma, hefyd, rai o stoc ei berchennog.

Pennod arall nas sgrifennwyd, hyd yma, yn hanes bywyd Cymru wledig yw pennod 'Y Dilynwr March'. Mae'r car modur a'r Sais hwnnw, y *Shire Horse,* bron wedi difodi'r alwedigaeth hon, bellach. Oni thery rhyw chwilotwr ffroendenau ar ddyddiadur rhyw hen ddilynwr march heb lwyr fallu ym môn cromen hen dowlad stabal, rywle, a chael gair personol ag un o'r olaf o'r pererinion lliwgar hyn cyn mynd adre, ni fydd yr hanes yn gyflawn. Cwrddais ag un ohonynt, ar ddamwain ffodus, yng ngwaelod Sir Aberteifi, yn ddiweddar. Roedd ef genhedlaeth gyfan yn iau na Dai Perth yr Eglwys, ond yn ei nabod yn dda, ac wedi bod yn cyd-brancio ei geffyl ag ef ar brynhawn Ffair Dalis ar Lownt Llambed. Yn ôl profiad helaeth yr hen g'irchyn gwritgoch hwn, tri anhepgor dilynwr march ydoedd—tafod ffraeth, cydwybod slic, a thipyn go lew o'r blagard at law, a bod galw amdano. 'Brenin y Gŵyr Meirch,' medde fe, oedd Dai Perth yr Eglwys. 'O damo, ie, Dai oedd 'yn mistir ni i gyd.'

Mewn lle pell o'r ffordd fawr fel Penrhiw ni phoenai neb byth am na chiper na phlisman. Nid potsiers oedd neb o drigolion y parthau hyn, ond dynion rhydd na chollasant eu rhyddid erioed, yn rhoi eu dwylo ar yr hyn a berthynai'n naturiol iddynt. Anfri ar ddyn rhydd fyddai codi lesens dryll neu lesens bysgota; ac ni feddyliai neb byth am wneud hynny. Yn grwt yr oedd hela a physgota yn fy ngwaed i, fel yn rhai o deulu fy nhad. Pobl dawel, ddiwyd ar y tir ydoedd pobl fy mam, heb feddwl am ddryll na rhwyd na thryfer na thrap, ond ambell drap llygod, weithiau. Bûm i, wedi dyfod dipyn yn hŷn, yn *saethwr* mawr; ond, erbyn hyn, da gennyf ddweud, i'm dwylo i fod yn bur lân o ran gwaed. Wedi dod i Abernant deliais aml frithyll pert â bach a mwydyn, ac ambell slwen winglyd a oedd yn fwy o niwsens na'i gwerth. (Ni ellais erioed feistroli fy hun yn ddigon da i bysgota â'm breichiau noeth o dan y ceulannau, gan fy arswyd o frathiad gan fy ngelyn marwol, y llygoden ddŵr.) Eithr gan nad oedd gennyf lygaid da—handicap difrifol i'r heliwr a'r pysgotwr—bu farw'r nwyd gyntefig hon ynof o ddiffyg porthiant digonol. Hefyd, fe ddois i deimlo, gydag amser, fod pob creadur, bach a mawr, yn leicio cael byw lawn cymaint â mi fy hun.

Bob hydref dôi'r eogiaid i fyny i afonydd y blaenau 'i gladdu' neu i fwrw eu hwyau yn 'y cladd' a wnâi eu torrau drwy sigl-rwbio yn y graean ar waelod y pwll. Mynych, tua diwedd Hydref a dechrau Tachwedd, y byddai cerdded distaw, craffus, gyda glannau'r afon i gael gweld ymhle y byddai claddau'r samon. Unwaith, bob blwyddyn, tua'r adeg yma, rhoddai tri neu bedwar o lefydd o bob ochr i'r cwm—

Penrhiw, Esgair Wen, Rhyd y Fallen Isa—ddiwrnod cyfan iddi i samona, a hynny, cofier, liw dydd glân, golau, nid gyda'r fflamdorch syfrdan, ganol nos, fel y gwneid, yn gyffredin. Un o ddiwrnodau mawr y flwyddyn ydoedd hwn yn y cwm y'm maged i ynddo. Rown i'n rhy ifanc i gymryd unrhyw ran yn y gweithrediadau; ond rhaid fy mod i'n llawn sêl gan fy mod i'n ei gofio'n glir heddiw. Rhennid yr ysbail yn deg ar ddiwedd y dydd. Menyw fwyaf calonnog yr ardal ydoedd Mari Trefenty, a'i chartre'n union uwchben yr afon. Clywais ddweud nad oedd yn ddim ganddi hi fwrw hyd at ei hanner i'r dŵr, a hithau'n fam i chwech neu saith o blant, a thowlu samon braf yn glwt i'r gro. Potsier anystyriol ydoedd Mari, wrth gwrs, i fintai swyddogol y samona. Picwarch neu fforch, os gwelwch yn dda, yn syth o'r beudy, wedi gweld y pysgodyn yn whare'n y lli, oedd ei hunig offeryn at y gwaith, ac nid bachyn adfachog a thryfer deidi o waith Wiliam y Gof, Llansewyl, fel yr oedd gan y lleill. Gweithiwr dyfal ar ffermydd yr ardal ydoedd Dafydd, ei gŵr, heb ddim o'r pethau hyn yn apelio ato, ac eithrio'r swper well nag arfer wedi dod adre'r noson honno. Gŵr bach go fyr, syth o gorff ydoedd Nwncwl Jâms; ac fe ddywedid amdano y dilynai samon, fel dwrgi, o bwll i bwll, drwy'r dydd, hyd nes ei gael e yn y diwedd. Rwy'n cofio'n net 'i weld e'n dod at y tŷ, un diwrnod, a phastwn drwy dagell dau samonyn pert ar 'i ysgwydd e, a'u cwte nhw'n siglo fflip-fflap, lawr at 'i arre fe.

A chyn darfod â'r pysgota y mae un peth bach, hollol ddibwys, wedi aros, rywfodd, yn fyw iawn yn fy nghof, hyd heddiw. Cywain gwair yr oeddem ni, lond Dôl Fras G'irch o bobol, ar ddiwrnod godidog o haf. Yn nhop y Ddôl yr oedd pwll gweddol ddwfn, a cheulan uchel uwch ei ben; ac yno, a minnau'n rhyw bedair oed, efallai, y mynnwn i fod, drwy'r dydd gwyn, yn gwylio'r pysgod yn gwibio'n ôl a blaen yn y dŵr o danaf. Doedd dim shwd beth â 'nghael i oddi yno. O'r diwedd, trawodd Mari'r Forwyn ar gynllun a weithiodd yn rhyfeddol: 'Dim ond i chi ddod i'n helpu ni'n awr i gael y gwair i'r ydlan i gyd, erbyn heno, fe fyddwn ni'n dod lawr at yr afon yma, fory, wedyn, drw'r dydd, i bysgota gyda'n gilydd. A dyna sbort gawn i, wedyn, 'te.' Llyncais innau'r addewid fel pysgodyn yn llyncu plufen a'r bach wrthi, a bwrw ati'n ffluwch i'r gwair. Ond ni ddôi'r diwrnod pysgota er mynych holi, ac ymbil amdano. A mawr a fu'r siom i mi. A dyna'r tro cyntaf i mi ddechrau amau a oedd pawb yn dweud y gwir, bob amser. Ar draul y profiad cynnar yna o siom sylweddolais, lawer tro, wedi dod yn hŷn, y pwysigrwydd o beidio â thwyllo plentyn, hyd yn oed yn y pethau lleiaf. Mae'n bosib i fân-dwyllo digon diniwed o'r fath, er cyrraedd ei amcan, am y tro, efallai danseilio yn y plentyn, yn ddistaw a diarwybod, y ffydd ddiffuant honno mewn rhyw bethau a rhai pobl sy'n hanfod pob moesoldeb a phob gwir ddinasyddiaeth. Hi yw harddwch a diogelwch pob cymdeithas. Ni phery'r celwydd gorau ond dros nos.

Gyda'r gelltydd derw a phin, y cymoedd cysgodol, y caeau soflog, a'r cloddiau a'r perthi trymion o'u cwmpas roedd Penrhiw yn lle diguro fel magwrfa gêm o bob math. Megid yno rai ugeiniau o betris a ffesants, bob haf, yn heidiau o'r deg i'r pymtheg, ac weithiau ddeunaw o rif, wedi eu deor o'r un nyth. O'u tarfu, codai'r rhain yn dwr chwyrn gyda'i gilydd, a thrwst eu hadenydd fel taran. Nid oes harddach aderyn mewn bod na'r ceiliog ffesant 'a phob goludog liw fel hydref ar ei fynwes lefn', a'r iâr mor weddaidd lwys wrth ei ymyl. Pwy na theimla mor falch â'r ffesant ei hun o weld yr haid yn araf feddiannu cwr o gae sofol ar nawnddydd teg o Fedi? Unigolyn yw'r cyffylog, a'i big hirfain bron yn hwy na'i gorffyn byr, bronnog. Yn nyfnder y cwm, neu gyda bargod yr allt y ceir ef, fynychaf; a'r gïach gwibiog, anwadal ei adain, camp y saethwr, o ganlyniad, ar gyrrau'r gweundir a'r gors. Adar cartrefol eu trigias yw'r petris a'r ffesants. Nid ânt, byth, ryw lawer y tu faes i ochor y bryn neu'r cwm lle maged hwy. Hyd yn oed pan fo'r heliwr ar eu trail, a thân y dryll arnynt, daw'r haid yn ôl o dipyn i beth tua'i hen gynefin, o hynny i'r nos. Tua brig yr hwyr clywir trydar brisg y betrisen yn galw eto at ei gilydd y gweddill na chwympasant yn yr alanas.

Perthynai'r rhan isaf o blwyf Llansewyl, y rhan orau ohono, o ran tir, i stad Rhydodyn; ac yr oedd rhannau o blwyf Caeo yn eiddo i stadau'r Briwnent a Dolau Cothi, cartref Syr James Hills Johnes yn ein cyfnod ni. Oddi yno i fyny at geseiliau'r mynydd, gan gynnwys ardaloedd Gwarnogau Llidiad Nennog, Rhydcymerau, Esgerdawe, Ffaldybrenin, Llancrwys, yr oedd mwyafrif y trigolion yn berchen ar eu llefydd eu hunain. Dyna'r bobl na fyddent byth yn codi lesens at ddim. Roedd yr hen blasau a enwyd, fel eu tebyg ymhobman, yn cadw ciperiaid i fagu gêm, ac i'w diogelu rhag 'y potsiers', neu'r dynion rhydd, yn hytrach; a'r tenantiaid, o leiaf, yn addo cadw eu dwylo rhagddynt, hyd yn oed pe gwnâi iâr ffesant ei nyth yng nghlawdd yr ardd, a phe canai'r ceiliog o ganol y gwely cenin. Eithr oni bai am y ciperiaid hyn, a dyledus barch y deiliaid at ŵr y plas, a pherchennog y tir, diau na allesid gwarantu sicrwydd deiliadaeth (*security of tenure*) na diogelwch einioes i'r adar prydferth hyn am ryw hir iawn. Pan ddiflannodd y plas yn ein bywyd cymdeithasol diflannodd y ciper a'r ffesant, hefyd, yn ei gysgod. Roedd yno ormod o 'adar' eraill i gadw'r adar hyn er eu mwyn eu hunain. Ac nid ymhlith y ffermwyr y rhai a'u magai 'yn dyner ac yn annwyl', yr oedd mwyafrif y sprotgwn hyn. Heddiw, mae deunod balch corn gwddwg yr estron lliwgar hwn, y ceiliog ffesant, mor fud yn y parthau yma â'r estron lliwgar arall hwnnw, y Barwn Normanaidd a'i dug yma gyntaf, yn ddigon tebyg, ac a fu gynt, fel yntau, yn uchel ei gloch yn y Cantref Mawr. Bellach, er gwell neu er gwaeth, y gwningen lwyd, ddemocrataidd yw meistres y dalaith.

Roedd 'nhad a 'nhad-cu, hefyd, mae'n debyg, yn ddau saethwr da; a Nwncwl Josi yn lew am sgwarnog a chwningen —dim cystal am dderyn; ac Ifan, ei fab, neu Ianto Sa'r, fel y galwem ni ef yn fynych, y potsier distawaf a mwyaf marwol yn yr holl wlad. Pan fyddai Ifan yn cyd-hela â rhywrai eraill, fe'i ceid yn misio mwy na hanner ei ergydion. Yn ôl rhyw reddf gyfrin sydd ynddo newidia'r pryf ei le, o fewn terfynau, gyda'r gwynt, a'r rhew, a'r glaw. A thrwy ryw reddf mor gywir ag yntau ffroenai Ifan ei gwat mor ddi-feth â chi seter. Nid oedd dianc rhagddo. Roedd mor gudd yn ei grefft â'r llwynog. Odid y gwelai neb ef wrthi fel ag i'w gyhuddo'n agored. Weithiau, yn y bore bach, clywid 'Powns!' hanner myglyd, draw yn y pellter, gan rywun wrth feddwl am godi; neu'n hwyr y nos, o bosib, golau leuad fel y dydd ar yr eira cras, a'r sgwarnog yn dod lawr o'r mynydd am damaid a chysgod. Ifan, yn ei wisg a'i flewyn brown, liw'r cloddiau, fyddai yno'n ddigon tebyg, yn rhoi tro bach dros 'i stad helaeth, heb neb, yn awr, i amau ei hawl arni. Eithriad, y pryd hwn, medden nhw, fyddai i'w ddryll ef fisio dim.

Gŵr clòs ei gyfrinach ydoedd Ifan mewn materion fel hyn. Ni chadwai gi, mi gredaf, rhag i hwnnw wybod ei lwybrau; ac, efallai, ddilyn ei ffyrdd amheus ef mewn cymdeithas. Canys dyn tyner galon oedd Ifan, er gwaethaf ei bowdwr a'i blwm. Ond, bellach, a phob pry'n ddiogel rhagddo, a phob grwgnachwr mor dawel ag yntau yn y glyn, gallaf, yn awr, fentro cyhoeddi i Ifan, un tro, gyda sniff neu ddwy o ymddiriedaeth arbennig yn ei ffroenau, ddweud wrthyf i, ei gefnder, flynyddoedd yn iau nag ef, iddo ef, yn ystod gaeaf caled 1916-17, a'i rew a'i eira am wythnosau o'r bron, ladd un ar ddeg a deugain o sgwarnogod ar yr un darn o waun wrth odre'r mynydd. Ond ni chyhoeddaf yma pa waun yw hon rhag bod yno fwy o sentinels nag o sgwarnogod y noson wedi'r eira nesaf. Roedd pris y sgwarnog ar y pryd yn hanner coron —tâl diwrnod o waith.

Roedd Ifan, y dernyn cryno hwn â'r war gadarn, o gyfansoddiad eithriadol o gryf. Ond, ar hyd ei oes, fe beryglodd ei iechyd yn ddifrifol oherwydd y 'gyneddf' hon o ymlid yr adar gwylltion a osodwyd arno, yn wlyb, yn fynych, hyd ei hanner cyn mynd at ei waith, y bore, heb feddwl am newid. Ond hen foi hyfryd oedd y Sa'r, mor gysurus â'r pwnsh, bob amser, yn ei drowser rib, llydan, llaith, ynghanol y coed a'r siafins. Adeiniog ydoedd ei droseddau, wedi'r cyfan, a phawb yn y bôn yn hoff ohono. Roedd ganddo gryn dipyn o wybodaeth, a mwy o ddychymyg; ac yr oedd yn ŵr bonheddig naturiol. Fel Dafydd 'r Efail Fach roedd yn sylwedydd o'r tu allan ar fywyd; ac fel yntau cyfoethogodd fywyd y fro â llawer ymadrodd ffraeth a threiddgar.

Oherwydd hen gysylltiadau roedd Dafys Ffrwd Fâl, *agent* i rai o stadau mawr y sir, yn fath o noddwr ffiwdalaidd i'r rhan honno o'r ardal a berthynai i blwyf Llansewyl. Ac o barch iddo cadwai rhai o'r ffermwyr eu helwriaeth, mewn enw, i deulu Ffrwd Fâl. Doent yno, rai troeon yn ystod y sesn, i hela, Dafys ei hun, a Cyril ac Oswyn, ei feibion, gwŷr yr ardal yn ffusto iddynt, a chael tipyn o fara a chaws a chwrw yn y Cart an' Horses i ddiweddu'r dydd yn llawen. Meddai'r Sa'r, ryw dro, am un o'r ffermwyr hyn a edrychai dipyn yn gilwgus arno ef, oherwydd ei dolli dirgel ar y gêm, 'Rŷch chi'n gweld,' meddai ef, gyda'r sniff-sniff arferol honno, 'Fe fyddai'n well gan Hwn-a-Hwn dderbyn peint o law Dafys Ffrwd Fâl yn y Cart na chael y fuwch ore a fu mewn beudy ariod.' Ifan, hefyd, a glywais i'n dweud, wedi'r tro hwnnw y bu e yn y gweithiau, fod y mwg a welsai'n codi o ffwrneisi tân Dowlais 'mor dew nes bod gieir yn gallu 'i gerdded e'.

Soniais eisoes am ddiwrnod o bysgota. Mae gennyf led syniad fod yno, hefyd, ryw ddiwrnod o hela mwy arbennig na'i gilydd, heblaw fod 'nhad yn cario dryll, yn ddigon mynych, wrth fynd i edrych am y 'nifeiliaid, rhag i Mac, y ci defaid amryddawn hwnnw, godi rhywbeth ar y daith. Arferai Morgans Tan Coed Eiddig, perthynas pell i 'nhad, er na ddeallais i erioed sut y perthynent, ddod draw yco'n gyson ar gyfer helfa gynta'r hydre, tua diwedd mis Medi, cyn bylchu odid ddim ar yr heidiau. Roedd Morgans—ni chlywais, erioed, mo'i enw cyntaf, am wn i, a dyna'r unig droeon y gwelais ef—yn dipyn o fardd, ac yn gynganeddwr. Cofiaf y cwpled hwn o'i englyn i'r Fam a glywais gan rywun, flynyddoedd yn ddiweddarach:

Mawr yw hon ar y mur o hyd
A'i bwa'n gwylio bywyd.

Roedd yno helfa fawr, yn wastad, fel y gellid disgwyl; a chofiaf yn dda, ei gweld, ar ddiwedd y dydd, wedi ei thaenu ar lawr y gegin. Wn i ddim am stad fy rhifyddeg, ar y pryd, gan nad own i wedi dechrau mynd i'r ysgol. Efallai mai ei glywed ar ôl hynny a wneuthum, neu, fe all fod yn anghywir, ond y mae'r argraff wedi ei adael, yn sicr, ar fy meddwl, fod yno, un tro, ddau ar bymtheg ar hugain o gyrff, o bob math—yn ffesants, petris, cyffylogiaid, gïach neu ddau, efallai, ac ambell sgwarnog a chwningen yn eu plith. Wedi i'r helwyr wledda eu llygaid ymhellach ar yr adar prydferth hyn, ar lawr yn y fan honno, tra fyddent hwy o gwmpas y ford yn cael tamaid ar ôl lludded y dydd, ac wrthi'n ddyfal, hefyd, yn ailgwympo ac yn ailgolli'r sglyfaeth, a Mac a'r cŵn eraill yn glustiau i gyd, o glywed eu canmol neu eu condemnio am eu gwaith, gosodid yr helfa gyfan mewn sach neu ddwy, ac âi Morgans bach â hi yn dil yn ei gar poni trwy bentre Esgerdawe, heibio i Dŷ Jem (neu'r Mountain Cottage) ac i lawr i Dan Coed Eiddig, gerllaw'r Ram ar ffordd Llambed, heb feddwl, mae'n debyg, y gallai adael ar ôl gymaint â lifret cwningen i'r sawl a fu'n porthi'r fintai gref yma drwy'r haf, ac yn diogelu'r rheini yn ystod misoedd y gaeaf. Roeddent yn werth punnoedd o arian, mewn gwirionedd, gan fod y ffesant a'r cyffylog, y pryd hwnnw, yn ddeuswllt neu hanner coron, a'r betrisen yn ddeunaw; a chofiaf 'nhad a'm mam yn sôn am y mater yn ddiweddarach, a rhywbeth rhwng direidi a pheth syndod yn eu siarad. Ond diwrnod Morgans ydoedd hi. Roedd yno ddigon ar ôl, wedyn; ac nid er mwyn eu gwerth y megid yr adar hyn, ond er mwyn y balchder o'u gweld ar y tir, a chael weithiau dipyn o hwyl drwy foddio rhyw nwyd blentynnaidd mewn dyn, a phrofi cywirdeb llaw a llygad wrth dreio'u cwympo, druain. Dywedais rywle yn barod am y ceiliog ffesant hwnnw a gymysgai'n rhydd â'r ieir yn y berllan ger y clos, ac y saethodd rhyw gymydog ef heb wybod dim am ei gysylltiadau personol â phobl y tŷ. Arferai fy mam fynd i'r berllan weithiau, a cherdded yn bwyllog ddidaro i gyfeiriad y ffowls, er mwyn ei weld, yno, yn rhodianna fel tywysog a chymryd ei fwyd, yn ddisyml, ymhlith y werin gripgoch o'i gwmpas. Bu'n siom ryfedd iddi wybod am ladd yr aderyn hwn drwy Fandaliaeth mor anystyriol. Ac ys dywedodd Ifan y Sa'r, nid wyf yn siŵr na theimlodd fy mam, hefyd, ar y pryd, mor whith o golli'r ffesant gwyn â phe coll'sai un o'r gwartheg o'r beudy.

Fy nhad-cu, mi gredaf, o'r werin bobl oedd y cyntaf i elfentu mewn dryll yn yr ardal hon. Milgi a magal a'r trap danheddog, creulon, yn bennaf ydoedd yr hen ddull o ddal y pryfed gwylltion, heblaw, wrth gwrs, y brithgwn a fyddai wrthi, beunydd, yn ffroeni ac yn cwrso rhywbeth neu'i gilydd, yn gystal ag ambell hen aristocrat o gi defaid fel Mac, a gawsai, rywfodd, y doniau oll. Cymaint o aristocrat ydoedd Mac, yn wir, fel na adawodd yr un o'i dras ar ei ôl, hyd y gwyddys. Pes gadawsai, hwyrach mai'r cŵn fyddai ein huchelwyr ni, erbyn hyn, yn rhinwedd eu doethineb amgenach, fel y ceffylau yng Ngwlad Gulliver gynt. Fe'n llywodraethid ganddynt, yn ddiau, gyda gweledigaeth ddyfnach i hanfod pethau na'r dynionach cibddall sydd wrthi'n gynddeiriog heddiw yn chwipio'r Belen gyfan i'r Diawl.

Roedd heboca wedi darfod o'r tir ers canrifoedd; a'r dryll powdwr a siots yr hen *muzzle loader* yn ddrud i'w brynu, heb sôn am y drwydded drom arno i'r dyn cyffredin yn amser caled hanner gyntaf y ganrif o'r blaen. Yn wir, gellid dweud mai'r 'gwŷr mawr', perchenogion y stadau, na chaniataent y rhyddid hwn i'w deiliaid, yn unig bron a gariai ddryll, yr adeg honno, ac ymhell wedi hynny. Yr eithriadau, fel y dywedwyd, ydoedd yr ardaloedd diystad, gyda rhimyn deheuol y mynydd, fel yr eiddom ni, o Frechfa a Gwarnogau hyd at Lancrwys a Mynydd Mallaen—hendrefi Eirug, Llywelfryn, Gwenallt a llawer o lenorion gwlad, glew eu hawen—Tom Jones, Gwarcoed, awdur *Manion y Mynydd*; D. O. Jenkins, Esger Lyfyn, awdur *Crwth Llanybydder*; Ehedydd Jones—yn dad a mab; Josi'r Gof; Nwncwl Josi (Trawsgoediwr); Dafydd Blaen Gorlech a John ei frawd, a John Rees Daniel yr englynwr o Bontyberem, o do ifancach; gwŷr a faged i gyd ar Ryddfrydiaeth a *Baner* Thomas Gee. Aeth rhai o blant diweddarach yr ardaloedd hyn i Ysgolion Sir Llandeilo a Llandysul a Llambed, yn awr, a diflannu o fodolaeth yno, gan mwyaf, drwy ddannedd y *Central Welsh Board*, y Peiriant Mwrdro Cenedlaethol.

Wedi gadael Llywele, o'r diwedd, ar stad Rhydodyn a'r *agent* hanner pan hwnnw y cwerylodd ag ef, nid hwyrach nad un o'r pethau cyntaf a wnaeth 'nhad-cu ydoedd mynnu hawl y dyn rhydd i gario'i ddryll ar ei dir ei hun—a hynny heb godi lesens Llywodraeth at y gwaith. Ac fel yr unig berchennog dryll yn ei gylch, yr adeg honno, roedd ganddo yntau stad go lew i gerdded drosti ar dir ei gymdogion; a 'nhad ar ei ôl. Ac nid wyf yn credu i neb fod ar ei golled o estyn y rhyddid hwn iddynt. Hyd yn oed wedi i ddrylliau ddod yn weddol rad a chyffredin yr oedd digon o ffermwyr a thyddynwyr heb unrhyw elfen mewn dryll. Ac wrth basio drwy'r clos neu droi i mewn am glonc, ar ddiwrnod garw, neu ar hwyrnos gaea, roedd cwningen fach neu ffesantyn bach yn eitha derbyniol ganddynt hwy, bob amser.

O fewn fy nghof i y daeth y *breech loader* i'r ffasiwn, a'i gatris hwylus y gellir eu gosod i mewn a'u tynnu allan o'r dryll fel y mynner. Mae fflasg bowdwr hen ddryll fy nhad-cu gennyf yn awr, a'r bag bach lleder cryno i gadw'r siots. I lodo'r dryll henffasiwn, fe wesgid sbring fechan ar dop y fflasg a gollwng allan, ar y tro, tua llond gwniadur go dda o bowdwr llwyd, sef swmp ergyd, i'w roi yn y faril. Ar ei ôl gwneid pelen fechan o bapur, a'i ramio lawr yn dynn â'r roden at y gwaith a ffitiai'r rhigol yn y canol o dan y ddwy faril. Wedyn, arllwysid i mewn tua'r un faint o siots, a ramio'r papur ar eu hôl, eto, y siots manaf at adar, a'r brasaf, hyd y gellid, at y creaduriaid blewog, yn enwedig, pan fyddid, weithiau, yn hela cadno. Canys gŵr anodd i fynd o dan ei groen ydyw ef. (Hoelen oedd gan Shemi Wâd, 'slawer dydd, yn 'i ddryll, medde fe, pan saethodd e'r cadno hwnnw drwy flaen 'i gynffon, ar Ben Caer, Abergwaun, nes 'i fod e'n hold ffast yn sgrabiniad wrth y post llidiard gyferbyn!) I danio'r ergyd, gosodid y gapsen yn y nipl, fel y'i gelwid, a thynnu'r triger i daro'r fflach. Mewn bocs pils ym mhoced ei wasgod y cadwai 'nhad y caps yn sych a diogel.

Byddai'r hen ddrylliau, gyda'u powdwr a'u siots a'u caps ar wahân, nid yn unig yn drafferthus, ond, heb ofal priodol, gallent, hefyd, fod yn beryglus. Weithiau, byddai'r powdwr yn yr ergyd, o'i adael yn rhy hir yn y faril, yn lleithio, ac yn gwrthod tanio pan ddylai. Byddai wedyn raid dadlwytho'r ergyd â gwifren briodol at y gwaith—gorchwyl tra thiclis. Bryd arall, gosodai rhywun, mewn anwybodaeth, ergyd eto i mewn yn y faril ar ben yr ergyd a oedd yno'n barod, gyda ffrwydriad anochel pan daniai'r dryll. Pan own i ym Mhenrhiw rwy'n cofio am Ifan, gwas Esgair Wen, a ffiniai â ni, yn colli gwerth ei law whith, am ei oes, drwy i faril y dryll ffrwydro wrth iddo danio ergyd drwy fôn y berth at geiliog ffesant ar yr egin gwenith hydre; ac am John, fy nghefnder, brawd Ifan Sa'r, yr un modd, yn colli nifer o'i fysedd, ar fanc y Trawsgoed, a hynny ar fore Nadolig, ac yn cerdded dros y bencydd, bedair neu bum milltir o ffordd, a'i law friwedig yn ei fynwes i lawr at Doctor Ifans ym mhentre Llansewyl, rhag i neb wybod iddo gael damwain â dryll, ac yntau heb lesens i'w gario. Roedd *exciseman* yn y pentre, yr adeg honno, heblaw'r plisman.

A mynd yn ôl at y saethu eto, ynte, aderyn braidd yn anodd i'w gael i lawr yw'r cyffylog, medden nhw, oni ddeallir ei dro sydyn; ond nid tebyg cynddrwg â'r gïach chwaith. Y ffordd orau i gwympo gïach yw ei daro'n union wedi iddo godi, cyn dechrau ar ei driciau gwamalog. Ar hedfan, mae'n debyg i ddarn whecheiniog yn siglo wrth gordyn yn y gwynt. A dyna bris y deryn gynt. Fe wariwyd llawer punt erioed i geisio taro'r pisyn whech hwn i'r llawr. A chan nad yw'r deryn iach hwn, arian byw y corsydd, yn debyg o groesi ein llwybr eto, cystal i mi orffen ag ef, yma, drwy fynegi i chwi yr anghredadwy yn fy hanes i—sef i mi, ie, fi, y saethwr salaf yn saith sir y de, unwaith, fy hunan fach, gwympo gïach cyfan i'r ddaear. (Dyw'r ffaith mai damwain noeth ydoedd hynny, nac yma nac acw. Ffaith ydy ffaith, onid e?) A bore Nadolig ydoedd hwnnw, hefyd. Y ffasiwn baganaidd gyda ni, rai llefydd yn rhan uchaf plwyf Llansewyl a berthynai i ardal Rhydcymerau, yn wastad, bob bore Nadolig ydoedd mynd i hela. Y prynhawn a'r hwyr yr oedd y steddfod fawr flynyddol. Hela er mwyn yr hwyl a'r sbri o fod gyda'n gilydd a fyddem, yn hytrach na bod o dan draed y menywod wrthi yn y tŷ yn paratoi'r ginio gan na wneid dim gwaith y diwrnod hwnnw. Erbyn yr adeg hon o'r gaeaf ni fyddai rhyw lawer o gêm ar ôl, ychwaith, dim ond ambell i aderyn, a hwnnw megis 'wedi ei buro drwy dân'. Ond fe ddôi adar y gwasgariad yn ôl at ei gilydd yn rhyfedd wedyn, ac ambell un atynt o ffiniau'r stadau cyfagos, efallai, erbyn y gwanwyn ac amser dewis cymar a threfnu nyth. Os codai sgwarnog rhwng cropiau'r eithin mân ar y banc, neu o dwmpath brwyn ar y gors, gorau oll. Ac os dihangai megis â chroen 'i chlustiau, wedi i gwpwl o siots ganu heibio iddi, wel, gorau oll, eto, gan y gellid, yn ddigon posib, gael torraid neu ddwy o'i hepil erbyn y gaeaf, wedyn. Fodd bynnag, rhaid fod gweddill yr adar gwylltion hyn wedi cwato'n ddifrifol o glòs, y dydd hwnnw, neu yr oeddent fel yr adar dof, y gwyddau, y twrcis, y ffowls, a'r combacs yng nghân Idwal Jones, wedi cofio fod 'y Nadolig yn nesáu' yn yr ardal anwar hon, ac wedi cymryd eu hadain dros y bencydd i ryw fro mwy

Cristionogol; canys yr unig beth a godwyd, wedi bore cyfan o gerdded, ydoedd y gïach tynghedus hwnnw. A chan nad oedd dim arall i'w wneud â'r ergydion, cofiaf amdanaf ar y diwedd, gyda rhyfyg llencyndod ffôl, yn cydio yn stoc dau ddryll, un ymhob llaw, a chan estyn fy mreichiau i'r awyr, yn tanio'r ddau ergyd yr un pryd—fel rhyw fath o Buffalo Bill yn trin ei bistolion. Gyda llaw, hwn oedd y Nadolig olaf i mi cyn gadael cartref am y tro cyntaf—byth i ddychwelyd mwy fel dinesydd cyflawn. Y pedwerydd o Ionawr dilynol, sef Ionawr 1902, rown i'n mynd i weithio i Forgannwg, yn un ar bymtheg oed er diwedd Mehefin cynt; ac ni chredaf i mi fod yn hela fawr o ddim, byth wedi galanas y gïach y bore hwnnw. Gyda'r ddau ergyd rhyfygus hynny, yn gwbl ddiarwybod i mi, rhois, fel petai, y ffling olaf i'r bywyd gwledig diledryw, y bywyd a gerais gymaint, mewn atgof, ar hyd fy oes—y cyntaf un o'm llinach, erioed, mi gredaf, i adael y tir.

'Gwŷr a aeth Gatraeth, oedd ffraeth eu llu.' Ac megis yng Nghatraeth gynt, nid oes heddiw'n aros ond un yn unig i adrodd hanes 'cyrchu corff y gïach adre'. Roedden ni'r bore hwnnw yn whech o lanciau'n hela, cyn iached a chyn gryfed â'n gilydd, pedwar ohonom wedi ein geni o fewn pedwar mis i'n gilydd, rhwng Chwefror a Mehefin 1885; sef yn nhrefn ein hoed, Dafydd Cwmcoedifor, Ifan y Llether, Jac y Brynau a minnau; a'r ddau arall, John Cwmcoedifor ac Ifan y Brynau, ond rhyw ddwy neu dair blynedd yn hŷn. Ers rhai blynyddoedd, bellach, a chwith i mi yw'r meddwl, nid oes ond myfi fy hun yn aros. Bu'r tri chyntaf, fy nghyfoedion union i, farw o fewn rhyw ychydig flynyddoedd i'w gilydd, a hynny rywle o gwmpas y trigain oed; a'r ddau arall, John ac Ifan—Jac a Ianto i ni, fynychaf—y ddau bartner ffraeth, anwahanadwy yn eu drygioni diddrwg, farw rai blynyddoedd cyn cyrraedd yr oedran hwnnw. Nid oedd Ysgolion Sir, neu Ysgolion Canol, yn beth ffasiynol yn ein hardal ni, y pryd hwn; nac, eto, o ran hynny, os gellir eu hosgoi. Arbedwyd y pump llanc hwn, felly, a minnau gyda hwy, rhag proses y diwreiddio a'r dieithrio dwfn a welwyd mor gyson yn y sefydliadau gwych hyn o ran eu record academaidd, a'r gwanychu enbyd a fu ar y bywyd gwledig, Cymreig, o ganlyniad—a hynny'n bennaf er mwyn porthi Llywodraeth estron â chlercod a gweision da. A phob un o'r bechgyn hyn, ynteu, o hen wehelyth y fro, ac yn ddyledus iddi am bron bopeth a feddent, tyfasant i gyd yn ddynion cyfrifol, goleuedig, glân eu bywydau, yn asgwrn cefn i'r gymdeithas y troent ynddi, ac yn deyrnged i awyrgylch iach a diwenwyn yr ardal y maged hwy ynddi.

Yn ôl y cryfder corff, yr hoen a'r iechyd a roed i bob un o'm cyfoedion hyn byddai'n rhesymol meddwl y gallent fyw i oedran teg, i ddyddiau'r addewid, a thros hynny. Bu'r pump ohonynt farw, gredaf i, oherwydd gorweithio; gorweithio yn ystod y ddau Ryfel Byd oherwydd prinder dynion ar y tir a'r galw mawr am gynhyrchu rhagor; ac yn ystod y dirwasgiad rhyngddynt oherwydd yr amser caled a welodd ffermwyr yn gyffredinol. Gyda'u gofalon llawn am eu llefydd roedd cymaint â diwrnod o wyliau bron yn amhosib iddynt. Ni allent fynd i na ffair na marchnad heb wneud bron hanner diwrnod o waith cyn gadael y tŷ. Yn gryf, yn iach, ac yn rhadlon, wrth natur, ac yn gyfarwydd â chaledwaith o'u dyddiau cynnar, ni ddysgasant erioed roi pris ar eu cyrff, na gofalu fel y dylent am fwyd a deddfau iechyd a seibiant ysbeidiol oddi wrth eu gorchwylion. Gweithiasant eu hunain i'r pen, yn ddyfal, ddiddig, ddi-uchelgais, nes cwympo'n sydyn, ar eu traed megis. Aeth amgylchiadau'r bywyd gwledig yng nghyfnod y newid gêr o'r dyn i'r peiriant yn drech na hwy.

Gwŷr glewion oedd y pump hyn, cyfeillion difyr bore f'oes, a'u cadernid mor ddiymffrost â'r bryniau o gwmpas. Wedi elwch, tawelwch. Ardderchog yw eu coffadwriaeth i mi, bob un. Daw gair am rai ohonynt, eto.

Dyma fi wedi cael fy hudo gan y gïach bach hwnnw ar lwybrau'r gweunydd nes bron colli fy llwybr fy hun drwy fynd gymaint o flaen fy stori. Yn ôl, eto, ynte. Clywais 'nhad yn adrodd amdano ef a 'nhad-cu, ar ryw fore rhewllyd, yr union fore am gyffylog, ym môn y coedydd, medde fe—un ohonynt y tu fewn i'r allt a'r llall y tu fas i'r ffin, ar Gae Sam, Tan'coed—yn cwympo saith cyffylog, a hynny o fewn dim o amser, heb fisio'r un ergyd. Nid yw'r clawdd ffin hwn i gyd yn fwy na rhyw ddeg llath ar hugain. Y syndod yw fod cynifer o gyffylogiaid, canys unigolyn pendant yw'r aderyn hwn, wedi digwydd casglu mor agos at ei gilydd, y tro hwnnw. Dywedir bod gan bysgotwyr, weithiau, y ddawn o weld rhif a phwysau'r ddalfa yn dyblu ac yn treblu o flaen eu llygaid. Eithr ni feddai 'nhad, na 'nhad-cu, hyd y clywais, ddim o'r ddawn gysurlawn honno. Ond nid oedd 'nhad gystal nac mor lwcus saethwr â hyn, er pan own i'n ei gofio; a hynny am reswm amlwg. Rai blynyddoedd cyn iddo briodi collodd ei lygad de drwy i ddarn bychan o'r triger neu'r gapsen neu rywbeth dasgu'n ôl yn syth i gannwyll y llygad wrth danio ergyd. Collodd ei lygad glas, cyflym, yn y man a'r lle. Bu hyn yn rhwystr go fawr iddo fel saethwr, weddill ei oes; oherwydd, fel y gŵyr y cyfarwydd, y mae i ddyn a ddeil ei ddryll ar ei ysgwydd dde i gael annel gywir, rhwng y barilau, at wrthrych â'i lygad whith, yn gorfforol, yn amhosibl. Er pan gollodd ei lygad, felly, dibynnai fy nhad yn llwyr, wrth saethu, ar dafliad naturiol y dryll i'w le ar ei ysgwydd, heb geisio anelu o gwbl. Arferasai gymaint â'i ddryll, cyn hynny, nes bod hyn yn ail natur iddo. Ond yn y dull hwn, fel rwyf i'n ei gofio, roedd dipyn mawr yn sicrach o daro'r sglyfaeth druan, nag o fethu. Â dryll arall, dieithr ei 'dowlad' iddo, nid oedd agos cystal.

Parhaodd hen anian y dryll yn fy nhad hyd y diwedd. Wedi dod i Abernant, a'r hewl fawr yn mynd heibio i fwlch y clos, roedd yn rhaid bod yn fwy gofalus. Nid oedd gan giper hawl i roi ei droed ar dir neb yn yr ardal, mae'n wir. Ond pasiai'r plisman heibio ar y ffordd yn ei dro; a'r ecseisman o Sais, yn ôl hen draddodiad manylaf dyddiau'r smyglo, yng nghar Dafys Pen Beili lle'r arhosai, a phriodi'r ferch, wedi hynny. Er mawr fudd a chysur i drigolion yr ardal roedd rhyw ragluniaeth garedig wedi trefnu fod gan y car hwn bâr o olwynion cochion, tanbaid—yr unig gar o'r fath a drafaeliai'r ffordd—fel y gallai pawb ei nabod yn eglur ac o bell, a dwyn eu hunain, mewn pryd, o fewn syberwyd y gyfraith a chodi cap. Yn y siafft, hefyd, yr oedd caseg goch, go foliog, a'i harafwch yn hysbys i bob dyn. O bai neb, felly, yn droseddwr *amlwg*, arno ef ei hun yr oedd y bai os câi ei ddal, gan iddo gael, o leiaf, filltir neu ddwy o rybudd ymlaen llaw. Weithiau, byddai Benni'r Crydd (Danni'r Crydd yn *Hen Wynebau*) a drigai yn Esgertylcau, y pryd hwnnw, ymhlith ei liaws drigfannau tymhorol eraill, yn blino, wedi oriau o bwyso ar ei frest 'a churo'r lapston laith', ac yn cael ei gymell gan ryw ysbryd i ddiosg ei ffedog leder a'i thowlu ar y fainc gerllaw, a mynd â'r 'milgi main' (ei enw ef ar ei ddryll) a Vic, ei ast retreifer ddu am dro i gwm Cilwennau, yr ochor draw i'r tŷ, neu dros Lan Ddu'r Llether a banc Cwmdu. (Talfyriad o Victoria ydoedd Vic, gyda llaw; ac uchafbwynt pennaf teyrngarwch Benni i'r teulu brenhinol Seisnig ydoedd galw'r ast ragorol honno ar ôl enw 'Brenhines yr Hen Ynys Wen', y gân wladgarol a ddysgai Marged, ei ferch ieuengaf, yn yr ysgol ar y pryd.) O weld llewych 'golau coch' yr olwynion yn araf gynyddu yn y pellter draw ar dro Cwm H'ŵel câi Benni ddigon o amser i ddatgysylltu'r 'milgi' a'i wanu, bob yn gymal, *lock, stock and barrel,* i bocedi helaeth ei got lydanadeiniog—pocedi bron yn ddigon mawr i gynnwys Benni ei hun, oni bai am ei ben a'i farf gwrychiog. Wedi cymryd y cam cyntaf yma at hunanddiogelwch, y cam nesaf fyddai symud o lech i lwyn, yn llythrennol, a gwneud am fôn y clawdd neu'r berth a roddai'r guddfan hwylusaf iddo ef a'r ast, oherwydd rhaid cofio, o hyd, fod yr hewl fawr fel edefyn llwyd, hirfain, yn rhedeg yn gyfochrog â'r afon yng ngwaelod y cwm, ac yn union gyferbyn â'r bronnydd hyn—maes adloniant Benni rhwng gwaddan ac uchafed esgid nas gwarafunai neb iddo ond yr ecseisman hwn, o wlad bell. Wedi i'r 'whils coch'on' fynd o'r golwg ar dro'r Llether, ar y whith iddo, o wynebu'r hewl, ond nid o glyw, gobeithio, os dôi'r whim arno, ni fyddai'n ddim gan y crydd bach, beiddgar yma danio ergyd neu ddau i'r gwynt fel ffordd effeithiol o bryfocio ei arch elyn, yr ecseisman, ymhellach, yn gystal â dathlu ei fuddugoliaeth. A chyda hyn, byddai ef a'i draed bychain, buain, yn ôl, fel bollt, yn ei weithdy, 'y penisha', yn poeri hoelion, trwy'r trwch, i'w suddo gyda thri ergyd chwyrn yn niogelwch gwadn esgid rhyw gwsmer ar sedd gyferbyn. Ac os byddai lwc o'i du, hwyrach y gallai'r cwsmer hwn dystio'n ddigon geirwir fod y crydd yn ddyfal wrth ei fainc ar yr awr ddywededig y dydd a'r dydd. Nid oedd clociau'r wlad, bob amser, mor eirwir â'r tystion. Un fel yna ydoedd Benni—byrbwyll, i'r pen drosoch, neu i'r bôn yn eich erbyn. Ni wyddai ef reol—ond ennill y gêm; cymydog tan gamp, hyd nes y croesid ef—ac nid oedd hynny'n anodd. Dyna'n ddiau pam y symudodd ei drigfan gynifer o weithiau yn ystod ei fywyd. Gallwn enwi chwech o lefydd bach, tra thebyg i'w gilydd o ran maint, y bu Benni yn byw ynddynt yn ardal Rhydcymerau. Ac nid yno y dechreuodd ei fyd, na'i orffen, ond yn ardal Llanwnnen, gerllaw Llambed. Ac ym mynwent yr Eglwys yno, rwy'n credu, y claddwyd ef, ymhell dros ei bedwar ugain oed. O'r chwech lle y bu Benni byw ynddynt yn yr Hen Ardal, a phump yn cadw buwch neu ddwy a phoni, anhepgor i Benni, nid oes heddiw yr un ohonynt â phobl yn byw ynddo! Am o gwmpas trigain mlynedd bu ei forthwyl a'i fyniawyd wrthi'n ddyfal yn llunio sgidiau cadarn, diddos i'r ardalwyr, a'i ysmaldod ar y fainc ac ar gae gwair neu lafur yn difyrru to ar ôl to o blant a phobl ifainc. Yn ei weithdy teimlwn i, bob amser, fy mod i tua'r un oed â Benni. Ac mewn llawer peth nid oeddwn ymhell ohoni. Ond lle dôi'r ecseisman hwn o Sais i mewn a fynnai amddifadu dyn a'i gi o ryddid tragwyddol y bencydd roedd Benni mor hen â'r Hen Adda ei hun.

Roedd sŵn sgarmesoedd Gwrthryfel y Degwm yn y cymoedd cyfagos wedi darfod cyn fy mod i'n ddigon hen i'w cofio. Bu'n amser go dwym yn ardal Gwarnogau lle'r oedd hen Radicaliaeth Tomos Glyn Cothi a Gwilym Marles o hyd yn dal i losgi. Ac ymhlith yr arweinwyr yno, os caf ddannod ei dylwyth ar goedd iddo, fel hyn, ac yntau'n awr yn Broffeswr ac yn ddehonglydd y Gyfraith Seisnig, yr oedd rhai o deulu agos Llywelfryn Davies, megis Ben Ifans, y Brithdir, yr acsiwnêr ffraeth, cefnder i'w fam, a fu'n ddiweddarach yn ei oes yn ŵr o ddylanwad mawr ar Gyngor Sir Caerfyrddin. Fel tystiolaeth bendant yn erbyn yr Athro hyd y dwthwn hwn, gwelais yn nhŷ un ohonynt, rai blynyddoedd yn ôl, un o hen 'gyrn y degwm'. Corn tun, hir, main, a hollol ddiaddurn, ydoedd hwn, yn tynnu at bum troedfedd o hyd, wedi ei lunio at y gwaith, mae'n amlwg; canys, o'i chwythu, fe wnâi y nadau mwyaf aflafar. Roedd un o'r cyrn hyn, gallwn feddwl, yn nhŷ pob gwrthryfelwr degwm drwy'r cymdogaethau; a phan ddôi'r beili, yn enw'r gyfraith, ar warthaf rhyw dŷ ffarm, i atafaelu, yn rhai o'r anifeiliaid, mewn mwdwl gwair neu helem o geirch, yn lle'r degwm y gwrthodid ei dalu, cydiai'r nesaf i law yn y corn hir, oernadus hwn, gan ruthro allan i ryw fan amlwg a'i chwythu â'i holl egni. O glywed y nodyn cyntaf, digamsyniol yma gan y cymdogion, gafaelent hwythau, hefyd, yn eu cyrn; a chyn pen dim o dro byddai'r holl wlad yn diasbedain megis pan fai rhybudd cyrch awyr, yn adeg y rhyfel, gyda ni; a phawb, yn hen ac ifainc, yn brasgamu am y cyntaf tua'r ffarm y seiniwyd yr arwydd cyntaf o berygl ohoni. Eu hamcan fyddai gosod rhwystrau ymhob rhyw fodd ar ffordd y beili a'i ddynion i gario allan eu gwaith o ddwyn ymaith ran o eiddo'r deiliad. Weithiau, byddai'r terfysg yn chwerw. Yn ardal Pencader, yr ochor draw i'r mynydd, bu'n rhaid galw'r plismyn i amddiffyn swyddogion y gyfraith, megis mewn llawer ardal arall yng Nghymru.

Ond dyna ddigon yma, gan mai plwyf parchus iawn oedd ein plwyf ni, plwyf Llansewyl. Perthynai'r degwm yno i stad Rhydodyn, rhan o ysbail hen fynachlog Talyllychau adeg ei chwalu, yn ddigon posib. Fodd bynnag, talem ni, y plwyfolion, ein degwm yn ddigon diddig, bob blwyddyn, yng Ngwesty'r Black Lion, Llansewyl; ac yn ôl hen draddodiad a barhaodd yn ddi-dor hyd nes y trosglwyddwyd y degwm i'r Comisiwn Eglwysig yn 1920, câi pob un, wrth dalu ei ddegwm yno ar y dydd penodedig, ei beint o gwrw, yn rhad ac am ddim. Bobol fach, pa Wrthryfel y Degwm y gellid ei ddisgwyl mewn plwyf fel hwnnw?

Er na chofiaf am helynt y degwm mae gennyf gof am frwydr bron mor gyffrous, a llawer mwy dealladwy i mi, ar y pryd, yn y sgarmes hir honno y gellid ei galw yn Achos Benni'r Crydd a'r Ast *versus* Baker yr Ecseisman. Yn Abernant a ffiniai ag Esgertylcau yr oedden ni, erbyn hynny, wrth gwrs, a minnau rhwng y saith a'r naw oed, ac yn dechrau cymryd diddordeb byw yn helyntion fy nghyd-ddyn. Nid yw'r manylion yn glir gennyf, ond yn ôl cyfraith gwlad ar y pryd, gan nad beth amdani, heddiw, caniateid i dyddynnwr a ddaliai hyn a hyn o erwau o dir, ac, yn enwedig, os byddai yno ddefaid, gadw ci cyffredin, at iws tŷ, heb dalu trwydded. Yn awr, yng ngolwg y gyfraith hon, fe syrthiai achos Benjamin

Williams i'r llawr ar dri chyfrif: yn gyntaf, roedd Esgertylcau yn rhy fach o le; yn ail, ni chadwai ddefaid; yn drydydd ac ar hyn y trôi'r cyfan, nid ci cyffredin mo Vic, ond gast *retriever* a'r teitl 'Royal' yn drwch yn ei thras, medden nhw. Cawsai Benni hi'n fisto bach sgleinddu, whareus, gan un o'i feibion o'r gweithiau. Roedd lesens ci yn saith a whech; ac yr oedd saith a whech, ar y pryd, i Benni yn bris pâr o sgidiau plentyn neu fenyw. Heblaw hynny, roedd Benni'n ymladdwr bob gwrychyn o'r traean bron ohono a oedd dan farf—yn ôl yr argraff gyntaf sydd gennyf i amdano. (Tociodd lawer ar y cnwd hwnnw'n ddiweddarach.) A da gennyf ddweud i Benni a Vic ennill y rownd gyntaf, o leiaf.

Wn i ddim llawer am werth Vic fel helwraig. Roedd hi'n rhy dew ar gyfer hynny'n ddigon posib, drwy gael byd rhy dda, a'i maldodi ormod. Ond meddai Benni ar ddawn arbennig gyda chŵn fel gyda phlant. Pan glywai Vic sain chwibanogl yr hen Charles y Post, a'r farblen honno'n dawnsio yn ei gwddwg, byddai'n croesi'r bompren dros yr afon ar waelod y cae gwair, cyn pen winciad, ac i'r lan at y ffordd fawr, gyferbyn, a basged fechan yn ei cheg i hôl y *mail* i'w pherchennog. A synnwn i ddim nad y clyfrwch hwn y tu hwnt i glyfrwch dynol a wnaeth frad Vic yn y pen draw; ac nad yr hen Charles y Post ei hun, druan, yn ei afiaith ddiniwed uwchben ei ail beint yn yr Angel, wedi tair milltir ar ddeg o rownd galed drwy Rydcymerau ac Esgerdawe, ei ysgwydd yn mynd yn fwy crwm o dan ei fag, a'i gam yn mynd yn fyrrach bob dydd, a fu'r bradwr llwyr anfwriadol, drwy ganmol campau'r ast ryfeddol hon. Yn naturiol, fe glybu'r ecseisman, gydag amser, beth o'r hanes. Ond pan aeth ati, ryw ddiwrnod, i gael rhagor o fanylion, fe faglai'r stori gymaint ym mwstas yr hen bostman, dan wlith y trydydd peint, fel yr oedd Esgertylcau, Esgerceir, Esger Lyfyn, Esger Wen, ac Esger Owen, yn un gybolfa esgeiriog, ddryslyd, i'r Sais anghyfiaith hwn. Cyn terfyn y siarad roedd e ymhell o fod yn glir ei feddwl ymhle yn union roedd gwâl y *bitch* hon—neu'n wir, os oedd yno *bitch*, o gwbwl, erbyn y diwedd. Ond gwelodd y swyddog, yn amlwg, y byddai diwedd tystiolaeth flewog fel hon o flaen y fainc yn debyg o fod yn waeth na'i dechreuad. Fel tyst rhy sigledig gadawyd y postman, felly, mas ohoni.

Gwadai Benni'n eithaf cydwybodol nad oedd ganddo ef *gi*, o gwbwl, yn agos i'r tŷ. Nid oedd dim amdani, wedyn, ond i'r ecseisman fynd yno i weld â'i lygaid ei hun. Canfu Benni ef yn croesi'r cwm, ac yr oedd yn barod ar gyfer yr amgylchiad. Pan aeth ef i mewn i'r gegin benisel yno'r oedd y crydd, â'i holl egni'n megino'r ffagl ar y tân, a'i lygaid fel y golosg eithin, yn saethu mellt trwy'r tywyllwch. Byr fu'r ymweliad hwn, yn ôl yr hanes, gan na fedrai'r ecseisman air o Gymraeg, na Benni air o Saesneg; ac yr oedd Victoria'n fud ym mocs y sgiw o dan gorpws ei pherchennog. Roedd hunanddisgyblaeth Vic a chleciadau stwrllyd y tân yn ddigon i foddi pob amheuaeth.

Mewn ateb i gwestiwn digon syml gan Glerc yr Ynadon ynglŷn â brid neilltuol y ci y cyhuddid Benjamin Williams, o'i gadw, heb drwydded, bu raid i'r erlynydd ar ran y gyfraith gyfaddef nad oedd ef wedi gweld y cyfryw wrthrych o gwbl. Yn wyneb gwendid y dystiolaeth parthed bodolaeth y gyhuddedig Victoria ni fu dewis gan y fainc namyn bwrw allan yr achos. A llyna'r modd yr enillodd Benni a Vic y rownd gyntaf yn yr ornest, er mawr ddifyrrwch i ddigrifwyr y pentre fel Ifan 'r Ardd Las, John Aly, a George bach Dicks, a llawenydd i ninnau, bawb o'r cymdogion yn y cwm.

Yn llys yr ynadon yn Llansewyl, y dwthwn hwn, gellid dychmygu gweled ailactio rhywbeth tra thebyg i'r hyn a welwyd, yn ddiau, yn y cylch yma, lawer tro, gannoedd o flynyddoedd ynghynt, wedi i Edward y Cyntaf, ar gwymp Llywelyn Ein Llyw Olaf, gymryd meddiant o Fforest Glyn Cothi, a'i throi'n faes helwriaeth iddo ef ei hun: Dafys Ffrwd Fâl, Clerc yr Ynadon, y sgweier lleol, a'r Cymro da, agos at y bobol, yn cynrychioli'r uchelwr Cymreig; Syr James Williams Drummond o Blas Rhydodyn, Cadeirydd yr Ynadon, yn cynrychioli'r Celt Normanaidd; Baker, yr ecseisman, yn sefyll fel fforestydd Sacsonaidd y brenin; a Benni Esgertylcau yn aros yn sgidiau'r Brython rhydd a'r herwheliwr beiddgar o gymoedd coediog y Cantref Mawr wedi ei ddal, a'i wysio o flaen ei well.

Fel y dywedwyd nid oedd hela yn neb o deulu fy mam; ac yr oedd hi'n fwy parchus o fân bethau'r gyfraith na 'nhad. Er iddi dreulio'r rhan gyntaf o'i bywyd priodasol ym Mhenrhiw lle'r oedd hela megis yn rhan o'r bywyd beunyddiol, nid wyf yn credu iddi elfentu rhyw lawer yn y gwaith o gwbwl. O leiaf, wedi dod i Abernant, a'r hewl fowr yng ngolwg bron pob modfedd o'r tir, ni chredaf i 'nhad gydio yn y dryll, unwaith, heb iddi hi awgrymu'n garedig y byddai'n well iddo beidio. Ond yr oedd 'nhad a'r cymdogion, ac eithrio Benni, weithiau, pan fyddai'r gŵr drwg wedi disgyn arno, yn ofalus rhag mynd i gwrdd â thrwbwl yn ddiangen; ac ni chafwyd achos o dor-cyfraith, o un pwys, yn erbyn neb ohonynt, erioed. Pwyllog a doeth oedd fy mam yn ei ffordd. Gwelai mor dreiddgar ac mor bell â neb; ond gallai gau ei llygaid, a chnoi ei thafod, oni byddai rhaid caled. Unwaith yn unig y clywais amdani'n ymyrryd ym musnes yr hela.

Pan oedden ni ym Mhenrhiw gwelsai fy mam, a feddai ar lygaid eithriadol o dda, ynghyd â rhai eraill o'r teulu, un o giperiaid Rhydodyn, tua mis Mai yma, yn cerdded yn llechwraidd a chwilotgar drwy'r allt dderi yr ochr draw i'r cwm, ac yn y gwernydd a'r anialwch gyda glan yr afon. Digwyddasai hynny ddwy neu dair blynedd yn olynol. Gwyddent neges y gwalch yn dda. Chwilio am nythod ieir ffesant yr oedd a dwyn yr wyau er mwyn eu gosod o dan ieir i'w deor a'u magu o gwmpas plas Rhydodyn. Gwelodd fy mam y gŵr yma, ryw ddydd Sadwrn, ym marchnad Llandeilo. Y tro hwnnw methodd ddal ei thafod. Dechreuodd yntau wadu na fu ef yno, o gwbwl. Mae'n bur debyg na ddywedodd hi ryw lawer o eiriau. Ond buont yn ddigon. Ni welwyd y ciper hwn, na'r un arall, yn cerdded y ffordd honno, byth wedyn.

Cyn gorffen â'r adar gwylltion yma a aeth â mi, yn ôl eu harfer, wedi unwaith eu codi, i lawer man na fynnwn fynd iddo, rhaid sôn am un pwynt arall a all fod o beth diddordeb cyffredinol, sef y modd y gall plentyn, ie, a dyn hefyd o ran hynny, yn gwbl onest, ei dwyllo ei hun yn ddifrifol, weithiau, a hynny'n hollol ddiarwybod iddo. Wedi dechrau mynd i'r ysgol ddyddiol, rhwng chwech a saith oed, y deuthum i wybod, a'm rhieni gyda mi, nad oeddwn i yn hollol fel rhyw blentyn arall—cyn belled ag yr oedd gweld â'm llygaid yn y cwestiwn. Jane, fy nghnither, oedd yr athrawes arnom, yn bennaf, pan own i yn nosbarth y babanod, yn y rhwm bach. Yn y rhwm mowr teyrnasai'r prifathro. Eisteddem ar feinciau bychain a osodasid yn dierau, y naill uwchben y llall, a'r lleiaf ohonom yn y rhes isaf. Gallai'r plant eraill, i gyd yn eu tro, o'u seddau sbelian y geiriau synfawr *'c-a-t, cat, s-a-t, sat, m-a-t, mat'*; a darllen, gyda thipyn o stacato, *'The cat sat on a mat'* a llun y gath uwchben yn edrych yn foddlon iawn arnynt. Ac yna dôi *'rat'* a *'bat'* a'u cymrodyr rywle i mewn yn y gytgan glochaidd, bob dydd. A dyna ni, blant Rhydcymerau, a'n traed yn ddiogel ar briffordd y *King's English*, a dim ond ni ein hunain, bellach, rhyngom ag ennill yr holl fyd. Rown i'n rhyfedd o hoff o Jane a'i gwallt cringoch a'i hwyneb siriol, crwn. Parai hi i mi ddod mas i ganol y llawr a darllen y siart ar yr esel yno. Cof gennyf am athrawes arall, a hynny yn yr Ysgol Sul, yn gwthio fy mhen yn erbyn y llyfr, am na allwn ddarllen ond print gweddol fras, a hwnnw o'i ddal yn lled agos at fy nhrwyn. Nid oedd spectalau yn ein gwlad ni, yr adeg honno, ond rhywbeth i hen bobl.

Heb ei gael, heb ei golli. Ni theimlais innau, erioed, unrhyw whithdod oherwydd y diffyg hwn yn fy ngolygon. Cefais glustiau da, a chorff cryf, a hoen ac iechyd, ar y cyfan, na allaf byth brisio'u gwerth, na diolch yn ddigonol amdanynt.

Ond at hyn y mynnwn i ddod. Lawer tro, ym Mhenrhiw, rwy'n cofio y rhai hŷn na mi yn siarad am haid o ffesants, neu o betris, ar y cae hwn neu'r cae arall—rhywun yn eu cyfrif, efallai, ac arall yn amau ei gywirdeb; yna, ei hailgyfrif, wedi iddynt wasgaru, neu grynhoi eto'n nes at ei gilydd wrth ddyfal loffa'r ŷd a'r tywys ar y sofl; neu, efallai y byddai yno gogio ymladd a neidio at ei gilydd gan y ceiliogod ifainc am eiliad neu ddwy, cyn mynd yn ôl at eu gwaith eto. Nid oeddwn i yn gallu eu gweld o gwbl—rhaid nad oeddwn; a gwyddwn hynny, rywle, yng ngwaelod fy meddwl, petai gennyf yr amynedd neu'r gonestrwydd i fynd lawr yno. Ond mor fyw oedd y siarad a'r disgrifio gan y perchenogion llygaid o'm cwmpas, a chymaint fy niddordeb innau yn yr adar pert hyn, a'm dychymyg yn fwy effro na'm cydwybod, fel y credwn yn bendant, wn i yn y byd mawr ym mha fodd, fy mod i'n gweld â'm llygaid o gnawd y cyfan a oedd yn mynd ymlaen . . . yn ddiarwybod i mi roedd byrdra fy ngolygon wedi estyn fy nychymyg, a gwneud celwyddgi bach ardderchog a chwbl onest ohonof. Ac o wybod popeth amdano pwy ohonom a all farnu a beio celwyddgi da, wedi'r cyfan?

Un o'r gwersi cyntaf a phwysicaf a ddysgais i, gan hynny, wedi mynd i'r ysgol ddyddiol, ydoedd fy ngorfodi i weld nad oeddwn i'n gweld—gwers lawer mwy anodd i'w meistroli na dysgu darllen dan gyfarwyddyd bys pwt Jane fy nghnither. Lle'r oeddwn i gynt yn ddall, ond yn credu fy mod i'n gweld, yr own i'n awr yn gweled nad own i'n gweld. Dyma'n sicr un o wersi caletaf a phwysicaf bywyd i lawer ohonom, canys yn ei dyfnder hi, rywle, y mae dechreuad doethineb ac ofn yr Arglwydd.

PENNOD IV

Gadael Penrhiw

Cyfeiriwyd yn nes yn ôl at Nwncwl Jâms a Nwncwl Bili (brawd fy nhad-cu) fel 'defaid brogle' yn hytrach nag fel 'defaid duon' y teulu. Rhaid pwysleisio mai term o hwylustod, o ddiffyg ymadrodd cymhwysach, yw'r 'brogle' a'r 'du' yn y cyswllt hwn; oherwydd, ar y cyfan, nid oedd eu cnufiau na duach na gwynnach na gweddill y gorlan. Rhyw ddafad ddu yn yr ystyr o fod yn od, a gwahanol i'r lleill ydoedd hon, a nodau banc Llywele yn drwm arni, ynghyd â pheth marciau Mynydd Mallaen, y tu hwnt i Gaeo, hefyd ar y croesiad olaf ohoni, medden nhw. Nid yn y cnufyn yn gymaint yr oedd y gwahaniaeth rhyngddi hi a'r defaid eraill, ond rywle o dan y croen, anos i'w leoli. Rhyw fath o bendro, neu bengamrwydd cynhenid ydoedd, a barai fod y gwrthrych yr effeithiai arno, yn fynych yn gweld y byd yn symud yn wrthdro i bawb o'i gwmpas. Dyna i chi yn awr Nwncwl Jâms a Nwncwl Bili. Ni allai neb estyn bys at y naill na'r llall a dweud ei fod e'n drwm yng ngafael yr un o'r Saith Bechod Marwol. Yn wir, gellid dweud eu bod, ill dau, yn fwy rhydd oddi wrth yr hacraf o'r rhain—Rhagrith, Cybydd-dod, Hunanoldeb—na'r mwyafrif o'u cyfoedion. Am wn i nad eu hanfydolrwydd (nid eu harallfydedd) ydoedd eu pechod pennaf, yn ôl safonau'r byd o'u hamgylch. Ac nid oedd eu pechodau cyhoeddus yn ddim düach na thuedd mewn cwmni, ar adegau, i godi'r bys bach yn amlach nag oedd ddoeth iddynt.

Rhyw styfnigrwydd gwrthnysig nad oedd wiw ymliw ag ef, a hynny, fynychaf, ynghylch manion dibwys, fel y dywedwyd, ydoedd eu nod angen. Byddent yn llawer mwy wrth eu bodd yn treulio diwrnod cyfan i bilio brwynen nag wrth ymegnïo yn y gamp o gwympo derwen. Ac wrth sylwi ar y pabwyryn llwyd a difreg a grafwyd o'r frwynen erbyn diwedd y dydd gallaf ddychmygu am Nwncwl Jâms, a'r lisb ysgafn honno, hanner y ffordd rhwng 's' ac 'th', yn dweud yn galonnog, 'A diawtht i, boith, nid pawb alle wneud jobyn bach fel hyn, nawr!' Nid hwyrach, hefyd, fod gan reddf yr artist, rywle i lawr yn y dyfnder, lle y mae amser a thragwyddoldeb yr un, rywbeth i'w wneud â hyn; oherwydd fe aned Nwncwl Jâms i fod yn gantwr, ac yn ddim byd arall mewn bywyd. Yn y byd hwnnw yr oedd ar ei ben ei hun. Ymhob byd arall gallai fod yn niwsens, yn fwy o rwystr, yn fynych, nag o help. A math o ddiwinydd gwrthgiliol ar faes y byd, neu, o leiaf ysgrythurwr nodedig graff, ydoedd Nwncwl Bili, yn ôl y tameidiau hynny o dystiolaeth amdano sydd wedi aros ar fy nghof, er yn blentyn. Gwŷr disyml, unplyg oedd y ddau ohonynt yng ngafael rhyw un nwyd, a honno, o fewn eu cylch cyfyng, di-uchelgais hwy, heb obaith ei throi'n gyfrwng bywoliaeth iddynt. Ni chafodd Nwncwl Bili ddigon o ras ac o nerth yr ysbryd i drechu'r Hen Adda ynddo a'i orfodi i fynd i bregethu fel Josi ei frawd, Josi Llywele, y gŵr ifanc duwiolfrydig a fuasai farw'n bump ar hugain oed. Heblaw eu bod yn gyndyn, anhydrin wrth natur, rhwystrwyd y ddau yn eu datblygiad naturiol; a byddai'r seicolegwyr, y bobl yma sydd â'u gwybodaeth mewn rhai pethau y tu hwnt i'r Hollwybodol, yn barod i ddweud, efallai, mai dyna'r esboniad ar eu methiant cymharol mewn bywyd, gan eu gwneud yn ddefaid brogle'r teulu. Ac yn ôl y darogan bore a glywais, lawer gwaith, gan fy nhad druan yn ei natur wyllt, a'r storm yn torri o gylch fy nghlustiau, rown i yn olyniaeth uniongyrchol y ddafad ryfedd hon. Ond whare teg i 'nhad roedd cael tair o'r rhain o fewn ei gorlan, yr un pryd, yn gryn gyfrifoldeb. A gorau po gyntaf i gropio cyrn yr oenig yn eu plith, cyn iddi ddechrau topi.

Tystiolaeth fy mam, ac yr oedd hi mor agos ati â neb, fel rheol, sydd gennyf yn bennaf am Nwncwl Bili, ac yntau fel y dywedwyd, yn ei henaint musgrell yn treulio wythnosau a misoedd bwy gilydd ym Mhenrhiw, ar adegau; ac Ann ei ferch a ofalai amdano, a Let, ei merch hithau, weithiau yno gydag ef. Yn ôl a gasglwn amdano gallai styfnigrwydd Nwncwl Bili, o gael achos digon teilwng, wneud merthyr ohono, a'i onestrwydd egwyddorol, mewn rhai pethau, ei wneud yn sant. Ond yn gymysg â hyn oll yr oedd rhyw bengamrwydd pinwyngar a'i gwnâi hi'n fynych yn anodd iawn byw gydag ef. Roedd gan fy mam a welai ei rinweddau, megis ei eirwiredd a'i ddidwylledd, ac a edmygai ei gof a'i wybodaeth ryfeddol afaelgar o'r Beibl, eirda iddo, bob amser.

Ond rhaid cyfaddef nad oedd aelwyd Penrhiw, tra fyddai Nwncwl Bili a'r fegin a'r ffon aflonydd honno yn bugeilio pentewynion y tân, yn lle cysurus iawn i fyw arni. Nid oedd y gweision a'r morwynion, er yn parchu ei henaint ac yn mwynhau ei storïau am slawer dydd pan fyddai'r hwyl arno, yn malio fawr amdano; a byddai Pegi a finnau, yn blant bach, o dan ei gerydd am rywbeth neu'i gilydd, cyn amled â neb.

Ryw ddiwrnod, gyda chreulondeb plant, dialodd y ddau gythraul bach ohonom yn ddiffaith arno. Roedd 'nhad a'm mam oddi cartref, mewn ffair neu farchnad, yn ddigon tebyg, a neb ond ni'n dau, ar y pryd, yn y gegin. Roedd Nwncwl Bili a gysgai yn y gwely cwpwrdd, gwely Nwncwl Jâms a finnau'n arfer bod, heb godi. Efallai fod ein wharae ni dipyn yn stwrllyd ar yr aelwyd, a'r hen ŵr am gael llonydd i gysgu ymlaen, ac iddo ein dwrdio ni. Roedd trowser rib Nwncwl Bili, rywle, gerllaw'r gwely yno. Cymerasom ninnau fantais ar y sefyllfa drwy ymaflyd un ymhob coes iddo, a dechrau campro o gwmpas y tŷ. Yn fuan datblygodd y trowser yn fath o gerbyd ysgafn, *phaeton*, mae'n debyg, a dau geffyl porthiannus yn ei dynnu, a'i bart ôl yn sgubo llawr y gegin mewn cylchau. Cymaint oedd yr hwyl a gaem, erbyn hyn, fel nad oedd waeth i Nwncwl Bili, druan, weiddi arnom, fwy na pheidio. O'r diwedd, cododd atom yn ei grys a'i ddros, a'i deyrnwialen, y ffon, yn ei law. Nid oedd dim amdani wedyn, ond estyn cortynnau maes yr ymryson, ac allan â ni i'r clos a'r cerbyd yn torchi wrth ein sodlau. Roedd hi'n ddiwrnod heulog braf, ganol haf. Methai'r hen ŵr, a'i wynegon drwg, ddod yn nes atom na charreg yr hiniog. Ac yno ar y creigle sych o flaen ei drwyn, gan fentro, weithiau, yn beryglus o agos i'r ffon y parhawyd y gêm ddiras yma, hyd nes i ni, o'r diwedd flino arni, a thaflu'r trowser yn ôl at ei draed, a mynd i ddifyrru ein hunain wrth rywbeth arall. Wrth feddwl am y tro mae'n flin gennyf, weithiau, am hynny. Ond fel y dywedodd Twm Coch yn yr adnod honno a ddysgodd Nwncwl Josi iddo, slawer dydd, 'Plant yw plant, a phlant fyddan nhw dro, hefyd'.

Gosodwyd Nwncwl Bili uwchben ei draed fwy nag unwaith wrth ddechrau ei fyd—yng Nghwm Du a ffiniai â Llywele, yn gyntaf oll. Ond yn ymadrodd cwrtais gwŷr

Dyfed am rywun yn mynd yn ôl yn y byd—'i Dre-din' yr aeth e, bob tro. Diau y gallai yntau adrodd ei brofiad, yn weddol gywir, yng ngeiriau'r hen ffermwr a wybu'r daith dwmpathog honno: 'Y ffordd *i* Dre-din, welwch chi, sy waetha,' meddai hwnnw, yn eitha cysurus. 'Wedi cyrraedd yno dyw hi ddim cynddrwg.' Claddodd Nwncwl Bili ei wraig yn gynnar; ac aeth ei blant ar wasgar—y ddau fab i'r gweithiau, o dipyn i beth; a dyna'r hanes olaf a glywais i amdanyn nhw. Bu Ann, ei ferch ddibriod, yn forwyn am flynyddoedd yng nghegin y Dre Newydd, yr enw lleol, hyd heddiw, ar hen blasty Dinefwr gerllaw Llandeilo.

Clywais lawer stori am Nwncwl Bili nad oes ofod i'w hadrodd yma. Roedd ef a'i bartner, Benni Bwlch y Mynydd, gŵr nad oedd ei wreiddiolach yn y wlad, un tro wedi cymryd contract gan ryw ffarmwr digon tyn am y geiniog, i godi clawdd. Nid oedd ball ar Bili yn pwno ac yn pwno'r pridd a'r clotasau i lawr er mwyn gwneud y clawdd yn gadarn ac yn solid. 'Gan bwyll, nawr, Bili,' meddai Benni, o'r diwedd, gan ledu ei gorff byr, cydnerth, o'i flaen, a dweud yn ei ffordd arafbwyllog ei hun, 'Am *godi*'r clawdd yma rŷn ni'n dou yn ca'l *'yn talu, on'tefe,* nid am *'i wado fe lawr'*, ac ar yr un pryd yn gwanu cropyn mawr o eithin o fol y clawdd i'w gladdu yno o'r golwg. Fe ddeuthum i oddi yno cyn gwybod sut y bu hi wedyn rhwng y ddau hen ffrind. Ond yn y bwthyn bach to gwellt a'i furiau gwyngalch glân ar fwlch y mynydd fe fagodd Benni a Mari, rywfodd, ddeuddeg o blant, heb fynd i ddyled neb, a'r rheini mor iach ac mor gadarn â hwy eu hunain. Y tro cyntaf i mi fod yn darlledu 'Benni Bwlch y Mynydd' oedd fy nhestun. Haedda Benni a Mari gofiant cyflawn. Ymhen y rhawg priododd Tim, mab hynaf Benni a Mari, â Ruth, merch hynaf Dafydd a Nel 'r Efail Fach. Bu iddynt hwythau, hefyd, fel eu rhieni o'r ddwy ochr, deulu lluosog iawn. Disgynyddion iddynt hwy, a stamp yr hen stoc ragorol hon arnynt, yw asgwrn cefn cymdeithas ym mhentref eang Gwauncaegurwen heddiw.

Roedd Nwncwl Bili, mae'n debyg, o gorff llawer trymach na'i frodyr, fy nhad-cu a Jemi Cilwennau, ac o wawr gochlyd, fel petai o frid gwahanol. Dywedid, hefyd, ei fod yn ymladdwr ffyrnig, di-ildio, unwaith y cyffroid ef. Dyma'r stori a glywais i, o'r tu fewn i'r teulu, gan nad beth am y ffeithiau sylfaenol o'r tu ôl iddi, gan fod storïau fel hyn yn tueddu i dyfu fel sagas: Roedd ef a Jemi'r Wenallt wedi troi i mewn i dafarn Cwm Ann, y tu faes i dre Llambed ar ochr Sir Gaerfyrddin, ar y ffordd adref o ryw ffair. Digwyddai'r stafell yr aethant iddi fod yn llawn o Gornishmen o waith mwyn mynydd Cellan—wyth ohonynt, meddai'r stori. O dipyn i beth dechreuodd rhai ohonynt figitian y ddau Gymro, a thynnu cweryl. Pan welodd Jemi ei bod hi'n twymo at sgarmes yno cyrhaeddodd gic ar un o'r Cornish, a dianc drwy'r drws, gan obeithio'n ddiau y byddai Bili, o dan yr amgylchiadau, yn ei ddilyn. A dyna'r uwd i'r tân. Roedd allwedd y stafell yn digwydd bod yn y drws, o'r tu fewn. Clôdd un ohonynt y drws, gan roi'r allwedd yn ei boced. Trechu neu drengi amdani, bellach. Yn ôl y stori eto—coes y stôl yn llaw Bili oedd yr unig ddarn cyfan o'r celfi ar ôl erbyn gorffen y dyrnu a'r malu a fu yno.

Fodd bynnag, wedi i'w gartref chwalu, drifftio a wnaeth Nwncwl Bili, a'i gael ei hun yn y canol oed yn gyrru da i Loegr. Ef oedd yr olaf ond un o'r hen yrwyr gwartheg yr wyf i'n eu cofio. Yr olaf oll oedd yr hen Ifan Pant y Crwys, a'i blant ieuengaf yn yr ysgol yr un pryd â mi—a Ianto, hir ei ên, brychlyd ei wyneb, a'i gap a chlustiau yr un ffunud â'i dad, ac yn llawn mor ddoniol, yn yr un dosbarth â mi. Mae Pant y Crwys ar y mynydd, ddwy filltir dda o'r pentre. Ar dywydd garw esgusodid y plant gan y prifathro caredig am fod yn ddiweddar yn cyrraedd yr ysgol ambell dro. Y boreau hynny, o roi coel ar Ianto'r mab, byddai pethau rhyfeddach wedi digwydd, yn fynych, na dim a welsai ei dad, erioed ar ei deithiau maith i Loegr; ac yr oedd hynny'n dweud tipyn. Un tro, roedd Dafydd, ei frawd, ac yntau, wedi darganfod rhyw ogof ar dop tir Cae Melwas, ac wedi bod ar goll yno am ddiwrnod cyfan. Dyna pam nad oeddent yn yr ysgol y diwrnod cynt. (Roedden ni wedi bod yn darllen gyda blas rhyfeddol, beth amser cyn hynny, am y dewin a'r llanc o ffair y Bala yn dod o hyd i Ogof Arthur a'i filwyr 'wrth droed craig fawr'.) Fore arall, wedi cyrraedd yr ysgol tuag un ar ddeg o'r gloch, yn wlyb i'r croen, roedd Wil Huws, cynydd pac bytheuaid y Neuadd Fawr, a'r ail gynydd gydag e, yn 'u cotiau cochion, wedi codi Dafydd 'i frawd ac yntau, a'u gosod o'r tu blaen iddynt ar eu cyfrwyau. A dyna lle buont, drwy'r bore cyfan yn calapo ac yn neidio dros y cloddiau a'r perthi dros fanc Rhiw'r Erfyn a Chefen Blaenau, Pant Streimon a Blaen Ceument. Fu erioed shwd helfa. O gwmpas y stof yr hanner dydd hwnnw, a'r mwg yn codi fel simnai oddi ar ddillad yr adroddwr, anghofiem am ein bwyd gan lyncu'r storïau hyn gyda'r un eiddgarwch ag y derbyniem stori Ogof Arthur gan Owen M. Edwards. Nid oedd Ianto'n fawr o sgoler yn y dosbarth; ond am lunio rhamantau fel hyn, a'u pwysleisio ag ystum corff ac wyneb nid oedd ei debyg yn yr ysgol. Nid oeddwn i'n byw'n ddigon agos at ei dad i glywed ganddo ef ei hun helyntion ffordd Loegr. Ond fe glywais i rai o'r storïau am Nwncwl Bili a oedd, o'r ochr arall, yn boenus o fanwl a chydwybodol yn adrodd yr hanesion. Rown i braidd yn rhy fach i'w gofio ef ei hun yn eu hadrodd; eu clywed gan eraill yn ddiweddarach a wneuthum i.

Rhennid y gyrroedd gwartheg o ddeucant neu fwy yn rhyw bedair neu bum carfan, mae'n debyg, a gyrrwr rhwng pob un. Byddai'r Sais a'r bargeiniwr gorau yn eu plith, fel y bydd trafaeliwr syrcas, o hyd, ryw ddiwrnod da o flaen y lleill, yn trefnu am le pori i'r anifeiliaid a llety i'r gyrwyr dros nos.

Un tro, yn ôl Nwncwl Bili, gwylltiodd yr haid wartheg gan rywbeth neu'i gilydd—*estampido* yw'r gair Sbaenaidd am beth o'r fath yn ôl y geiriadur, ac y mae 'stampido', felly, yn llawn cystal gair Cymraeg ag ydyw *stampede* o air Saesneg—gan redeg, yn ddi-stop am yn agos i dair milltir, a'r gyrwyr druain yn gorfod rhedeg gyda hwy. Bywyd caled oedd bywyd y gwŷr hyn, ar y cyfan. Eu tâl pennaf ydoedd cael gweld y byd. Rhag ofn i rai o'r da geisio dianc, neu i ladron ddod yno i'w dwyn, byddai'n rhaid i un neu ddau o'r gyrwyr aros yn y cae drwy'r nos, gan gysgu cyntun, weithiau, ym môn y clawdd, wedi i bopeth dawelu, a'r eidionnau i gyd yn gorwedd.

Oherwydd eu cyd-fagu'n blant a gwybod am ei onestrwydd digwestiwn, a'i nerth corff, efallai, bu Nwncwl Bili, yn ei gyfnod fel gyrrwr gwartheg, yn fath o *bodyguard* i'r hen Ddafydd Gilwennau (tad-cu Mrs Vernon Lewis, Aberhonddu), pen porthmon plwyf Llansewyl, yn ei ddydd. Nid oedd banciau a sieciau'n bethau cyffredin yr adeg honno, er fod Banc yr Eidion Du a gychwynnwyd yn Llambed a Llanddyfri gan hynafiaid y Cyrnel Ifans o'r Dolau Bach, Llanybydder, yn bennaf at ddibenion y porthmyn hyn, wedi ei sefydlu'n barod. Mewn aur ac arian y telid pawb, y pryd hwnnw, ac yn hir, wedi hynny. Nid oedd cario ar ei berson, felly, rai cannoedd o sofryns melyn, weithiau, wedi gwerthu gyr o wartheg yn ffair Barnet, neu rywle cyffelyb ym mhen draw Lloegr, yn orchwyl i'w chwennych gymaint â hynny. Roedd gwŷr llygadog, beiddgar, fel heddiw, ar ben y ffyrdd ac yn mynychu gwestyau. Weithiau, yn ôl yr hanes, câi Nwncwl Bili, yn ei wisg gyffredin fel gyrrwr gwartheg, y cyfrifoldeb o ddwyn yr arian hyn yn ôl i Gilwennau Isa, Llansewyl. Yn ôl yr arferiad, talai'r porthmon am yr anifeiliaid, fel rheol, wedi dod yn ôl o'r ffeiriau yn Lloegr, â'r arian yn ei boced. Dywedir i Nwncwl Bili, ar ryw achlysur arbennig—a rhent Rhydodyn yn ddyledus ar y deiliaid ar ryw ddyddiad arbennig, efallai—gerdded yn ôl yr holl ffordd o un o'r ffeiriau hyn yng nghyffiniau Llundain, mewn tridiau a theirnos, a dau gant o bunnau wedi eu rhwymo arno, yma a thraw, ar ei gorff—peth ohonynt, meddai'r stori, yn ei sanau. Ffair Barnet oedd Cape Horn yr hen yrwyr hyn. Roedd y sawl a fu yn Ffair Barnet ac yn ôl, nifer o droeon, yn arwr yn ei ardal, yn enwedig os meddai ar ddawn Ifan Pant y Crwys i adrodd yr hanes.

Bu fy nhad-cu farw ym mis Mai 1886. Yn ei ewyllys rhannodd Benrhiw a'r Byrgwm yn ddau le, drachefn, fel yr arferent fod cyn iddo ef eu prynu yn 1839, a'u gwneud yn un ffarm. Roedd hen dai'r Byrgwm wedi syrthio i bwll ymhell cyn amser fy nhad-cu, er fod peth o'u hôl yno, a'r ardd gerllaw, hyd heddiw. Roedd Nwncwl Jâms, y cyw melyn olaf, bum mlynedd yn iau na 'nhad, ac yn sengel; a chan mai 'nhad a fu'n cario baich y gwaith a'r cyfrifoldeb gyda 'nhad-cu, drwy'r blynyddoedd, ac yntau'n awr yn briod a dechrau magu teulu ar yr aelwyd, nid rhyfedd mai iddo ef y gadawodd yr hen ŵr yr hen gartref ym Mhenrhiw yn etifeddiaeth. Rhoddodd y Byrgwm a oedd tua'r un faint o ran erwau â Phenrhiw i Nwncwl Jâms, ynghyd â swm neilltuol o arian at godi tai ar y lle, pe digwyddai i'm hewyrth, ryw dro, feddwl am hynny; a hefyd, hanner gwerth y gelltydd ar eu traed ar Benrhiw, ar y pryd, pan gwympid hwy. (Ni chodwyd yno garreg byth, na breuddwydio am hynny. Ond 'diawtht i', bu raid i 'nhad dalu'r arian.) Ni allai Nwncwl Jâms, felly, achwyn ar ei lwc, yn enwedig o gofio ei gyfraniad gweddol ysgafn ef at gyllid y teulu, yn ystod ei oes. Yn ôl y trefniant a wnaed rhwng y ddau frawd, wedi marw eu tad, arhosai Nwncwl Jâms ymlaen ym Mhenrhiw, gan rentu'r Byrgwm i 'nhad. Roedd y drefen hon, yn ddiau, yn taro f'ewyrth yn dda, gan y rhyddheid ef, yn awr, o bob cyfrifoldeb am waith a chynllunio ac ymdrechu drosto'i hun. Roedd Nwncwl Jâms beth dros ei ddeg ar hugain oed ar y pryd; ac am y deng mlynedd nesaf, hyd nes iddo, o'r diwedd, wedi troi'r deugain yma briodi, a dechrau ei fyd ei hun, cafodd, gallwn feddwl, haf y ci coch ohoni, a threulio bywyd rhydd ac ysgyfala rhyfeddol. Fel tâl am ei fwyd a'i lety, yn un o'r teulu, câi weithio, neu beidio, yn ôl ei ewyllys, gyn lleied neu gymaint ag y fynnai. A chan mai canu a charu ydoedd dwy elfen lywodraethol ei fywyd yn ystod y cyfnod rhamantus hwn yn ei hanes, ni ellir casglu iddo golli rhyw lawer o chwys ar lethrau serth Penrhiw a'r Byrgwm.

I'w gynorthwyo i ddilyn ei anian yn fwy effeithiol cadwai goben ysgafn, heini, at ei wasanaeth—Bess, neu Hen Boni Nwncwl Jâms, fel y galwem hi'n fynych. Gwinau ei blewyn, hir ei chloren ydoedd Bess, a rhawn ei chynffon wedi ei siswrno'n sgwâr uwchben y garrau, fel ceffyl Doctor Ifans. Weithiau, hefyd, fe'i llysenwid yn 'Ni-i'. Wn i ddim o'i hanes bore; ond credaf mai 'nhad-cu a'i prynodd hi, rywle, i fod yn geffyl brwchgáu (marchocáu) iddo ef. Roedd hi o natur uchel, a gallai redeg a gweithio drwy'r dydd heb flino. Rhaid fod rhywrai wedi ei cham-drin, yn ifanc, gallwn feddwl; oherwydd, am ryw reswm neu'i gilydd, dim ond i chi ddweud y gair 'Ni-i', gyda thipyn o bwyslais gwichlyd arno, caech weld ei chlustiau bach, deallus, yn gwasgu'n ôl ar ei gwar, a golau byw, peryglus, yn dod i'w llygad. Cystal i'r ffwlcyn difaners a'i llysenwai, felly, yn ei chlyw, gadw pellter parchus rhyngddo a hi yn y mŵd hwn. Ond i'r cyfarwydd a'i triniai'n barchus roedd mor hywedd â'r oen.

Pe cawsai'r ferlen fywiog hon fenthyg safn asen Balaam, am dro, diau y gallasai adrodd ambell stori ddiddan am 'nhad-cu ac am Nwncwl Jâms, ei dau brif farchogwr: am 'nhad-cu yn mynd i gyrddau'r wythnos ar ei chefn, a gweddi ac emyn ar ei wefusau, ac yn dod yn ôl o ambell ffair a rhyw lawenydd dieithr yn ei galon, gan fod yn hynod foesgar a charedig ei eiriau wrthi; ac am helyntion caru Nwncwl Jâms hyd ffyrdd cul a llydain pedwar plwyf. Digoned un neu ddwy o'r cyfryw yma'n awr:

Fy mam a glywais i'n adrodd y stori hon o ben y plisman a ddigwyddai fod yn Llansewyl tua'r adeg y bu farw 'nhad-cu, meddai hi. Noson dywyll oedd hi, ganol gaeaf, yn ôl y P.C., ac yntau ar ei rawd swyddogol. Clywai rywun yn comando ceffyl ar y ffordd. Pan ddaeth gyferbyn dyma orchymyn pendant yn dod iddo ef o'r nos. 'Dere yma, boe, rho help llaw i fi i fownto'r creadur yma,' meddai'r llais. Jaci oedd yno ar ei ffordd yn ôl o Lambed, nid nepell o Dŷ Jem. Nid oedd ganddo syniad pwy oedd y 'boe' a'i cynorthwyodd mor ofalus yn ôl i'w gyfrwy; ac aeth i'w ffordd yn llawen ddiolchgar am y gymwynas, a'r heddgeidwad caredig i'w ffordd yntau dan chwerthin.

Rai blynyddoedd wedyn Nwncwl Jâms oedd ar ei chefn, a Neli'r Cart, yr hen dafarnwraig ddoeth a chraff sy'n adrodd y stori. Roedden nhw newydd fod yn dewis blaenoriaid yng nghapel Rhydcymerau, a'm hewyrth druan, er chwerw siom iddo, a bod yn onest, am yr ail neu'r trydydd tro, wedi ei adael y tu allan i gylch yr etholedig ymhlith yr etholedigion Calfinaidd. Prynhawn hyfryd o haf ydoedd hi, a'r haul yn ei anterth uwchben. Yn sydyn, clywodd Neli, medde hi, sŵn ceffyl yn carlamu'n arswydus lawr drwy'r pentre. Aeth i ben y drws i gael gweld beth oedd yn bod. Gyda hynny, dyma ddyn ar gefn ceffyl yn dod fel taran heibio i dro'r Efail Fach, gan neidio'r afon heb gwrdd â'r dŵr (nid oedd pont yno'r pryd hwnnw) a disgyn 'glatsh' o flaen y drws. 'Diawtht i, Mythyth Jinkinth, petai hi'n rathith blaenoriaid ar gefen ceffyle yn Rhydcymere'r wthnoth ddiwetha, dyma'r bachan bach fydde miwn, dop y pôl,' meddai'r marchog gan sicrhau'r raens wrth y peg haearn yn y wal gerllaw. Nwncwl Jâms oedd y gŵr hwn yn bwrw'i ddig yn fflamau tân drwy garnau 'Ni'i' yn erbyn y gymdeithas dwp na allai weld na chydnabod ei deilyngdod ef i eistedd yn sedd ei dadau. A than eneiniad peint neu ddau i ryddhau llinynnau'r galon cafodd Neli, weddill y prynhawn, rai o sylwadau byw y blaenor gâdd ei wrthod am rai o'r bodau amherffaith hynny a'i blaenorodd ef yn y dewisiad ychydig ddyddiau ynghynt. Ni wiw coffáu'r sylwadau hynny yma'n awr er y byddent, efallai yn eitha difyr. Ond wrth basio gallaf ddweud na chlywais i neb erioed wedi ei ddonio â'r fath huodledd i ddatgelu a dannod ffaeleddau 'i gyd-ddyn, ac, ar yr un pryd, i ganu clod ei rinweddau'i hunan, ag a feddai Nwncwl Jâms pan gorddid ef i'r mŵd cynhyrfus hwn. Codai i ryw fath o ecstasi, yn ymylu ar athrylith, dan ddylanwad y cyfryw ysbryd—fel petai holl egnïon rhwystredig ei natur wedi torri'n rhydd a chymryd y bit rhwng eu dannedd. Nid oedd atal yn bosib nes llwyr fynd allan o wynt a phob gair bron yn cyrraedd adre.

'Gwedwch chi'n awr 'te, Mythyth Jinkinth, rhyngom ni'n dou, fan hyn—pwy thy wedi codi thafon canu Rhydcymere i'r lle uchel y mae e ynddo ar hyn o bryd, a phob pregethwr thy'n dod i'r capel yma, oth bydd dim yn 'i glopa fe, yn canmol 'yn canu ni, pwy, meddech chi, thy'n gyfrifol am hyn i gyd—ond y gŵr hwn—a Dafydd Ifanth y Siop, ryw dipyn, falle? A 'drychwch y diolch rwy wedi'i ga'l gan y diawled, a 'mod i'n gweud shwd beth. Odi, Neli, mae e'n ddigon i hala thant i regi . . . A dyna Hwn-a-Hwn, yto (dyn a'i lygaid yn twician yn fynych) faint o werth yw e mewn cwrdd gweddi, leicthwn i wbod—dim ond thefyll fel potht heb allu canu cegod, rhoi rhyw winc dro bob llathed 'ma, a gweud ambell i "Ha-h'm" a hynny yn y man rong, bob amther. Na, wn i ddim beth thy'n mynd i ddod o'r eglwyth yma. Fe fydde'r hen bobol yn troi yn 'u bedde, bydden Mythyth Jinkinth . . .'

Dro arall, ac yntau'n ŵr y Dolau, yn awr, a chanddo dri o blant, William John, a'r ddwy efeilles, Marged a May, dywedir amdano'n dreifio i mewn drwy fwlch y clos yn y cart a'r cratsis, wedi bod ym marchnad Llanybydder, a'r olwg arno, er mawr ofid i Nanti Elinor druan a'r crotesi bach, yn bradychu'r gwirionedd yn rhy amlwg o dipyn. Ond meddai Nwncwl Jâms, mor llon â'r brithyll, gan neidio, whiw, o'r cart: 'Ha ferched Jeruthalem, nac wylwch o'm plegid i; eithr wylwch o'ch plegid eich hunain!'

Soniais am Nwncwl Jâms yn leico dyferyn bach; a hynny'n ddigon tebyg yn ei gadw'n ôl o gyrraedd camp fawr ei uchel nod ar hyd ei oes. Ond dylid ychwanegu nad oedd yr hyn a yfai mewn blwyddyn gron yn ddigon i roi un bws teidi i dincer da teilwng o draddodiadau 'i dadau. Roedd o galon ysgafn, ac yn hoff o gwmni—'cered y byd a'r sawl a'i hoffo'. Ac fel y dywedai rhywrai amdano—roedd gweld sein tŷ tafarn yn ddigon iddo godi hwyl, heb sôn am fynd i mewn. Tua hanner yr ail lasaid, os byddai'r frawdoliaeth yn gynnes, nid syn fyddai ei glywed yn dweud: 'A, diawtht i, boith, ambell waith rŷn ni'n cwrdd fel hyn. Rhaid cael tonc bach nawr cyn mad'el. Do—mi—tho—do, tho—mi—do!' Ac yna bant â hi, gan sythu'n ôl ar ei gefn, cadw'r amser â'i droed, ei lygaid bach bron ynghau, wedi ymgolli yn un o hen Ddarbis eisteddfodau'r cyfnod, neu efallai, mewn darn o anthem a gofiai er pan oedd e'n aelod o gôr Price bach Wern 'Digaid. Yn y cwrdd gweddi, yr wythnos wedyn, hwyrach y ceid ef yn tynnu wrth raffau'r addewidion gyda'r un sobrwydd a dwyster mawr. Ond ni wnâi'r tro i ŵr a ganai mewn tŷ tafarn gamu o fewn y sêt fawr—ond i adrodd ei gyffes mewn edifeirwch.

Rown i'n hoff iawn o Nwncwl Jâms yn y cyfnod cynnar hwn, ac wrth ei gwt ymhobman. Y tebyg a dynn at ei debyg, medden nhw. Ei enw ef arnaf i cyn cael etifeddion ei hunan oedd 'tifeddyn'. A'm henw innau arno ef, ar un adeg, medden nhw, eto, oedd 'Nwncwl Bow Down', gan mor hoff yr oedd ef o ganu'r darn enwog hwnnw, *'We Never, Never, Will Bow Down'*, wedi ei ddysgu, rywbryd, yng nghôr Price bach, yn ddigon tebyg. Ar ddiwrnod ffair neu farchnad pan fyddai 'nhad a'm mam oddi cartref, a Nwncwl Jâms yn frenin y dydd, y byddai rhai o'r pethau mawr hynny sydd wedi aros yn arbennig yn fy nghof i yn digwydd, fynychaf. Dyma un tro, er enghraifft, yr wy'n ei gofio bron mor glir heddiw â'r dydd y digwyddodd:

Rhyw fore yn union wedi brecwast yma oedd hi, bore hyfryd tua hanner mis Mai, yn ôl yr argraff sydd gennyf am liwiau'r coed a ffresni'r caeau—ac fel pe buasai wedi bod yn bwrw glaw y noson gynt. Roedd fy rhieni eisoes ymhell ar y ffordd i Landeilo neu i Lambed efallai. Wn i ddim sut y dechreuodd hi: ond yr oedd twr bach ohonom ni, y morwynion a'r gweision, Nwncwl Jâms a Pegi a finnau, a'r cŵn, gellwch fentro, rywfodd wedi casglu ynghyd wrth dalcen isa'r tŷ-byw gwyngalch, gyferbyn â'r Cwm Bach. Gwylio gwiwer fach yr oedden ni yn neidio'n hoyw o gangen i gangen ar y coed ynn a masarn a llarwydd tal sy'n cysgodi'r clos. O weld cynifer o'r bodau rhyfedd, stwrllyd hyn ar y llawr o dani ac yn syllu arni roedd y creadur bach wedi dechrau gwylltu. Er mwyn diogelwch, gellid barnu, neidiai i gangen uwch ac uwch o hyd, nes o'r diwedd ei chael ei hun ar y brigyn uchaf oll y gallai hi'n ddiogel siawnsio ei chorff ysgafn arno. Yn deg neu annheg câi'r gwiwerod y bai am niweidio blaenion y coed pin, a thrwy hynny andwyo irder a sythder eu tyfiant. Awgrymodd rhywun i Nwncwl Jâms fynd i hôl y dryll ati—Mari Ffidl-Ffadl, yn ddigon posib. Roedd gan f'ewyrth ddawn nodedig i lunio llysenwau ffraeth ar rai pobl. A 'Mari Ffidl-Ffadl' oedd yr enw ganddo ar groten o ail forwyn yno, rhyw dwlpen fach, dew, wynepgoch a fyddai'n rhedeg drot-drot trwy'r dydd gwyn, heb fod fawr yn nes o'i dal hi, erbyn nos. Ei enw, gyda llaw, ar y forwyn fowr oedd 'y Bwch', merch gref iachus, a dau lygad brown, syn yn ei phen—merch sgaprwth am dynnu gwaith drwy'i dwylo, ond a oedd dipyn yn swrth a diseremoni yn ei dull o siarad. Erbyn heddiw, credaf fod peth o ofn 'y Bwch' ar Nwncwl Jâms. Nid oedd ganddi hi fawr o amynedd â neb yn tindwyran uwchben y gwaith. Ac weithiau, pan fyddai ef wedi bod yn fwy o rwystr nag o help, fel y gallai fod yn fynych, câi wybod ei barn hi amdano mewn geiriau lled groyw. Dyna a ysbrydolodd yr enw 'Bwch' yn ddigon tebyg. Ond yr oedd y Ffidl-Ffadl wrth ei fodd. Iddi hi fel iddo yntau nid oedd na gwaith nac amser yn cyfrif fawr o ddim mewn bywyd. 'A, diawtht i, Mari Fach, rwyt ti'n eitha reit—isie ca'l mei ledi yco lawr thy,' dychmygaf f'ewyrth yn 'i ddweud.

'Mae gormod o'i hôl hi ar y gelltydd yma'n barod. Cer i mofyn y dryll, Harith bach.'

Fel y dywedwyd yn barod, nid oedd Nwncwl Jâms yn saethwr o gwbl, oherwydd ei olygon byr. Ond yr oedd ganddo ddryll da—dryll dwbwl faril a'i stoc o fahogani tywyll, ond heb agos digon o gamu ynddo i neb allu cael lefel rwydd arno. Gwyddai pawb, bellach, wedi i'r dryll hwn ddod i'r maes, ei bod hi i fod yn ddiwrnod i'r brenin. Ac yr oedd Mari Ffidl-Ffadl, fel Mac y ci defaid, yn gwichad ac yn ysgwyd ei chynffon gan falchder. Ni fu'r fath ddiwrnod er pan ddaeth hi yno G'lan Gaea cynt.

'Jâms bach, saethwch chi byth mohoni,' myntai'r forwyn fowr, o weld gwastraffu amser pawb fel hyn, a gwaith ar eu dwylo.

'A, diawtht i, ti'r Bwch thy'n siarad, ie fe? Cer i'r tŷ i roi'r cawl ar y tân, dyna gwd gerl fach.' Gwddai Nwncwl y ffordd i'w gwneud yn ynfyd grac, bob amser, drwy alw'r enw hwn arni. Ymadawodd hi yn ffrom. Roedd y Ffidl-Ffadl ormod yn ysbryd y darn i glywed y gorchymyn i'w dilyn.

Aeth y paratoadau ar gyfer y Bisley yn eu blaen, a Nwncwl Jams yn wron y dydd. O'r diwedd wedi anelu'n hir a phawb yn dal ei anal, dyma ddau ergyd, 'Powns! Powns!' yn dilyn ei gilydd, yn diasbedain y cymoedd. Neidiodd y wiwer frigyn neu ddau'n uwch; ond gwelodd na thalai hynny. Roedd y rhain yn rhy win-gul, ac yn ôl â hi'n syth i'r unlle, ar fforchog cangen yr ochr bellaf oddi wrth yr edrychwyr yn awr. Symudodd y cwmni ychydig i'r aswy er mwyn cael gwell golwg arni.

'A, diawtht i, fel 'na, ie fe, Mith. Fe dreiwn i bibed fach arall i chi'n awr.' Ac felly y bu; dau ergyd eto. Ond dim yn tycio; y wiwer fach yn marchog y storm dân heb fod flewyn gwaeth, hyd y gellid barnu.

Stoc y dryll a gâi'r bai gan rai o'r edrychwyr brwdfrydig; y powdwr wedi lleitho tipyn, neu'r siots yn rhy fân gan y lleill. Neb yn amau'r saethwr. Drwy ffenest sinc y llaethdy gerllaw lle'r oedd hi'n gweithio, roedd y forwyn fowr yn dirgel wylio'r cyfan, ac yn ei natur yn dirfawr lawenychu ym mhob methiant. Gan nad oedd Nwncwl Jâms yn gyfarwydd â lodo dryll cymerai gryn amser iddo baratoi ar gyfer pob brodseid newydd. Tua'r pumed neu'r wheched cyflegriad gwelwyd darn gwyn o bren wedi ei ddirisglo tua llathaid dda y tu isaf i'r targed.

'Diawl, Jâms Williams, cadwch mla'n, rŷch ar y pren reit, ta' p'un,' mynte Dai'r gwas mowr. (Roedd Dai wedi cael siars bendant gan fy mam, nad oedd i iwso'r geire mowr yn 'y nghlyw i; ac yr own i i ddweud wrthi hi, os digwyddai iddo ef syrthio. 'Chlywest ti ddim nawr do fe, gwas?' meddai Dai, a gwên yng nghil ei lygad. 'Naddo, Bafydd,' meddwn innau'n ddiniwed. Mab ei dad, y digyffelyb Benni Bwlch y Mynydd, ydoedd y 'Bafydd' hwn, gyda llaw.)

'Diâr i, Jâms, ddaw hi ddim lawr, heddi, gewch chi weld. Mae'r wiwer fach yn 'joyo'n net lan 'na,' mynte Dafydd Trefenty, yr hen weithiwr gwedwst, cydwybodol, gan droi i adael y cwmni llawen.

'Falle y daw hi lawr i gino,' mynte Harris Bach yn fwynaidd.

Pan oedd y smaldod hwn ar waith, a'r egwyl rhwng y ddau dân dipyn yn hwy nag arfer, whiw! dyma'r wiwer wawrgoch yn cymryd 'y llam ddiadlam', a chyn pen winciad roedd hi ar y pren nesa, a'r pren nesa at hwnnw, a'r pren nesa wedyn, a brigau'r coed tal ar ymyl yr hewl yn dawnsio'r holl ffordd o dani draw hyd at ddiogelwch canol gallt Cwm Bach, lle y câi hi hamdden, ryw dro, i adrodd wrth ei phartneres am y bore twymaf yn ei bywyd.

'Cino,' mynte'r Bwch o gornel y tŷ.

'Diawtht i, ddaw *hi* ddim 'n ôl yma ar hatht i'n poeni ni oboutu'r clôth yma,' meddai Nwncwl Jâms wrth fynd i mewn at ginio gyda'r lleill mewn ysbryd gŵr a wnaethai fore gwerthfawr o waith.

Soniwyd, aml dro, bellach, am hoffter rhyfeddol Nwncwl Jâms o ganu—ei nwyd lywodraethol mewn bywyd. A derbyn diffiniad enwog Carlyle o athrylith fel 'y gallu i gymryd trafferth diderfyn' gellid dweud fod gan Nwncwl Jâms, o fewn ei gylch gwledig ei hun, hawl go deg ar y teitl llachar hwn. Oherwydd yn ychwanegol at ei lais bas naturiol, o ansawdd a chwmpas nodedig, yn ôl tystiolaeth pawb a'i clywsai, nid oedd ball ar ei amynedd a'i ymdrech i ddeall a meistroli manion pob darn o gerddoriaeth a gymerai mewn llaw. Fe'i dysgai'n berffaith, bob iod, yn ôl y copi, a rhoddai ei liw ei hunan ar y datganiad ohono. Y Sol-ffa yn unig oedd ei gyfrwng, gan nad oedd piano yn yr ardal yn ei ddyddiau cynnar ef. Ni ddeallai neb Hen Nodiant, er fod yno rai a'i defnyddiai, genhedlaeth yn gynt, cyn i'r Sol-ffa ddod yn boblogaidd drwy'r wlad. Roedd Deio'r Bwtsiwr, tad John Jenkins, Cart and Horses, yn un ohonynt, fel y clywais ddweud. Bu farw Nwncwl Jâms yn 1921 pan oedd y radio ond yn dechrau dod i siarad. Pe cawsai fyw ychydig yn hwy, a chlywed cerddoriaeth odidog yr offerynnau—y cornet, y chwibanogl, y delyn, y dulsimer, y psaltring, y symphon, a phob rhyw gerdd—ynghyd â'r corau lleisiol ar yr awyr, cyraeddasai ei drydedd nef ymhell cyn gadael y ddaear.

'A, diawtht i, do'th dim gwell na hyn i ga'l gyda nhw, boith y delyn aur rochor draw 'co,' dychmygaf yr hen gerddor syml hwn yn ei ddweud, 'â deigryn yn ei lygad hen'.

Dyma'r olygfa sydd wedi ei sefydlu ei hun yn glir yn fy meddwl i o'r dyddiau hynny, golygfa a welais yn ddiau, neu rywbeth tra thebyg iddi, laweroedd o weithiau: Nwncwl Jâms yn llewys ei grys ar gornel allanol y sgiw, dan fantell y simnai lwfer; tân mawr, gwresog o foncyffion coed ar lawr y gegin; y ffenestr fach, sgwâr yn wal bridd yr hen dŷ to gwellt yn taflu ei golau o'r tu ôl iddo; cwpan go fawr o ddŵr poeth ar gyfer eillio ar y ford gron o'i flaen; trochion sebon ar rannau o'i wyneb, a brws siafo neu raser yn ei law dde. Trôi ei gern dipyn i'r ochr honno i gael y golau'n well. Yn ei law whith, gan ei ddal yn rhyfeddol o agos i'w lygad (nid oedd sbectolau'n gyffredin, eto) byddai darn o gerddoriaeth—rhaglen cymanfa ganu, copi o anthem, neu o ryw gystadleuaeth eisteddfodol. Ac yno y byddai, weithiau, am fore neu brynhawn cyfan, wrth y gorchwyl o siafo, gan redeg dros ryw rannau anodd o'r copi o'i flaen, ddegau o weithiau, efallai a'r dŵr wedi oeri'n y llestr lawer mwy o droeon nag y byddai dŵr siafo Robert Wyn gynt wedi berwi'n sych. Nid syn os byddai yno gwt neu ddau ar ei ên cyn gorffen. Ond byddai amseriad y dôn a'r curiadau, yr haneri a'r tri chwarteri a'r traws-gyweiriadau, wedi eu meistroli'n llyfn a pherffaith, a'r nodau'n darstain ac yn rhowlio'n ogoneddus drwy'r hen dŷ. Yma'n ddiau y tarddodd y teitl, 'Nwncwl Bow Down'; ond nid oedd 'bow down' i fod hyd nes i'r darn ildio pob iod a thipyn o'i gyfrinach iddo ef. Os mentrai fy mam, yn gwrtais ac yn bwyllog, awgrymu ei bod hi'n bryd bwyd, a bod eisiau'r ford, neu i'r forwyn fowr roi'r un rhybudd, dipyn yn fwy swrth ac uniongyrchol, caent ateb ffraeth, neu sylw brathog, yn union fel y byddai ei hwyl ef neu hwyl y raser ar y pryd. Peth mawr yw ceisio byw dan yr un to â mab athrylith!

Gŵr lled fyr oedd Nwncwl Jâms, na thrwm nac ysgafn o gorff, ac o flewyn tywyll. Golau, a rhai yn gochlyd oedd y plant eraill, a 'nhad yn llwydfrown, ryw hanner y ffordd rhyngddynt. Safai f'ewyrth yn syth fel y pin, ac wrth ganu ar lwyfan, heb gopi bron yn wastad, pwysai dipyn yn ôl ar ei gefn, gan gadw'r amser yn gyson â blaen ei droed dde. Bu ambell feirniad, o eisiau rhywbeth i'w ddweud heblaw ei ganmol, efallai, yn awgrymu peth cerydd am yr arferiad hwn ganddo. Ond waeth hynny na rhagor roedd pedol flaen loyw ei esgid dde yn fath o symbal yng ngherddorfa Nwncwl Jâms. Canai â'r corff yn gystal ag â'r genau, yn naturiol, yn union ysbryd y darn.

Yn fy marn i nid oes dim gwell na chywirach disgrifiad o fywyd a chymeriadau ardal wedi eu sgrifennu yn Gymraeg na darnau o atgofion y Parch. Eirug Davies yn *Y Dysgedydd* am gwm Gwarnogau yn ei ddyddiau cynnar ef. Gresyn enbyd i'r Atgofion hyn orffen ar eu hanner fel bywyd gwerthfawr y cofnodydd. Rhyw bedair milltir yn groes i'r bryniau a'r cymoedd sydd rhwng Rhydcymerau a Gwarnogau; ac yr oedd cyfathrach eisteddfodol gynnes rhwng y ddwy ardal. Heddiw mae waliau coed, filltiroedd o drwch, y *Brechfa Forestry* yn cau rhyngddynt, a tho llawer tyddyn lle bu cân a phennill wedi syrthio iddo—diolch i ofal Llywodraeth Lundain dros fywyd gwledig Cymru! Fodd bynnag, bydd cyhoeddi'r atgofion hyn yn fuan mewn llyfr yn ychwanegiad o bwys at lenyddiaeth Gymraeg, heb sôn am eu gwerth fel dogfennau cymdeithasol am gyfnod sydd ar fin diflannu. Wele ddisgrifiad o Nwncwl Jâms yn canu ar lwyfan eisteddfod Gwarnogau pan oedd Eirug yn grwt:

> Yr oedd i'r fro honno (Rhydcymerau) ei champwyr mewn eisteddfodau, yn arbennig fel canwyr. Yr oedd gwylio wyneb

Jâms Williams y Dolau (ewythr D.J.), pan yn canu, gystal gwledd bob tipyn ag oedd gwrando'r llais cyfoethog a roed iddo. Yr oedd pob cymal ac asgwrn yn ei wyneb ar lawn gwaith, a chwafriai gyda'r nodau a'r mynegiant mewn modd rhyfeddol o gynorthwyol, fel braidd na ellid dilyn ei ganu petai ei enau'n ddistaw, gan fod yr holl ystumiadau yn cadw'u trefn, a mesur nwyf yn berffaith. Ie, un o'r 'Hen Wynebau' oedd ef heb un amheuaeth. Byddai'n filiwnêr ar y ffilmiau modern yn ddidrafferth.*

Ato ef, hefyd, a Dafydd Ifans y Siop, dau ben cerddor yr ardal, y cyfeiria Gwenallt yn y gân 'Beddau' yn *Ysgubau'r Awen*:

> Piau'r cleiog fedroddau?
> Arweinyddion y corau,
> Dafydd Siop, Siâms y Dolau.

Ac o sôn am gorau, côr wyth neu gôr aelwyd oedd yr eithaf mewn rhif y cymerai Nwncwl Jâms ato. Dichon na chymerid ef ddigon o ddifri gan gôr lluosocach lle byddai mwy o ddisgyblaeth yn ofynnol. Clywais rai a fu'n canu yn ei gôr yn dweud y byddai'r gair bach a sibrydai wrthynt ar y llwyfan cyn cymryd y sŵn (nid oedd yno biano)—'Nawr 'te, amdani, boith bach,' neu rywbeth tebyg—yn rhoi ffydd a hunan-feddiant ym mhob cantwr, nes peri i'r parti cyfan ganu'n well nag a wnaeth mewn unrhyw bractis. Ac meddai, wedyn, wrth ddod lawr, 'Diawtht i, ma'i gyda ni'r tro hyn, yto, boith'. A siawns na fyddai'n iawn. Ni fu curo ar ei gwartet—Cathrin Syfigw yn soprano, Let y Trawsgoed yn alto, Rhys y Gelli, y Cynghorwr Sir, Rhys Llewelyn Evans, wedi hynny—yn canu tenor, ac ef ei hun, wrth gwrs, yn cadw'r gwaelod fel y drwm. Ond fel canwr solo yr oedd ef yn bencampwr. Swllt oedd y wobr gyffredin am unawd y pryd hwnnw. Ni fyddai'n ddim gan Nwncwl Jâms, yn hynafgwr penfrith, erbyn hyn, gerdded chwech i saith milltir o wlad fryniog, arw, ddyfnder gaea i ganu, nid am y swllt glas hwn a'r bag rhubanog am ei wddf, bid sicr, ond er mwyn yr hwyl o ganu i gynulleidfa o bobl mewn hwyl i

* *Y Dysgedydd*, Awst 1950.

wrando canu. Dyn allan o'i le, fel petai, ydoedd ef ym mhob man arall; a heb wybod hynny, yn ceisio cael ei le, yn fynych, trwy fod yn groes ac yn styfnig. Yma, a'i draed ar lwyfan, ef oedd y brenin a phawb yn cydnabod hynny. 'Yr Hen Gerddor' ydoedd ei ffugenw eisteddfodol ymhobman, er cof gennyf i. Yn ei flynyddoedd olaf, fel yr hen Bob Roberts, Tai'r Felin, ar raddfa llawer ehangach, tynnai'r tŷ i lawr bob tro y safai o flaen y dorf. Canodd drwy ei oes ymhob eisteddfod bron o fewn y pedwar plwyf ym Mlaenau Cothi—o Warnogau i Lancrwys, o Grug-y-bar i Gaersalem, Llambed. Pe canasai i'r dinasoedd ar bedwar cyfandir ni fyddai damaid mwy wrth ei fodd.

Y mae un olygfa arall a Nwncwl Jâms yn ffigur canolog ynddi wedi aros yn fyw iawn ar fy nghof. Hwyrddydd o haf, neu, efallai, o hydref cynnar, oedd hi'r tro hwn, a'r coed yn nhalcen y berllan, fel rwy'n cofio'n dda, yn eu llawn dail. Yr un oedd y cwmni, neu o leiaf, gwmni yr un mor barod am dipyn o sbri, â bore gorchest y wiwer. Mae gennyf ryw syniad fod fy mam yno'r tro hwn. Er mai dwys oedd hi, wrth natur, ac yn rhy annibynnol a diragrith i allu cytuno fawr â ffyrdd od a rhyfedd Nwncwl Jâms, eto, roedd ynddi ddigonedd o synnwyr ac o naws digrifwch, yn ei ffordd ei hun; a gallai, ar achlysur fel hyn, fynd i mewn i ysbryd y darn gystal â neb. (Nid oedd fy nhad yno, mi wna'n llw, gan y byddai unrhyw ddwli o'r fath, ar hanner gwaith, fel tân ar ei groen tenau ef.) Gerllaw drws y tŷ byw yr oedd y criw llawen y tro hwn; ac o'i flaen wele Nwncwl Jâms ar gefen Bess, yr Hen Boni, wedi ymwisgo'n drwsiadus mewn dillad brethyn cartref tywyll, gwaith Dafydd Red Lion, teiliwr y teulu drwy'i oes. Roedd y si ar led, ers cetyn, fod 'menyw newydd' gyda Nwncwl Jâms, at y rhestr faith a fuasai ganddo'n barod, 'menyw a thipyn o dor'ad yndi o ochor Tanllyche (Talyllychau) 'na, rywle,' medden nhw. Pan welwyd, gan hynny, i Nwncwl Jâms dreulio'r bore'n gyfan i glipo rhawn y poni, a'r prynhawn i drimio'i fwstas du a'i locsen 'i hunan, yn ôl ffasiwn y cyfnod, ac o de ymlaen i'r oruchwyliaeth ddeuol o siafo a chanu, gwyddid, yn sicr, fod yna rywbeth ar droed heblaw eisteddfod leol, neu noswaith o garu bob-dydd fel petai; gwyddid fod yna baratoadau ar gyfer noson fawr—noson, o bosib, a thynged yn hongian yn drwm wrthi. Bu gwylio a sisial a mingamu deallus wrth i bawb fynd ymlaen â'i waith yn ystod y dydd. Gellid dychmygu'r Ffidl-Ffadl wrth deimlo rhywbeth yn y gwynt yn gwichian yn uwch na'r moch bach y rhoddai wâl o redyn o danynt, a'r Bwch yn gwasgu'i gwefusau rhag gorfod gwenu. O ganfod y march a'r marchog, a phob blewyn arnynt yn ei le, yn croesi'r clos i fynd heibio i'r tŷ, roedd y criw yn gryno, drwy ryw ddamwain syn, wedi casglu ynghyd yno wrth y drws i ddymuno'n dda iddo ar y daith i'r twrnameint; a phob un â'i sylw a'i gyngor, brwd neu amrwd, yn barod i estyn cyfarwyddyd iddo ar gyfer yr hyn oedd o'i flaen.

'Peidiwch chi â gad'el i honna yto fynd o'ch gafel chi, Jâms Williams,' mynte Dai Benni ar ganol y cellwair hwyliog.

'A, diawtht i, Dafydd, mae'r gŵr hwn yn weddol thâff o'i dderyn, gwlei,' ebr y marchog hyderus.

'Dwi ddim mor siŵr,' oedd ateb Dai. 'Mae 'na fwy nag un wiwer fach sionc wedi dianc rhag 'i ddryll e, cyn hyn.'

'Wel, oth dihangith hon, fe fydd wedi'i shot-tho'n drwm, ta p'un,' meddai'n ewyrth.

Ynghanol y rhialtwch a'r wherthin hwn, 'Ni-i!' mynte Harris Bach yn sydyn reit, o ran melltith.

A dyma'r clustiau bach yn moeli'n ôl a'r ffroenau'n crychu'n gas. 'Trt-trt-trt!' mynte'n ewyrth, gan sodlo'n ysgafn ochr y poni. A chyda ffling neu ddwy i'w choesau ôl i'r awyr, a cholli gwynt yn yr ymdrech, dyma hi bant ar drot fowr drwy fwlch y clos, draw hyd hewl Cwm Bach, a Chyw Ola Penrhiw ar ei chefn yn bwrw mas yn galonnog, unwaith eto, i edrych am wraig—''run fath â'r carwr cyntaf a garodd gynta 'rioed'.

Bu fy nhad-cu, Dafydd neu Deio Gwarcoed, yn briod ddwywaith, a chafodd dri o blant o bob un o'i ddwy wraig. Merch Coed Eiddig, ffarm ryw ddwy filltir o Lambed, ar ffordd Pumsaint a Llanwrda, oedd Anne, ei wraig gyntaf, mam fy mam, a'i dau frawd hŷn na hi. Roedd yng Nghoed Eiddig dri o blant eraill heblaw fy mam-gu, sef Thomas, yr Erw Wion, Ffaldybrenin, wedi hynny, a fu byw dros ei bedwar ugain a deg oed, os da y cofiaf; Sali yr ennwyd fy mam ar ei hôl, ac a barhaodd ymlaen i fagu teulu yng Nghoed Eiddig; a Mari a ddaeth yn ddiweddarach yn wraig yr Esgair sy'n ffinio â Phenrhiw. Mab iddi hi oedd Evan Jones y British, fel y'i gelwid, gwerthwr glo a chargludydd dodrefn yng Nghaerdydd, a thad J. E. Emlyn Jones, perchennog llongau, a'r olaf o'r Rhyddfrydwyr am wn i. Bu'n aelod Seneddol dros Ogledd Dorset am gyfnod. Mab arall i'r Esgair, a chefnder fy mam, felly, plant dwy chwaer, oedd Dafydd Jones a fu, fel llawer o'r cylch hwn, yn ffermio yn Lloegr. Bu yno am yr ugain mlynedd cyntaf o'r ganrif hon, ac fe'i clywais ef ei hun yn dweud, nid heb beth ymffrost, efallai, iddo wneud mil o bunnoedd o elw am bob blwyddyn y bu yno. Fel ei gyfoedion i gyd, ganol y ganrif o'r blaen, ni chafodd fawr o ysgol. Aeth o'r Esgair, lle bryniog a driniai'n rhagorol, yn Gymro uniaith bron, gan gymryd ffarm o ryw saith can cyfer o dir da y tu allan i Birmingham. Cyn pen fawr o dro roedd yn cymryd llanciau o Saeson yno i'w dysgu i ffermio, ac yn eu rhedeg fel milgwn, fel y clywais ddweud. Ond fe ddysgent y grefft, os oedd dysgu iddynt, cyn ymadael ag ef, gan fod iddo enw fel trefnydd a gŵr llygadog am anifail. Roedd yn ddychryn i ddiogi ac annibendod; ond yn y bôn dywedid gan y rhai a fu'n weision a morwynion iddo ei fod yn ddyn hael a charedig. Ni raid dweud nad o ochr ei fam, chwaer fy mam-gu, y cafodd ef yr hyder Napoleonaidd hwnnw ynddo'i hun a'i nodweddai. Treuliodd ei flynyddoedd olaf, wedi reteirio, yn Allt y Cloriau, Llanwrda.

Clywais ddweud gan y diweddar Barch. Eiddig Jones (brawd-yng-nghyfraith y Dr. Moelwyn Hughes) mai teulu o Annibynwyr selog a ffyddlon oedd pobl Coed Eiddig, ac yn ei ddyddiau cynnar ef pan gynhelid cyrddau gweddi ac ysgolion Sul ar hyd tai, fod yr hen dŷ to gwellt hwn, fel yr oedd y pryd hwnnw, a'r canhwyllau wedi eu gosod yma a thraw i oleuo ei barwydydd hirion, yn ganolfan bwysig i grefyddwyr yr ardal o gwmpas. Gan fod Coed Eiddig dipyn yn groes gwlad i ni, wedi symud i Abernant, unwaith yn unig, a hynny'n blentyn go fach, y cofiaf i mi fod yno. Ond soniai fy mam amdano'n fynych. Merch Nanti Sali Coed Eiddig oedd Mari, gwraig Tomos Ifans, Ffynnonrhys, ar gefn

Sir Aberteifi. Hi a chnither arall iddi, Citi'r Esgair, Citi Glan 'r Annell, wedi hynny, ydoedd dwy o ffrindiau mawr fy mam yn ferch ifanc. Gymaint o arwyr di-nod sydd mewn bywyd yn ymladd yn ddi-ildio am oes gyfan yn erbyn amgylchiadau celyd! Ac yr oedd Citi yn un ohonynt petai modd mynd ar ôl ei hanes yma.

Ar y cyfan, oherwydd iddynt ganghennu i wahanol gyfeiriadau, rhai i Sir Aberteifi, eraill i Forgannwg, ac ymhellach, ni ddeuthum i gyffyrddiad â llawer o deulu fy mam. Yn fy marn i, Citi Glan 'r Annell, yn ei brwydrau hir yn erbyn adfyd, oedd y cymeriad mwyaf ohonynt i gyd.

Fel y dywedwyd, mab 'Fraich Esmwyth, ffarm fechan ar ochr Mynydd Pencarreg, yn wynebu ar ardal Llambed a Sir Aberteifi oedd fy nhad-cu. Roedd y lle yn eiddo i'r teulu, ac yno y buont yn byw ers cenedlaethau. Bedyddwyr oedd y bobl hyn o'r bron, ac yn aelodau yng nghapel Caersalem. Yn ôl hen Feibl teulu 'Fraich Esmwyth, fe briododd fy hen dad-cu, Thomas Morgan, â Mary, merch John ac Anne Williams, Penpompren, Llanwnnen, a hynny ar y 25 o Orffennaf, 1813, y briodferch yn ugain a'r priodfab yn wyth ar hugain oed. Roedd y Mary yma, fel y cyfeiriwyd eisoes, yn chwaer i David Williams (Iwan), ac yn hanfod o linach Enoc Francis. Bu farw John Williams y tad, yn 1802, ac yn 1806 fe briododd ei weddw, Anne Williams, yr ail waith â David Davies, gweinidog eglwys y Bedyddwyr yn Aberduar, gan symud ato i ffarm Bryn Llo, gerllaw, lle yr oedd yn byw. Mewn ysgrif yn *Seren Cymru* (15/8/1941) ar 'Iwan' gan y Parch. W. J. Rees, yr hanesydd, dywedir fod John ac Anne Williams yn bobl gefnog eu hamgylchiadau. Clywais innau ychydig o stori'r teulu gan fy mam—fod tipyn o wrthwynebiad i'r briodas hon, ar y dechrau, am nad ystyrid Thomas Morgan, mab y mynydd, yn ddigon da fel *match* i'r ferch gan ei mam a'i llystad, y gweinidog. Fodd bynnag, fe'i profodd y priodfab ei hun yn ŵr da ac yn dad teilwng. Maged ganddo ef a'i briod bump o blant—tri mab yn gyntaf a dwy ferch; a chafodd pob un ohonynt beth gwell ysgol na phlant y cyfnod yn gyffredin. Mae'n debyg, hefyd, mai ym Mhenpompren, Llanwnnen, y ganed fy nhad-cu. Gan iddo ef, y trydydd o'r plant, gael ei eni yn 1820, ymhen saith mlynedd wedi priodas ei rieni, yr unig esboniad rhesymol ar hyn yw i'm hen dad-cu, Thomas Morgan, fyw am rai blynyddoedd ar ôl priodi yng nghartref ei wraig ym Mhenpompren, cyn symud yn ddiweddarach, wedi i weddill y teulu briodi, efallai, yn ôl i'r hen nyth ym Mraich Esmwyth. Yno y maged y plant; ac yno y bu ef farw yn 1868 yn 83 oed, a'i wraig Mary, hithau yn 1866 yn 73.

Ganed Mari, chwaer iengaf fy nhad-cu yn 1834. Priododd yn ifanc â gŵr o ymyl Llambed, gan fynd i fyw i Lundain. Ei mab hi oedd Tom Jones, y Borth, yn ddiweddarach, wedi ei fagu yn y Brifddinas, yn Sais o'r Saeson, gan lwyddo i fyw ar hyd ei oes yn ŵr bonheddig di-ystad. Gadawyd Mari, y ferch hynaf, gartref yn y wlad, i ofalu am ei thad-cu a'i mam-gu o ochr ei thad. Wedi tyfu i fyny symudodd hithau i Lundain; a bu ei siop a'i thŷ yn 40, Endell Street, Bloomsbury, am gyfnod maith, yn ganolfan i lawer iawn o Gymry.

Yr olaf o deulu fy nhad-cu i fyw ym Mraich Esmwyth ydoedd ei frawd hynaf, John, a aned yn 1814, ac a fu farw yno yn hen lanc yn 1888; gŵr cywir a duwiol, medden nhw. Ar ddamwain hollol, a hynny'n lled ddiweddar, drwy garedigrwydd perthynas i Anne, hen forwyn iddo, y daeth i'm llaw hen Feibl y teulu y cymerir rhai o'r ffeithiau hyn ohono. Adeg y chwalfa ar bethau ym Mraich Esmwyth, wedi angladd fy hen ewyrth, cymerasai hi ofal o'r Beibl hwn lle cadwesid manylion am enedigaethau, bedyddiadau (mewn oed, wrth gwrs, gan mai Bedyddwyr oeddent) a phriodasau teulu Thomas a Mary Morgan. Yn ôl cofnod yn y Beibl hwn bedyddiwyd fy nhad-cu ac Anne ei chwaer yr un pryd, Medi 1, 1838—fy nhad-cu yn ddeunaw oed a'i chwaer yn bymtheg.

Dau ddyddiad pendant yn unig sydd gennyf i brofi pa mor gynnar y gallaf gofio pethau cyn gadael Penrhiw yn chwech oed. Ac y mae a fynno'r cyntaf ohonynt â marwolaeth fy hen ewyrth, John 'Fraich Esmwyth, brawd fy nhad-cu, a ddigwyddodd yn haf 1888, a minnau felly'n dair oed. Aethai fy nhad a'm mam draw mewn trap, a mi gyda hwy i 'Fraich Esmwyth y Sul yr oedd ef o dan ei grwys. Wrth gerdded ar ben rhyw fainc ar lawr pridd a chalch anwastad y sgubor syrthiais, rywsut, wysg fy nghefn, a tharo fy ngwegil yn erbyn carreg bigfain. Torrais gwt go ddrwg, gallwn feddwl, a bu'n gwaedu'n hir. Mae gennyf beth cof o hyd am y ffws o'm cwmpas yng nghanol y gwres. Mae craith y codwm bore hwnnw arnaf hyd heddiw. Y dyddiad arall sydd gennyf yw rywbryd yn hydref y flwyddyn ddilynol, a minnau'n awr wedi troi fy mhedair oed—dydd dathlu pen blwydd un ar hugain oed Cyril Davies, mab John Morgan Davies, J.P., D.L., Uchel Sirydd, Caerfyrddin, ar un adeg, neu Dafys Ffrwd Fâl i ni, y bobl gyffredin a'i parchai ef a'i deulu yn fawr. Ar dop gwastad banc Cwmcoedifor, yn union uwchben Penrhiw, ac yng ngolwg yr holl wlad, o fanc Llywele hyd graig Dwrch ac o fynydd Pencarreg hyd gefen Llansadwrn, yr oeddynt wedi codi tas fawr o eithin, a gosod casgen o byg (*pitch*) fel simnai ar ei phen, yn barod i'w thanio wedi i'r nos ddisgyn. Aethwn innau yno yn llaw Dafydd y gwas i weld y rhyfeddod hwn y clywswn gymaint amdano ers dyddiau. Ar fy mhen yr oedd hat wellt fach deidi iawn. Chwythai gwynt cryf o'r gorllewin. Safem ninnau'r ochr ddwyreiniol i'r das, ochr Penrhiw iddi. Mae gennyf gof byw iawn am weld y goelcerth honno'n cynnau'n wynias, y bonion eithin yn cratsian ac yn saethu yn y gwres, a'r fflamau'n troi ac yn chwyrnellu, yn awr ac eilwaith, o gylch y gasgen bitsh, a wynebau coch y dyrfa o gwmpas. Ond ni sylweddolwn i, mwy na neb arall, yr alanas a'n distaw oddiweddai. Oherwydd heb yn wybod i ni fel yr oedd y pyg yn toddi yn y gwres disgynnai'n fân ysmotiau ar ben y rhai ohonom a safai'r ochr bellaf i'r gwynt. Ac yn y modd hwn, fel y clywais fy mam yn gresynu ar ôl hynny, y difethwyd fy hat wellt bert i—efallai y gyntaf a fu gennyf. Eithr onid dyna'r hanes erioed?—y gŵr mawr ynghanol y clod a'r goleuni, a'r gŵr bach a fu'n cario ei gynffon, ar goll yn y mwg, a phitshmarc ei ddinodedd arno.

Y flwyddyn cyn iddo briodi, o 'Fraich Esmwyth, ac yntau'n disgwyl am ffarm iddo'i hun bu 'nhad-cu, fel y clywais fy mam yn dweud, yn was yn y Dolau Gwyrddion, ar lan Teifi, lle trigai gwrthrych yr hen faled, 'Morgan Jones o'r Dole'. Dyma bennill ohoni y digwyddaf ei gofio a ddengys mai bardd ac nid mesurwr tir oedd yr hen faledwr a'i canodd:

Mae saith milltir a saith ugen
O bont Llambed i bont Llunden;
Cerddwn rhain â'm traed a'm glinie
Er mwyn Morgan Jones o'r Dole.

Roedd 'nhad-cu yn y Dolau Gwyrddion tua 1845-6, ac yn rhyw bump ar hugain oed. Cafodd saith punt o gyflog am y flwyddyn honno ar yr amod pendant nad oedd i yngan gair wrth neb ei fod yn cael cymaint.

Dechreuodd ef a'i briod eu byd wedi hyn yng Nglan Tren, Llanybydder, a cherllaw Bryn Llo lle y maged ei fam, yn rhannol. Gerllaw yma, yn y Canol Oesoedd, yr oedd Blaen Tren, yr hen blasty y sonnir amdano gan Lewis Glyn Cothi a rhai o'r hen gywyddwyr. Dwy flynedd yn unig, rwy'n credu, y bu fy nhad-cu yng Nglan Tren cyn symud i Glun Byr, ffarm dipyn yn fwy o faint yng Nghwm Wern, Rhydcymerau. Yno y ganed fy mam, Gorffennaf 13, 1852. Yno hefyd y bu farw ei mam, yn Hydref 1855, yn dair a deugain oed, gan adael tri o blant ar ei hôl, yr hynaf ohonynt ond rhyw saith oed. Ddwy flynedd yn ddiweddarach, Ŵyl Hengel 1857, a'm mam yn bump oed, fel y clywais hi'n dweud (ac yr oedd ganddi gof neilltuol o fanwl a chywir) symudodd y teulu i Riw'r Erfyn, ryw hanner milltir o bentre Rhydcymerau, ar ochr y ffordd fawr i Lanybydder. Ymhen wyth mlynedd arall symudodd fy nhad-cu drachefn yn 1865 i Warcoed a ffiniai â'i gartref cyn hynny, Clun Byr, ac yn nes yn awr i Esgerdawe nag i Rydcymerau. Ac yng Ngwarcoed y bu ef wedyn hyd ei farw, y Nadolig 1898, yn 78 oed. Ni chlywais i'r un esboniad pam y symudodd ef ei le deirgwaith yn ystod y deunaw mlynedd cyntaf o'i fywyd fel penteulu. Llefydd ar rent oeddent i gyd, ac nid oedd rhyw gymaint â hynny o wahaniaeth rhwng y tri olaf â'i gilydd. Fel fy nhad-cu Penrhiw, yr oedd yn ffarmwr gofalus a threfnus, ac yn weithiwr dyfal ac egnïol. Clywais ddweud amdano'n aredig Cae Bryn Castell, Rhiw'r Erfyn, sy'n ffurfio bryncyn crwn, uwchben pentre Rhydcymerau, drwy ddirwyn o'i gwmpas nes dod o'r diwedd at y creigle sydd ar ei ganol lle y gallai fod unwaith hen gastell, yn ôl yr awgrym yn yr enw. Defnyddiai ddeubar o geffylau, un y bore a'r llall y prynhawn. Gwenodd Rhagluniaeth yn garedig ar lafur a diwydrwydd fy nhad-cu ar hyd ei oes. Ni ddeuthum i nabod fawr arno, er fy mod i'n dair ar ddeg oed adeg ei farw. Ni chymerai ryw lawer o sylw ohonof pan awn i, weithiau gyda'm rhieni, am ran o ddiwrnod i roi tro i Warcoed. Nid oedd hynny yn beth i synnu ato, efallai.

Nid oedd fy nhad-cu yng nghyfnod olaf ei oes, o leiaf, yn grefyddwr cyhoeddus. Dyn distaw, a charwr yr encilion ydoedd, wrth natur. O fewn fy nghof i nid âi byth oddi cartref. Wedi gadael Caersalem lle y bedyddiwyd ef, a gadael capel Aberduar, wedi hynny, a chroesi i wlad ddifedydd 'ochor draw'r mynydd' yr oedd, efallai yn ormod o Ymneilltuwr Bedyddiedig i ymuno â'r cenedl-ddyn o Fethodus yn Rhydcymerau neu o Annibynnwr yn Esgerdawe. Ond clywais ddweud amdano gan ambell hynafgwr fel Ifan Bryn Bach, a'i cofiai'n ddyn ifanc yn dechrau ei fyd yn Rhiw'r Erfyn, ei fod yn gymydog parod a chymwynasgar, ac mewn ffordd ddistaw, ddistaw, yn echwynnwr ac yn elusennwr i'r caled ei fyd, yn yr amser caled hwnnw, fwy nag a wyddai neb. Y gair cywiraf am fy nhad-cu, ac am fy mam, hefyd, yw ei fod yn 'ddiddangos', o fethu cael gair gwell am y Saesneg *undemonstrative*. Meddyliai fy mam y byd o'i thad—ni allai wneud dim o'i le yn ei golwg—ac yntau ohoni hithau, mi gredaf, gan fod teyrngarwch llwyr ddigwestiwn fel hyn yn rhan o ysbryd yr aelwyd. Nid oedd ond rhyw ddwy filltir yn groes i'r bryniau o Warcoed i Abernant, a llai byth i Benrhiw, eto, er syndod efallai, ni welais fy nhad-cu, unwaith, yn un o'r ddau le.

Ysgafn a thenau braidd o gorff ydoedd fy nhad-cu—blewyn golau, tonnen deg, wyneb delicet. Roedd yn gwarro tipyn; a'i hoff ddull o gerdded ydoedd gosod ffon yn groes i'w feingefn a phlygu ei elinau amdani. Tueddai at fod yn isel ysbryd, mi gredaf, ac yr oedd awgrym o'r meudwy gwasgedig ynddo, neu'r breuddwydiwr, efallai. Bu'n iach ar hyd ei oes, a chadwodd ei gynheddfau, ei gof a'i glyw, yn fyw hyd y diwedd. Ar un adeg bu ei olygon yn ei flino. Ond rai blynyddoedd cyn ei farw digwyddodd peth rhyfedd: ar unwaith bron, daeth drachefn i allu darllen print mân yn rhwydd heb gymorth sbectol, fel petai'r bilen honno a ddaw weithiau dros lygaid yr hen wedi torri'n sydyn ohoni ei hun.

Roedd fy nhad-cu yn ddifyr ac yn ddiddan ddigon yn yr ychydig a ddywedai yn ei hen ddyddiau. Clywais ddweud, eto, fod ganddo stôr helaeth o rigymau a hen gerddi a phosys gwlad yr arferai eu hadrodd yn rhugl, gynt . . . Ie, pobl fwyn a bonheddig ydoedd pobl fy mam o'r ddau tu. O ochr fy nhad, drachefn, mae rhai o'm tylwyth mor gymysgryw ac anystywallt â mi fy hun. Wrth edrych yn ôl, yn awr, a cheisio deall fy nhad-cu, tad fy mam, ymddengys i mi, yn rhan olaf ei oes, fel dyn wedi danto cryn dipyn ar ei fywyd—a hynny byth er pan ddug ei ail wraig ei drowser oddi arno, a'i wisgo ei hunan.

Yn nau frawd cyflawn fy mam, Thomas a John, hŷn na hi, o wraig gyntaf fy nhad-cu, ailadroddwyd, yn dra thebyg, bennod drist y mab afradlon, ond mai'r mab hynaf, y tro hwn, a aeth i wlad bell, a mynd yno, hefyd, heb ddychwelyd, yn ystyr y ddameg yn Efengyl Luc. Roedd yr hynaf, Thomas, a gawsai ei enwi ar ôl ei dad-cu, Thomas Morgan, 'Fraich Esmwyth, yn fachgen disglair ac addawol, mae'n debyg, ac yn gannwyll llygad ei dad. Cafodd addysg lew, yn ôl manteision y dydd, ac fe'i prentisiwyd fel *draper*. Clywais un a'i hadwaenai'n dda yng Nghaerdydd yn sôn amdano'n *shop walker* yn un o siopau gorau'r dref, a hynny'n gynnar yn ei fywyd. Aeth i Lundain, wedyn, gan ddal swydd gyffelyb. Yna, fe ddaeth y goriwaered. Does neb a ŵyr sut, na phaham, gan na ddôi byth adref, yn awr. Unwaith yn unig y gwelais i ef, yn hen ŵr bychan, gwargrwm, erbyn hynny, er na allai fod ond prin hanner cant oed, wedi dod adref yn fab afradlon, mewn gwirionedd, heb feddu dim ond y wisg lymrig amdano. Roedd ei dad y bu'n gymaint gofid ac achos prudd-der iddo drwy 'i fywyd wedi marw, bellach, ac yntau'n ddieithryn hollol bron i'w lysfam a'i dri hanner brawd. A chof gennyf am fy rhieni, o'u byd digon cynnil ar y lle bach, Abernant, yn awr, yn ceisio gwneud eu rhan iddo. Aeth yn ôl i Birmingham lle y buasai, ers tro, cyn dod adref, ac yno y bu farw, mewn ysbyty, ryw dipyn yn ddiweddarach.

Dyna bron y cyfan y deuthum i i'w wybod am Nwncwl Thomas druan, y dyn a welodd y byd. Ond am John ei frawd y mynnwn ymhelaethu rhyw ychydig yma, Nwncwl John

Gwarcoed, hen lanc na chysgodd ond un noswaith oddi cartref yn ystod oes o bedwar ugain mlynedd, ac a allai, hefyd, ddweud yn onest wrth ei dad, 'ni roddaist *fun* erioed i mi i fod yn llawen gyda'm cyfeillion'—yn ôl darlleniad hwp-hapus o'r ddameg a glywais, rywdro, ar ddechrau cwrdd noson waith. Ac yng Nghilgerran, ger Aberteifi, y cysgodd ef y noson arbennig hon—wedi teithio i lawr yno a chart a cheffyl y deng milltir ar hugain a mwy y diwrnod cynt, gan lwytho'r meinciau llaeth a gyrchent o'r cwar enwog, cyn noswylio, yn barod i gychwyn adref yn gynnar fore trannoeth.

Yn wahanol i'w frawd a'i chwaer nid oedd John yn fawr o ddysgwr yn yr ysgol. Y ffarm a'r anifeiliaid oedd ei gyfan. Yn gyhoeddus ni wnaeth ddim erioed fwy na darllen ei adnod yn yr Ysgol Sul ar-hyd-tai yng Nghwm Wern, heb fentro gwthio i'r dwfn fawr ymhellach na glan ddiogel y 'Pwy yw'r *efe,* yma?' Roedd o gorff cryf, esgyrnog. Aeth i'w fedd yn ei hen ddyddiau, heb ddant yn eisiau, na phrin flewyn brith yn y trwch o wallt gwineuddu ar ei ben. Roedd yn eirwir a chydwybodol wrth natur; ac ni chlywais iddo gael gair croes â neb erioed. Trafaeliodd yn ddiwyd ar y llethrau serth, ar hyd ei oes, heb brin godi ei ben. Pe'i gwelid ef, ar ddiwedd y daith, yn hen ŵr clogyrnaidd, migyrnog, a'i esgyrn wedi crino gan galedwaith, ond yn dal i lusgo arni i wneud rhywbeth, cyd gallai symud, go brin y byddai i neb ganfod ynddo arwyddion o ramant a hoywder a menter bore oes. Ac eto, yn ôl yr hanes, fe wybu amdanynt oll. Dywedir iddo fod yn caru—yn caru Leisa, Maes Teile, ffarm orau'r ardal, ac yn ffinio â Gwarcoed; ie, ei charu hi, y ferch dal, oleubryd, lygatlas, yr harddaf, a'r ffraethaf ei thafod yn y cymdogaethau, a phawb yn ceisio ei llaw. Fe briododd Leisa, wedi hynny, â Bili Cilwennau, cefnder fy nhad, gan achwyn, ddiwedd ei hoes, fel y clywais ddweud, wedi claddu'r ail ŵr, yn awr, ar 'John Gwarco'd fel carwr sobor o slo'.

Treuliodd Leisa Maes y Teile fwy na hanner olaf ei hoes yn cadw tafarn y Wheaten Sheaf, neu'r Tŷ Mowr fel y'i gelwid yn gyffredin, ym mhentref prydferth Abergorlech, ryw bum milltir dda, yn groes gwlad, o'i hen gartref. Fel tafarnwraig gwlad, a Bess ei merch ieuengaf, yn gofalu mor dda am y cyfan, daeth Leisa yn bersonoliaeth bron mor nodedig â Jem, Brenhines y Mowntan Cottage, neu Dŷ Jem ar lafar cyffredin. Rhyddfrydiaeth ydoedd mater enaid Jem, a honno mor gadarn a gloyw serennog â'i chwrw hi ei hun—Nymber Wan Jem o'i macsad hi ei hunan. Pum ceiniog y peint oedd ei bris, a phob cwrw ffrothog arall ond rhyw freci tair ceiniog yn ei ymyl. Cwrw i'r duwiau ydoedd cwrw Jem, ac ysbrydiaeth ymhob dafn ohono. Ni werthai fwy na pheint o'r Nymber Wan i neb—dim hyd yn oed i'r Rhyddfrydwr rhyddfrydica'n y wlad. Câi Tori dagu'n gordyn ganddi, neu fyw ar bop. Un hanner peint a brofais i erioed o'r cwrw rhywiog hwn, a hynny'n gynnar ar nos Sul, os gwelwch yn dda, ryw hwyrddydd bendigedig o haf, yng nghwmni fy hen bartner, Dafydd Cwmcoedifor, a ninnau'n *bona fide travellers* ar feirch dwyolwyn llwyd, yn dod yn ôl o siwrnai bell. Rhaid fod proffeswyr y ffydd ddiffuant, y *bona fides,* yn lluosog y dwthwn hwn, gan fel y sychedent ac y cyrchent am y tŷ ar 'ddydd yr Arglwydd'. Treuliasom ni'n dau weddill y dydd Sabath hwnnw yn hapus iawn, a chyrraedd adre'n blygeiniol, drannoeth. Unwaith yn fy oes y ces i ddim tebyg i'r Nymber Wan hwn, wedi hynny, sef mewn tafarn bach ar fin y ffordd, nid nepell o dref Brest, ar fore poeth o Awst, wrth geisio cyd-gerdded (neu redeg yn hytrach) drwy Lydaw, ochr yn ochr â'r hirgoes, dalsyth William Ambrose Bebb. Glasaid o win gwyn ydoedd hi'r tro hwn, ar ben rhyw sylfaen fach, denau o sudd afalau gwridog y wlad—y cyfan yn costio dwy ffranc, grot o'n harian ni ar y pryd. Roedd pen tost gan Mr Bebb; a hoffwn roi gair bach o dystiolaeth gywir yn y fan hon, rhag bod holi ac ystwrian mewn Lleoedd Uchel yn ôl llaw, mai cwpanaid o goffi du a gymerodd Mr Bebb ei hunan, y bore hwnnw.

Os mai Rhyddfrydiaeth Gladstone fawr a Lloyd George fwy ydoedd pwnc llosg Modryb Jem ar Fynydd Llambed, gan 'ta beth fyddai'r tywydd o'r tu allan, yna, o'r ochr arall, bywyd ac achau a rhamant teuluoedd a thylwythau'r Pedwar Plwyf fyddai diddordeb dihysbydd Nanti Leisa Tŷ Mowr yn Nyffryn Cothi. Llawer gwyliau y croesais i fanc Llywele o'r Hen Ardal, ac i lawr yng ngolwg Craig y Gigfran, drwy Gwm Gorlech cul a dwfn, er mwyn y stôr o hen hanesion, trist a difyr, llon a lleddf, ynghyd â sylwadau ffraeth a threiddgar ymyl y ddalen a gawn wedi cyrraedd yno.

Mewn blynyddoedd diweddarach, pan gyfarfyddai, weithiau, am dro o siawns, y ddwy gymdoges fore oes, Sarah Gwarcoed a Leisa Maes Teile, anodd fyddai taro ar ddwy enghraifft well o'r Piwritan ac o'r Cafalîer yn cymryd stoc o fywyd. Y ddau beth cyffredin rhyngddynt ydoedd eu cariad at y cwmwd bach, shiprys hwnnw, Cwm Wern, a'u dogn tirionaidd o hiwmor. Roedd hynny uwchben cwpanaid o de yn ddigon i arbed rhwyg mewn cymdeithas.

Ond sôn yr oeddwn i am John Gwarcoed, yr hen lanc caredig, di-nod, a'i 'Ie' yn ie, a'i 'Nage' yn nage. Dyna'r olwg a gawn i arno, a phawb arall yn ddiau o'r un oed â mi. Ond pan fyddai'r genhedlaeth hŷn, yn ôl hen arfer ganddi, yn dechrau sôn am y pethau mawr, y gwaith, y caledi, a gwrhydri y dyddiau gynt, o'u cymharu ag eiddilwch pitŵaidd ein dyddiau ni, ac yn enwedig, os sonnid am 'y calcho mowr slawer dydd'—hyn-a-hyn o lwythi o galch wedi eu mofyn i'r lle-a'r-lle, mewn un haf, o odynau'r Mynydd Du, ddeunaw i ugain milltir o ffordd, siawns fawr na ddôi enw John Gwarco'd i mewn, rywle. Yn ôl y 'cyfarwyddiad' hyn yr oedd ar John Gwarco'd ddwy gynneddf, sef, yn gyntaf, y gynneddf o fod yn llwythwr gwair a llafur gorau yn yr ardal—llwyth cryno, siapus na chollai gwelltyn ohono ar y ffordd arw i'r ydlan, ac yn pwyso ymlaen ddigon, er mwyn i'r ceffyl siafft, o'i gael yn lew ar ei ysgwyddau, allu ei drafod yn rhwyddach; ac yn ail, y gynneddf o fod y gyrrwr pâr o geffylau mwyaf mentrus a beiddgar, a deheuig, hefyd, o bawb ar y ffordd fawr—ef, yr hen foi distaw, tawel hwn na chaech chi byth air o'i ben amdano'i hun! Rhaid fod cuddfan ei hyder, pan ddôi galw amdano, rywle'n ddwfn iawn yn ei fron; mor ddwfn, fel na allai ond pâr o geffylau gosgeiddig, nerthol, a'u cwarteri ôl yn pefrio gan geiniogau ei ddwyn i'r wyneb.

Fel y crybwyllwyd yn barod, byddai degau, ie ugeiniau o'r ceirti calch hyn yn aml yn dilyn ei gilydd yn un rhes faith ar y ffordd, ac yn eu plith nifer dda o wŷr, draw o Sir Aberteifi a'u bodis bach a'u ceffylau buain, bump a deng milltir ymhellach wedyn. Meibion a gweision ffermydd ynghanol eu hoen fyddai wrth y gwaith o galcho fynychaf, a hynny ym misoedd teg yr haf, o Fai hyd Orffennaf, rhwng diwedd y cynhaeaf dodi a thymor lladd gwair; a thipyn yn yr hydref cynnar wedyn. Gwaith caled ddigon ydoedd, i ddyn ac anifail, gan y golygai pob llwyth o galch deithio cyson o ryw ddeunaw i ugain awr, ac eithrio rhyw ddwyawr i'r ceffylau bori ar ben yr odyn. Cychwynnent wedi swper cynnar gan drafaelu trwy'r nos. Gwneid rhyw dair siwrnai'r wythnos fel hyn, a cholli noswaith o gysgu bob tro. Ond torrid ar undonedd y gwaith, ar y tir. Gelwid am beint weithiau, gyda Beto'r Hope, neu Sali'r Haff Wae; ac yr oedd swyn yng nghwmnïaeth y ffordd.

Pan ddechreuai rhywrai weiddi 'Hewl!' a chlatsian y whipau, o ran hwyl yn fwy na dim, efallai ar y cyntaf, buan y gwelid y gweddau mwyaf porthiannus yn ysgwyd eu pennau a chodi eu cynffonnau, a'r llesg a'r hen yn greddfol droi i'r ale; a dyma hi'n ras wyllt, unwaith eto, fel taranau'n torri'n sydyn—y gyrwyr ar eu traed yn y part blaen ac yn gwylio pob dim, y ceirti'n bwlo, ac weithiau olwyn un cart yn cloi yn olwyn y cart o'i flaen wrth geisio pasio'i gilydd ar droeon chwyrn yr hewlydd cul a'r traciau cerigog. Nid oedd dim amdani, wedyn, ond aros i'w datgysylltu ar unwaith cyn i'r ddau gart fynd yn yfflon, ac i rywrai, o bosib, gael niwed. Tra fyddai hyn ar waith, gorchwyl digon anodd, weithiau, byddai'n rhaid i'r gronfa hir o'r tu ôl aros, hefyd, gan na allai neb basio'n awr oherwydd culni'r ffordd. Wedi cael hewl glir, eto, dyma ailgychwyn gan rai, er mwyn ceisio dal y rhai cyntaf a aethai ymlaen yn ddirwystr. Y gamp fawr ydoedd bod mor bell ymlaen ag oedd bosib erbyn yr agorai gât Cefen Trysgoed am ddeuddeg o'r gloch y nos. Na, nid whare bach oedd mynd â chart a phâr o geffylau i'r hewl yr adeg honno, mwy na mynd â char modur i'r hewl heddiw a'r ffyrdd yn drwm gan draffig.

Ac yn y gyrru hwn ar y ffordd i'r calch, fel y clywais ddweud gan lawer o'i gyfoedion, nid oedd neb yn fwy rhydd a mentrus, os nad rhyfygus, yn wir, na John Gwarco'd a'i bâr o geffylau graenus. Yn rhyfedd, efallai, os rhyfedd, hefyd, o'i nabod yn dda, clywais ei gysylltu ef, yn aml, â'r hen Dom

Cilwennau Isa, Jehu arall ymysg y calchwyr, fel y ddau gyfaill gorau o bawb i gryts ifanc yn dechrau mynd i'r hewl eu hunain. 'Cadw di mor glòs ag y galli di, was, wrth gwt 'y nghart i. Fe fynnwn ni whare teg i ti.' Dyna'r cyngor brawdol yn fynych gan yr hen ddwylo celyd hyn, mae'n debyg.

Am Nwncwl Josi, brawd 'nhad, o'r ochr arall, rhyw driciau direidus a gofféid amdano ef, yn wastad; ond ni thâl mynd ar ei ôl ef yn awr, na neb arall o'r criw difyr y clywais lawer stori amdanynt ar y siwrneion hirfaith hyn, cyn i'r trên, yn gyntaf oll, a'r lorri, wedi hynny, ddod i roi terfyn llwyr arnynt. 'Wyt ti'n mofyn i fi godi atat ti, bachan?' gofynnai Josi'n fygythiol, un tro, i ryw Gardi mawr, ddwywaith ei hyd, a geisiai yrru ei gerbyd heibio iddo ar y ffordd, ac yntau'r cestog, byrgoes ar ei draed, yn barod, ym mhart blaen ei dwba dwfn.

Roedd Nwncwl John Gwarcoed, er ei fenter ym mhoethder y ras, yn yrrwr gofalus, meddai 'i hen gyfoedion amdano. Gwyddai i'r dim yr eithaf y gallai fynd, heb fynd dros ben hynny. Ond un tro daeth trasiedi i'w ran. 'Chlywais i ddim sut y digwyddodd hi. Ond syrthiodd y gaseg flaen arno, caseg ragorol, hefyd, mae'n debyg, a phris mawr ar geffylau ar y pryd. Yn y dryswch gwyllt aeth cart rhywun dros ei choes, a'i thorri fel garetsyn. Roedd hyn dipyn y tu isaf i Landeilo—bymtheg milltir o gartref. Dadfachodd rhywun ei geffyl blaen a gyrru adref i hôl fy nhad-cu i weld y gaseg cyn ei difetha. Ac yn ôl stori'r wlad, o leiaf, y peth cyntaf a ddywedodd Deio wrth John ei fab druan, wedi cyrraedd y fan, ydoedd: 'A gariest di'r ras, Jac bach?'

Ac ystyried tuedd dawel, ddistaw, fy nhad-cu Gwarcoed, ar hyd ei oes, ymddengys i ryw bwl o ienctyd ddod drosto'n sydyn pan oedd ef tua'r hanner cant oed. Oherwydd yr adeg honno fe gymerodd iddo'i hun ail wraig—Sali Rhyd y Fallen Fach, merch hanner union ei oed ei hunan. Chwaer ydoedd hi, yr iengaf o'r plant, i Neli'r Cart, gwraig John Jenkins, a chadwai dŷ i'w thad, Jemi'r Gof, mewn lle bach, cadw-dwy-fuwch, ar waelod y tir. Gellir dweud hyn amdani—iddi fod yn wraig dda, hynod ddarbodus, ar hyd ei hoes. Roedd Nwncwl John yn ugain oed, adeg y briodas, a'm mam yn ddwy ar bymtheg, yn ferch gref, weithgar, gydwybodol, ac erbyn hyn, gyda chroten o forwyn i'w helpu, yn fedrus yn holl waith tŷ ffarm. Roedd, yn sicr, yn dipyn o brawf ar fy mam a John ei brawd, yr adeg hon—gweld merch y lle bach ar waelod y tir nad oedd ryw lawer yn hŷn na hwy yn dod yn ben ac yn feistres arnynt ar eu haelwyd eu hunain. Ni allai ond dau beth gadw'r bywyd teuluol yn llyfn a diystorm ar achlysur o'r math hwn, sef tipyn go lew o ras a phwyll o'r ddau tu, yn ogystal â'r serch dwfn a'r ymdeimlad o barch a ffyddlondeb tuag at ei gilydd a welid yn amlwg yn nheulu fy mam. Ni wneid unrhyw arddangosiad o'r teimlad hwn, ond yr oedd yno yn ddigamsyniol, ac yn beth cysegredig iawn. Roedd teyrngarwch a ffydd ac ymddiriedaeth yn ei chyd-ddyn yn rhan gyfansawdd o gymeriad fy mam. (Unwaith y collai'r angor hwn ei afael gadarn, nid oedd, ysywaeth, a'i cymodai'n rhwydd wedyn.) Fe welai ryw fân ffaeleddau ysbryd fel nad oeddent yn cyfrif ganddi. A chas oedd ganddi glywed eu coffáu gan neb arall.

Gartref, yn ein tŷ ni, fe welai fy mam, weithiau, ryw ambell frycheuyn o ffaeledd hyd yn oed ym Mhegi, ei merch, cannwyll ei llygad. Ond amdanaf i, a whare teg i'w chalon gywir hi, roedd 'fy meiau fel mynyddau'; a chawn eu clywed hefyd, heb fawr o niwl arnynt. Ystyfnigrwydd cynhenid 'y ddafad ddu' yn y teulu a rhyfyg anystyriol crwt yn llosgi'n ei groen, yn ddiau, ydoedd achos fy nghamweddau, y rhan amlaf. Yn fy mhlentyndod cynnar, credaf fod fy mam, fel pob mam, yn bur hoff ohonof, fel ei phlentyn. Ond yn nyddiau fy ieuenctid, o'r deuddeg oed ymlaen, wedi i mi gymryd y bit rhwng fy nannedd a dechrau torri'r llyffetheiriau, gan rodio yn ffyrdd fy nghalon, dechreuodd yr hoffter hwn gilio—yn ymddangosiadol, o leiaf. Nid oedd yn natur fy mam, er haeled ei hysbryd, i anghofio rhai pethau. Yn anffodus i mi, ac iddi hithau, hefyd, arhosai i chwerwi yn ei chof ryw ambell beth a wnaethwn i, neu na wnaethwn, efallai, wedi i'r peth hwnnw fynd yn hen angof gennyf i, o dan bentwr o ddigwyddiadau ar ei ôl. Petai fy mam yn fwy arwynebol, neu yn llai dwys ei natur, diau na fuasai wedi cymryd fy rhysedd a'm hynfydrwydd ifanc i gymaint at ei chalon. Gallai chwerthin ar ben llawer o bethau; ond yr oedd eraill a'i clwyfai. Roedd hi'n rhy onest i ganmol er mwyn plesio.

Am ddau beth yn unig y cawn i eirda ganddi—am fy egni fel gweithiwr, ac am sgrifennu llythyr. Deuthum yn bur gynnar yn ohebydd y teulu, gan nad oedd fy nhad yn fawr o gamster yn y maes hwnnw, er ei fod e'r dyn mwyaf mentrus ar ei ramadeg Saesneg ac ar ei orgraff Gymraeg o neb a welais erioed. Lawer tro y clywais i fy mam yn dweud, wedi i mi orffen rhyw epistol a'i ddarllen mas: 'Wir, fachgen, er dwled rwyt ti'n gallu bod yn amal, fe sgrifenni damed bach o lythyr eitha call'.

Nid oedd fy nhad, ychwaith, uwchlaw beirniadaeth yn ei dro. Ei droseddau pennaf ef ydoedd ei hoffter o'r bib—er mai dwy owns yr wythnos oedd ei lwans, saith ceiniog yr adeg honno; ei natur wyllt, a'i eiriau byrbwyll, weithiau, yn y mŵd hwnnw—geiriau na chofiai ef ei hun ddim amdanynt ymhen pum munud wedi hynny, gan mor las, ddigwmwl, y byddai'r wybren, ond geiriau, er hynny, a allai aros yn hir yng nghof fy mam; a'r peth arall fyddai ei anallu i adrodd yr un hanes yr eildro yn hollol yr un fath—yr hyn a allai hi, a'i sylw craff, ei chof gafaelgar, a'i chydwybod boenus o fanwl.

Enw tri hanner brawd fy mam o ail wraig fy nhad-cu ydoedd Jâms a Dafydd a Dan. Ganed Jâms yn 1870. Blwyddyn union oedd rhwng y brodyr hyn a'i gilydd. Cymeriadau lled ddi-nod a di-liw a fu Jâms a Dan, fel petai cysgod eu mam wedi llethu eu tyfiant, yn yr un modd ag y gwywodd eu tad o dano. Daeth Dafydd yn fwy amlwg drwy adael cartref a chymryd ffugenw arno'i hun, a'i adnabod, gydag amser, fel D. Derwennydd Morgan, Pencader—Americanwr, cemist, fet, pregethwr, nofelydd dirwestol, yn gystal ag awdur 'y ddrama fwyaf hiwmoryddol yn yr iaith', yn ôl ei dystiolaeth ef ei hun amdani, ryw dro, mewn hysbyseb yn *Y Faner*. Fe welais i'r ddrama hon yn cael ei hactio, unwaith, yn Llambed! ac yn wir, rhwng ei waith ef ei hun a gwaith y cwmni, ni chredaf ei fod ymhell iawn o'i le! Gwnaeth Derwennydd un orchest go nodedig fel llenor: ysgrifennodd fath o hunangofiant dan y teitl *Trem yn Ôl,* y llyfr salaf oll yn yr iaith Gymraeg, yn ôl barn ostyngedig ei annwyl nai amdano. Y mae mor sâl fel y byddai'n werth ei ailargraffu a'i astudio'n fanwl, o glawr i glawr, fel Gwerslyfr ar 'Sut i Beidio â Sgrifennu'. Ond i mi pennaf gorchest y llyfr yw i'r awdur, wrth sôn am ddyddiau 'i febyd yng Ngwarcoed, a choffáu am ei frodyr wrth eu henwau, anghofio'n llwyr am fodolaeth ei unig chwaer, neu ei hanner chwaer, yn hytrach, sef fy mam, a hithau wedi ei fagu a'i anwylo o'i fabandod, ac yn ei symlrwydd didwyll a'i balchder ohono wedi edrych arno ar hyd ei hoes fel y proffwyd a mab yr athrylith a ddisgynasai ar eu haelwyd hwy. Ond whare teg i'm hewyrth, rhag gwneud cam ag ef, collodd ei iechyd yn ifanc ar ei ffordd i fynd yn feddyg; ac effeithiodd hynny'n ddiau arno. Roedd yn ddyn mwyn a diddan yn ei gwmni; ac yn ŵr diwylliedig yn yr ystyr o fod wedi cwrdd â bywyd mewn llawer man. Ac nid arno ef ei hun y bu'r bai os na fu ef, o leiaf, ryw gymaint elwach o bob man a gyffyrddodd. Bu farw, yn werth pensen fach go lew o arian, medden nhw.

Y peth y ceisiwn ei ddangos yw hyn: y gallai fy mam, er carediced a haeled ei hysbryd, gydnabod rhyw ambell ffaeledd bach digon dynol yn rhai o'i chyd-ardalwyr; y gallai hi, yn ddigon clir, ganfod pechodau a gwendidau rhai ohonom ni ar ei haelwyd, a'n hargyhoeddi yn bwyllog, ond yn gwbl gadarn, ohonynt. Ond am ei hen gartref hi ei hun yng Ngwarcoed, ei thad a'r brodyr, Cwm bach y Wern a'i Ysgol Sul a'i gyrddau gweddi ar-hyd-tai, Henry Jones y gweinidog, ei chyfoedion bore oes, yn hen ac ifanc, y fath ydoedd y 'pietas' cysegredig a gylchynai y rhain i gyd iddi hi fel nad oedd na bai na ffaeledd yn bod yn neb na dim yno. Ond y peth sy'n rhyfedd i mi, ac ni allaf ei esbonio, hyd heddiw, yn rhyw foddhaol iawn, yw hyn—er cymaint fy mharch i bopeth a barchai fy mam, fe arhosais i yn fath o niwtral hollol cyn belled ag yr oedd teulu Gwarcoed yn y cwestiwn. Ni pherthynem i'r un ardal yn hollol, na mynd i'r un capel, o ganlyniad; ac nid oedd yno neb o'r un oed â mi—diau fod hynny'n esbonio peth o'r dieithrwch, ac yn un rheswm pam nad oedd gennyf duedd i fynd yno. Cofiaf fod gennyf, yn grwt go fach, fwy o ddiddordeb yn y ceffylau yn y stabal, yn yr ast a'r cŵn bach duon ar ben y gwair, ac yn y lip yn y sgubor ar hanner ei gwneud gan fy nhad-cu, nag mewn dim arall yno. Lle mwrnaidd a distaw a dieithr ydoedd Gwarcoed i mi yn blentyn; ac arhosodd y düwch hwnnw arno ar hyd fy oes.

Dyddiad priodas fy rhieni yn Esgerdawe oedd Tachwedd 17, 1883, a'r Parch. Henry Jones, y gweinidog, yn gweinyddu'r seremoni. Mae'n debyg iddynt fod yn gariadon er yn blant, yn ystod eu hychydig ysgolia ym misoedd y gaeaf yn Rhyd-cymerau, a pharhau'r garwriaeth yn nhymor llencyndod. Yna bu gwahanu am gyfnod—y naill fel y llall yn dilyn ei ffansi. Fodd bynnag, bu ailgynnau'r tân, a phriodi yng nghyflawnder y blynyddoedd, bellach—fy mam un ar ddeg ar hugain oed, a 'nhad dair blynedd yn hŷn. Ni ellir dweud fod priodas fy rhieni yn un o'r ychydig briodasau hynny a wnaed yn y nefoedd, gan fod tymheredd y ddau mor gwbl wahanol i'w gilydd—mor wahanol â'r gwanwyn a'r hydref, er geni'r ddau ganol haf. Fodd bynnag, gellid dweud, yn ddigon teg, iddi fod yn briodas lawn mor ddedwydd â'r mwyafrif mawr o briodasau, gan fod anhepgorion y cartref hapus, diddig, yno, bob yr un, o'r ddau tu, yn gadarn a diogel—yr ewyllys a'r parodrwydd i ddwyn yr iau yn gydradd a charedig, yn ymdrechgar ac yn ddidwyll.

Etifeddodd fy nhad a'm mam, fel ei gilydd, gyfansoddiad eithriadol o gryf. Cyffredin oeddent o ran maintioli cyrff, fy nhad ond rhyw bump a whech, fel finnau. Ond yr oedd yno wytnwch a dycnwch anghyffredin yn y ddau, fel eu hil o'r ddwy ochr, os caf ddweud hynny—hen hil y bryniau wedi eu magu yno drwy'r canrifoedd. Ond er caleted y stoc, wrth natur, dôi hen haint greulon y ddarfodedigaeth a wnaeth gymaint hafoc yng Nghymru i mewn yno, hefyd. Bu farw fy nwy fam-gu o'r clefyd hwn yn union wedi gorffen dwyn plant, a'r ddwy ohonynt ond tair a deugain oed. Nid oedd fy nhad, adeg claddu ei fam, ond deuddeg oed, a thri o'r wyth plentyn a adwyd ar ôl yn iau nag yntau. Disgynnodd y cyfrifoldeb am fywoliaeth y tŷ a'r aelwyd, felly, wedi claddu eu mam, ar ddwy chwaer hynaf fy nhad, ac Anne, ar y pryd, yn bedair ar bymtheg oed, a Let yn ddwy ar bymtheg. A chofio mor ifanc y byddai pawb wrthi, y dyddiau hynny, gellid ystyried eu bod hwy yn ddigon hen i ofalu am aelwyd glyd a chysurus i'r teulu lluosog. Ond hyd y gallwn gasglu, er eu bod yn ferched caredig iawn, ni feddent, yn ddigonol, y ddawn werthfawr o fod yn ddarbodus ac yn drefnus wrth gadw tŷ. Priododd y ddwy ferch, yn ddiweddarach, heb fod yn rhy lwcus yn eu rhan, ychwaith. Bu cyfnod wedyn o ddibynnu ar forwynion, hyd nes i Jane, yr iengaf o'r teulu, ddod mewn oed i ofalu am bethau. Dyn glew oedd fy nhad-cu, mae'n wir, ond er ei lewed ni allai fod ym mhobman a threfnu popeth. Y canlyniad ydoedd, na chafodd y plant iengaf y gofal a'r cysuron aelwyd arferol lle bo mam dda a chyfrifol yn gofalu am y teulu yn gyfan.

Heblaw'r gwaith ffarm arferol yr oedd coedwigo, hefyd, fel y gwelwyd, yn rhan gyson o'r bywyd ar Benrhiw: plannu coed, cau o'u cwmpas, chwynnu rhyngddynt, a'u teneuo; a phan ddôi gallt i'w hoed mwyaf manteisiol—ei chwympo; ac am gyfnod, o leiaf, cario coed i'w golosgi yng ngwaith oel Brechfa, tra fu hwnnw ar gerdded. Ac yn nhymor y gaeaf yr âi'r gorchwylion hyn ymlaen, yn bennaf—gwaith gwlyb ac oer a slafus ddigon. A 'nhad, gyda'i egni diflino, a'i ddeall hoffus o ddyn ac anifail fyddai'n wastad dan ben trymaf y gwaith. Tra fu 'i iechyd a'i nerth cynhenid ganddo fe'u gwariai'n afradus a difeddwl. Roedd fy nhad, fel y dywedwyd, o natur gynnes a chymdeithasol. Ar ôl bod wrthi'n galed, drwy'r dydd, yn y coed, yn wlyb hyd at y croen, efallai, neu wedi cetyn o hela yng ngwlybaniaeth y tir garw ac anialwch gwernog y godre, yn hytrach na mynd adref i newid a chael dillad sychion, dewisach fyddai ganddo'n fynych droi i mewn i dŷ un o'r cymdogion; ac yno y byddai, wedyn, yn 'whilia' (chwedleua) a gwrando storïau, gan ail a thrydydd fwynhau 'i storïau 'i hunan, yn ddiau, mewn afiaith frwd, ddiniwed, a'i ddillad gwlybion yn mygu amdano drwy'r hwyrnos o flaen y tân coed gwresog ar lawr yr aelwyd.

Oherwydd gyr diatal ei ynni a'i lwyr ddiofalwch amdano'i hun nid rhyfedd i iechyd fy nhad, o'r diwedd, dorri 'lawr. O fewn y flwyddyn wedi priodi ac i'm mam symud ato i Benrhiw fe'i trawyd yn wael iawn, hyd at angau ymron, gan lid yr ysgyfaint. Wedi i'w iechyd unwaith roi ffordd yn y pwl cyntaf hwnnw ni fu yr un byth wedyn. Dôi'r naill ddolur ar ôl y llall o hyd i'w ran. Cafodd y dwymyn wynegon, a'r fflamwydden, ar ôl hynny, yn ddrwg iawn; a bu'n dioddef ar hyd ei oes, ac am un cyfnod yn arteithiol, gan ddrwg yn ei arennau. Poenid ef yn enbyd, hefyd, gan y niwralgia a chur pen mynych. Ac fel yna, o bwl i bwl o afiechyd, y bu ef am y deng mlynedd cyntaf o'i fywyd priodasol. Wedi symud i Abernant un salwch difrifol a gafodd. Ryw ddiwrnod fodd bynnag, cafodd briscripsiwn gan yr hen Ddoctor Ifans, a fyddai'n sicr wrth fodd calon llawer un—dwy lond llwy de, ac yn llifo drosodd, o whisgi, yr O.V.H.—ni wnâi dim y tro ond yr Old Vatted Highland—ar ben ei fasnaid bara te bob bore i frecwast. Ai dyna a wnaeth y wyrth ai peidio nis gwn. Ond o hynny ymlaen, er yn wanllyd ddigon, bu ei iechyd yn llawer iawn gwell, weddill ei oes.

Drwy gydol ei fywyd bu gofal a thynerwch ac amynedd fy mam yn ddiderfyn tuag ato. Ac y mae hyn yn bendant i'w gofio: odid y bu erioed, gredaf i, ddioddefydd (*patient*) mwy anodd i'w drin na 'nhad. Yn ystod ei salwch, oni fyddai'n rhy wael i wybod dim amdano'i hun, fel y bu, fwy nag unwaith, fe fyddai mor anystywallt ac mor amhosibl gael ganddo iwsio gronyn o reswm â phan oedd yn anterth ei hoen a'i iechyd. Cyn gynted ag y byddai'n dechrau gwella a theimlo rhyw naws o'i hen ynni anesmwyth yn dod yn ôl iddo ni wrandawai ar y doctor, na'm mam na neb arall. Ar ôl pwl o salwch a allai'n hawdd fod wedi lladd dyn o galon lesgach, ni cheid ganddo ar un cyfrif, aros yn y gwely, neu hyd yn oed yn y tŷ, nes ailennill ei nerth dipyn yn rhagor. Na; cyn pen fawr o dro byddai allan, drachefn, ac wrth ryw orchwyl, cyd gallai ei nerth ei gario, mor ddiarbed ag erioed—hyd oni fyddai'n rhaid iddo ildio, eilwaith, a mynd yn ôl i orwedd. Roedd ei ddewrder ysbryd yn anorthrech, a'i ryfyg byrbwyll mor eithafol â hynny. Wedi hanner oes o salwch a hanner gwella ysbeidiol fel yna ni ddysgodd, hyd y diwedd, y wers fwyaf elfennol parthed cadw deddfau iechyd. Ond dyn bach da iawn oedd fy nhad, yn sicr, er gwaethaf ei wylltineb a'i ddiffyg gweld, yn fynych, fynych. Âi dros ei ben i helpu pawb, ganol nos fel canol dydd. Nid oedd rhithyn o dwyll nac o eiddigedd yn ei natur. Ei ddawn bennaf ydoedd ei ddawn gweddi. Roedd yn hyfrydwch gwrando arno ar ei liniau. Mi gredaf ei fod, yn gyson, ar delerau da â'i Greawdwr. Mi wn ei fod ar y telerau gorau posib â'i gymdogion bob awr o'r dydd, a phob dydd o'r flwyddyn gron. Dyna ran o gyfrinach bywyd yr Hen Ardal.

Nodyn: bu farw fy nhad o'r ffliw honno a ysgubodd y wlad yng ngaeaf a gwanwyn ofnadwy y Rhyfel Mawr, 1916-17, a'r niwmonia yn gafael ynddo wedyn. Chwech wythnos yn gynt, o'r ffliw honno, claddesid fy mam a ofalodd fel angyles amdano, drwy bob salwch—ef yn 67 oed a hithau dair blynedd yn iau. Rown i yn Rhydychen ar y pryd, a Phegi fy chwaer yn nyrs gyda'r fyddin yn yr India.

Rhwng popeth, colli fy rhieni mor agos i'w gilydd, a cholli fy nghartref, o ganlyniad, poen beunyddiol y Rhyfel a oedd ar bawb, a bygwth parhaus y tribiwnlys arnaf fel gwrthwynebwr cydwybodol, blwyddyn galetaf fy mywyd i mi a fu'r flwyddyn 1917-18.

Cyn dod at hanes gadael Penrhiw, a'r achos pennaf am hynny, rhaid i mi sôn yma am un peth arall sydd wedi aros yn ddigon byw yn fy meddwl, sef y ddyletswydd deuluaidd. Fe'i cynhelid bob bore, yn ddi-fwlch, hyd y gallaf gofio, cyn codi oddi ar frecwast. Roedd yno gegin lawn, rhyw naw neu ddeg, rhyngom ni'r ddau blentyn, yn bresennol bob amser; ac yn nyddiau'r cynhaeaf byddai'r nifer, yn wastad, dipyn yn ychwaneg—a'r rhan fwyaf ohonynt yn medru canu. (Rown i'n rhy ifanc, ar y pryd, i allu tystio'n fanwl am y canu hwnnw'n awr. Ond gwn fod yno, yn fy amser i, gôr aelwyd o bedwar llais yn canu mewn eisteddfod, weithiau—er nad da gan fy nhad o gwbl, oedd cystadlu. Nwncwl Jâms, wrth gwrs, fyddai'n arwain, a 'nhad ac yntau'n canu'r tenor a'r bas, a'r merched a'r gweddill yno, pwy bynnag fyddent, yn gofalu am y lleisiau eraill. Clywais ddweud i Mari Ffidl Ffadl a feddai lais bach net, ac yn dwli ar ganu, mae'n debyg, ddod i mewn cyn pryd, mewn rhyw gytgan, un tro, ac i'r côr golli'r wobr!) Wedi i bawb fwyta'i damaid olaf distawai'r gleber ohoni ei hun, a symudai 'nhad o'r ford fach at gornel y ford fawr, gerllaw'r ffenestr. Cenid emyn cyfarwydd i ddechrau, ac yna darllenid rhan o'r ysgrythur a mynd i weddi. Weithiau, cymerai Nwncwl Jâms, neu Jontomos, a'i fod yno, at y rhan hon yn ei le. Nid oedd y gweithwyr achlysurol eraill yn 'ddynion cyhoeddus'. Rhwng fy nhad-cu a 'nhad ar ei ôl cadwyd y ddyletswydd deuluaidd ar aelwyd Penrhiw ac aelwyd Abernant, wedi hynny, yn ddi-dor am dros drigain mlynedd. Ymhellach, a chyda phob gwyleidd-dra ysbryd y mynnwn ei grybwyll yma, y mae'n bosib fod y traddodiad hwn, pe gellid ei ddilyn, yn mynd yn ôl i hen aelwyd Llywele, ac wedi dod i lawr o dad i fab er dydd tröedigaeth Wiliam Siôn, tad-cu fy nhad-cu, a dechreuad Methodistiaeth yn y cylch, bron can mlynedd cyn hynny.

Fel y gŵyr y rhan fwyaf o barau priod, mi gredaf, hyd yn oed y rhai hynny sy'n dechrau byw yn eu cartref newydd eu hunain o dan yr amgylchiadau mwyaf ffafriol posib, nid gorchwyl rhwydd a syml iddynt yw eu cymhwyso'u hunain ar gyfer ei gilydd fel ag i gyd-dynnu'n esmwyth o dan yr un iau, weddill eu hoes. A pho gryfaf, arbenicaf, neu hynotaf, os mynner, y bo'r ddau, wrth natur, anhawsaf oll yw'r broblem. Mae pob gwahaniaeth mewn tymheredd, tuedd, a delfryd, yn ei dwysáu. Rhamant ac iddi, o leiaf, elfen o gellwair anghyfrifol yr ifanc yn chwilio pob peth cyn profi'r hyn sydd dda, gobeithio, yw cyfnod y caru. Ond yn y cyflwr priodasol fe geir drama gyflawn bywyd yn ymagor yn llawn posibiliadau teg yn gystal â pheryglon tywyll. Eithr pan groesawo person rywun o'r tu allan i mewn i'w aelwyd ei hun ar achlysur priodas, neu, pan elo'r person hwnnw ar ei briodas ei hunan i mewn i aelwyd y teulu-yng-nghyfraith i fod, bellach, yn aelod o'r teulu hwnnw, y mae'r broblem, yn sicr, yn fwy anodd ac yn fwy cymhleth byth. Oherwydd, mewn gwirionedd, nid y ddau unigolyn a unir, yn awr, er gwell neu er gwaeth, ond yr unigolyn a chlymblaid o unigolion, boed eu rhif cyn leiad ag y bo, sydd wedi hen wladychu a sefydlu yno o'i flaen yn eu ffyrdd arbennig hwy eu hunain. Gall gwrthdrawiad ag unrhyw un o'r aelodau hyn fod yn ddigon i andwyo dedwyddwch pawb.

Daeth i ran fy mam fynd drwy'r ddau brofiad go anodd hwn. Yn gyntaf, yn ferch ifanc, fel y gwelwyd, pan ddaeth Sali Rhyd y Fallen Fach, drwy ail briodas fy nhad-cu, i mewn i Warcoed yn llysfam i'm mam a John ei brawd, ac yn feistres y tŷ. Yn ail, ar ddechrau ei bywyd priodasol hi ei hun wrth fynd i mewn i Benrhiw at fy nhad—a 'nhad-cu a Nwncwl Jâms yno'n barod yn rhannu'r aelwyd, heb sôn am y gwasanaethyddion. Er nad oedd cymodi a chynefino â'r drefn newydd yng Ngwarcoed, yn ddiau, yn beth hawdd a dymunol fel y gellid disgwyl, i'm mam, a'i brawd gyda hi, eto, daethant drwy'r prawf hwn yn llwyddiannus; a hynny'n bennaf, yn sicr, oherwydd y tangnefedd, a'r parch cynhenid tuag at ei gilydd, a'r teyrngarwch i'r penteulu a fodolai yno erioed. Ym marn onest fy mam, fel y dywedwyd, ni allai ei thad wneud dim o'i le. Dewisodd ef ailbriodi; a dyna'r drefn wedi ei setlo. Er nad oedd amheuaeth pwy oedd ben, bu gan y ferch ifanc a'r llysfam ifanc ddigon o synnwyr cyffredin ac o barch at ei gilydd i gyd-dynnu'n hapus ddigon yn ystod y blynyddoedd wedi hynny y buont o dan yr un gronglwyd. Ac nid bychan o deyrnged oedd hynny i'r naill a'r llall, o gofio eu bod mor agos i'w gilydd o ran oed—y ferch, fel y gwelwyd, yn ddwy ar bymtheg a'i llysfam yn bump ar hugain.

Mae'r difrif-ddyn, y gŵr ysgyfala, neu'r dyn a'r asyn dan ei groen yn peri iddo'n anorfod styfnigo a dal yn gyndyn groes i bawb, yn haws fel rheol, i fwynhau ei gwmni o bell nag o fyw dan yr un to ag ef. Roedd Nwncwl Jâms yn gyfuniad o'r tri, gyda'r lle anrhydedd, yn ddi-os, yn eiddo i'r olaf. Ond gallai fod yn ddigrif hefyd, yn enwedig yn sioncyn bach, neu wedi ei gynhyrfu, ac nid peth anodd mo hynny—gan ddweud pethau gwreiddiol a brathog ar adegau.

Gellir dweud yn gywir, mi gredaf, fod fy mam wedi ei chynysgaeddu'n deg â'r doniau gofynnol i wneud llwyddiant o'i bywyd priodasol wrth ddod i mewn dan amgylchiadau digon anodd i aelwyd gymysg Penrhiw. Roedd yn ddoeth a phwyllog a hunanymwadol, yn deimladwy a charedig, wrth natur, yn drefnus a gweithgar, ac o gorff cryf ac iach. Dôi hi a'i thad-yng-nghyfraith, Jaci Penrhiw, ymlaen yn rhagorol gyda'i gilydd. Yn ei gystudd blin ym mlwyddyn olaf ei oes gofalodd amdano gyda'i thynerwch anghyffredin at bob un mewn salwch neu boen, boed ddyn neu anifail. Ar ôl ei farw ef, ymhen rhyw ddwy flynedd a hanner wedi iddi symud i Benrhiw, ac iechyd fy nhad, bellach, wedi rhoi ffordd yn ddrwg—dyna'r adeg y dechreuodd gofidiau fy mam, ac y daeth trafferthion ac anghysur i'w bywyd. Ac nid oedd raid mynd ymhell i chwilio am yr achos. Canys yno yr oedd

Nwncwl Jâms, a chynneddf arbennig 'dafad ddu Llywele' yn drwm arno—yr ystyfnigrwydd cynhenid hwnnw, y reddf anorthrech i godi rhwystrau a dal yn groes, gan whilibawan ar lwybr pawb a fynnai weithio. Tra fyddai fy nhad yn gallu dal uwchben ei draed, rywfodd, a'i iechyd, rhwng y pylau mynych, yn oilin bach, âi popeth ymlaen yn weddol iawn. Roedd fy nhad, fel y dywedwyd, bum mlynedd yn hŷn na Nwncwl Jâms, ac wedi blaenori ymhob gwaith erioed. Roedd yno gwympo mas poeth rhwng y ddau frawd, ar adegau, fel y mae gennyf beth cof, er nad oedd gennyf i, dan y chwech oed, yr un syniad pam. Edrych yn syn a wnawn i, a rhyfeddu pam yr oedd y ddau ohonynt yn gweiddi cymaint a hwythau yn ymyl ei gilydd. Ond ni fyddai amynedd gan fy nhad i ymdaeru'n hir. Gwyddai fod dadlau â 'Jim 'y mrawd' fel y galwai ef yn y mŵd hwn, 'fel dadlau â chlacwydd'. Âi ymlaen â'r gwaith gan adael ei frawd o dan sylw i bilio 'i frwynen ei hunan; neu i fynd i'r tŷ am awr neu ddwy o siafo a chanu yn llewys ei grys, fel paratoad ar gyfer taith ar gefen Bess, yr Hen Boni, ar sgawt eisteddfodol neu garwriaethol yn hwyrach y dydd.

Mewn gwirionedd, po bellaf y byddai Nwncwl Jâms o gartref gorau oll y llewyrch ar bob gwaith yno; er, pe gwrandewid arno'n siarad gellid meddwl mai ef oedd y 'thlafwr' pennaf o gylch y tŷ; oni bai am 'y gwaith caled' a wnâi ef, ac y soniai amdano mor fynych, y byddai ar ben ar bopeth yno, ers tro. Ac o'i nabod wedi i mi dyfu i fyny yr wyf o'r farn y credai ef hynny yn onest. Dyna ran o eironi chwithig ei gymeriad—digrif i'r byd o'r tu allan, ond difrif, ie, creulon o ddifrif, o dan yr amgylchiadau, i un o bersonoliaeth ddwys a llednais fy mam ar aelwyd Penrhiw.

Wyth mlynedd y bu fy mam yn byw ym Mhenrhiw, sef o ddydd ei phriodas yn Nhachwedd 1883 hyd ddydd y symud i Abernant yn union wedi Gŵyl Fihangel 1891. Er gwaethaf afiechyd fy nhad, blynyddoedd o lewyrch ac o lwyddiant tymhorol fu y rhain. Nid oedd dim a gâi gam ym Mhenrhiw o dan lygad craff a gofal manwl fy mam. Un creadur a gofiaf i yn trigo yno, erioed; a'r hen Swch Fain oedd hwnnw, rhyw haflo di-raen, er dydd ei fwrw, a gadwai ei hen-got amdano bron hyd yr hydre. Roedd gan fy mam law a chalon y wir nyrs. Byddai hi ei hun farw cyn y câi neb na dim arall farw ganddi.

Gellir dweud fod ym Mhenrhiw, dan ofal fy mam, aelwyd lawn a llawen, a phob gwas a morwyn a dyn hur yn aelod cyflawn a chydradd ohoni. Ac yr oedd i bob perchen anadl, ar fuarth ac ar faes, ei ran yn y gymdeithas wâr a chynnes hon. Gyda llaw, hefyd, hyd y clywais i, o leiaf—ac yr own i, yn anymwybodol, yn wrandawr go glustfain ar bob siarad ar yr aelwyd, er fy nyddiau cynnar, cynnar—ni thorrodd neb ar ei gyflog o Benrhiw, yn ystod oes fy nhad-cu, nac yn amser fy nhad ar ei ôl—drigain a dwy o flynyddoedd (1839-91). Diau nad oedd hynny yn rhyw lawer o eithriad mewn cymdogaethau fel yma lle'r oedd y berthynas rhwng pawb o dan yr un fantell simnai mor agos a theuluol. Clywais am fy mam, er enghraifft, un bore, o weld Dai, y gwas mowr, yn pendwmpian uwch cyrn yr aradr ar ben tir, a'i ben yntau, mae'n amlwg, bron hollti, wedi rhyw sbri y noson gynt, yn peri iddo ollwng y ceffylau a mynd i'r gwely am gwpwl o oriau; a'r sgwat bochgoch, ffraeth ei dafod hwnnw, yn ufuddhau gydag ochenaid ddiolchgar.

Yr adeg honno roedd i neb ymadael â'i le cyn Calan Gaeaf, oni fyddai rhyw amgylchiad arbennig, yn dipyn o anfri ar feistr ac ar was neu forwyn. Ar y ffermydd brasach, yn nes at lan Tywi, y dechreuodd y gagendor ledu a dyfnhau rhwng y ford fach a'r ford fawr. Gyda'r wyth awr o Lundain, gan nad beth fo'r tywydd, seliwyd y gwahaniaeth yn swyddogol. Aeth y gwas i'w faes a'i feistr i'w fasnach—heb fod yng nghwmni ei gilydd.

Ond er y llewyrch a'r graen digon cysurus ar bethau ym Mhenrhiw bu fy mam, ar adegau, yn ystod ei blynyddoedd olaf yno, bron torri ei chalon. Dwy ffordd oedd i drin Nwncwl Jâms: dweud ei les yn dew ac yn denau wrtho, fel y gwnâi fy nhad, weithiau, pan fyddai ei stwbwrnda adwythig wedi bod yn fwy o rwystr nag arfer, a'i adael, wedyn, dan sylw; neu, ynteu, ei ddenu a'i ganmol fel y gwnâi ei briod, Nanti Elinor, yn ddiweddarach, gydag amynedd y tu hwnt i amynedd gwragedd. Rwyf o'r farn onest i Nwncwl Jâms, gyda'r lwc ryfedd honno a'i dilynai, yn wyneb pob afreswm, gael iddo'i hun yn wraig yr unig fenyw ar wyneb y ddaear a allai wneud rhyw drefen ohono. Ni ellir trechu asyn a'r cythrel wedi lodjo yn ei ên. Ond o oglais tipyn arno yn y mannau iawn fe'i ceir, weithiau, yn ei amser da ei hun, i symud peth mwy ymlaen nag yn ôl. A dyma'r eithaf a allodd rhyfedd amynedd fy modryb Elinor ei wneud o'm Hewyrth Jâms wedi oes o fyw gyda'i gilydd.

Achos pennaf dioddefaint fy mam ym Mhenrhiw, fel achos y prif ddioddefydd ymhob trasiedi, ydoedd ei bod hi, wrth natur, wedi ei hanghymwyso i gyfarfod â'r sefyllfa arbennig honno y'i cafodd ei hun ynddi. Wedi colli cefnogaeth gadarn fy nhad-cu, drwy ei farw, a'i chaethiwo gan ei phryder a'i gofal parhaus am fy nhad yn ei stafell wely, ni feddai hi'r bersonoliaeth feistrolgar, heriol honno a allai droi ar ei brawd-yng-nghyfraith a'i osod yn ei le; ac yr oedd hi'n rhy ddidwyll a chywir ei chymeriad i geisio'i hudo a'i ddenu drwy ffordd arall. Roedd rhywbeth yn ddigon brawdol yn Nwncwl Jâms yng ngwaelod ei natur. Nid dyn cas mohono ond dyn dan effaith cynneddf, megis—dyn od, ac fel ei rywogaeth yn gyffredin, na allodd, erioed, weld ei fod yn od; a'r odrwydd hwnnw yn taro fy mam mewn rhigol yn ei harfogaeth. O'i magu ar aelwyd fwyn a heddychlon fy nhad-cu Gwarcoed, lle ni chodai neb byth ei lais yn uwch na'i gilydd, ni allai hi feddwl am ddadlau ac ymryson ag ef. Roedd hi'n rhy fonheddig. 'Ateb arafaidd a ddetry lid, ond gair garw a gyffry ddigofiant', oedd ei hadnod fynych hi. Ni allaf gredu iddi hi a John ei brawd gweryla â neb yn eu bywyd. Daliai ei thafod; eithr daliai at ei barn, mor sicr â hynny. Ond, ysywaeth, ni allai anghofio, unwaith y digiai'n ddwys.

Yn ystod pylau o afiechyd fy nhad ymgymerai fy ewyrth, weithiau, yn ddigon cywir ei galon, mae'n sicr, â'r cyfrifoldeb o drefnu'r gwaith mas yn ei le. Ond oherwydd ei gymhlethdod a'r dynged chwithig honno a roed arno ni wnâi ei drefnu a'i dafodi pigog, ffraethlym, pan na wrandewid arno, ond ffwndro a rhwystro pawb; byddai'r diwedd yn waeth na'r dechreuad. Pe cadwai f'ewyrth at ei hoff ddiddordebau o ganu a charu, a gadael i'm mam i gael ei ffordd a'i threfen ei hun ar bethau fe ddôi hi a'r gwasanaethyddion i ben â'r cyfan yn iawn. Ond mynnai ef ddal yn groes o hyd, gan ymyrryd â phopeth ac andwyo popeth. Os mentrai fy mam, weithiau, yn bwyllog a deheuig, fel y medrai hi, daflu awgrym mai fel arall y byddai orau, efallai, fe ddechreuai ef arni gyda'i genllysg diatal o eiriau a'i syfrdanai hi ar y pryd; geiriau fyddai'r rhain a lynai fel saethau bachog yn ei chalon ddwys a theimladol hi, weddill ei hoes, ond a aethai'n hen angof ganddo ef, yn ôl pob tebyg, erbyn y dôi ei wres yn ôl i'r normal. Unwaith neu ddwy wedi i mi dyfu i fyny y clywais i Nwncwl Jâms wrthi yn ei afiaith ddifrifol a dyna'r danhodwr mwyaf ysgubol ddawnus a glywais i erioed. Roedd pob brawddeg yn tynnu gwaed fel whip Deio Esger Corn. Megis wrth ganu âi i ysbryd y darn fel dyn wedi ei feddiannu; ac yr oedd ei anal yn hir.

Nid oedd dim a glwyfai fy mam mor ddwfn â chlywed awgrym angharedig am Warcoed a'i gysylltiadau. Mae'n debyg pan fyddai Nwncwl Jâms yn ei hwyliau mwyaf difenwol yn erbyn fy mam, ac yn methu taro deuddeg, weithiau, y byddai'n dannod iddi hi ddod i mewn i Benrhiw 'yn hen borcen', fel y dywedai—heb ond hyn-a-hyn o waddol priodas ganddi. Wn i ddim a oedd unrhyw sail i'r dannod hwn ai peidio, ynteu rheitheg dyn ym mhoethder ei dymer ydoedd, yn barod i gydio mewn rhywbeth a allai ddolurio rhagor; ac o'i weld yn effeithiol, unwaith, yn cael blas ar ei ailadrodd. Ond mi wn i hyn glwyfo balchder distaw fy mam yn ei theulu yn fwy na dim. Onid oedd yn cyffwrdd ag anrhydedd ac enw da ei thad, cannwyll ei llygad hi? Ys gwir nad ef, o bosib, oedd yn gyfrifol, yn bennaf, yn awr yng Ngwarcoed, wedi'r ail briodas. Ond fe wyddai fy mam yn dda, yn well na neb, am haelioni di-sôn ei thad, ac am ei lawer cymwynas ddirgel i'r caled ei fyd yn ystod y blynyddoedd anodd hynny pan oedd e'n byw yn Rhiw'r Erfyn . . . Ni ellid dychmygu amdani hi yn ateb yn ôl. Ond fe arhosodd y fflangellu cignoeth, diangen yma, yng ngwydd y cyhoedd, yn greithiau yn ymwybyddiaeth fy mam, hyd ei bedd.

Nid oedd unrhyw argoel, ar y pryd, fod iechyd fy nhad yn debyg o wella. Sylweddolai fy mam yn ddwysach o hyd fod byw fel hyn yn amhosib. Nid oedd dim amdani ond gadael y lle. Ie, ei adael o'u hanfodd, costied a gostio, a chwilio am ryw le bach, cadw dwy neu dair buwch, y gallai fy mam ddod i ben ag ef ei hunan, fwy neu lai. Roedd hynny'n well na rhyw gynnwrf parhaus, heb unrhyw debygolrwydd y dôi pethau'n well. Yr unig ymwared posib fyddai i'm hewyrth briodi a mynd i fyw i'w gartref ei hun. Ond er ei fynych gariadon a'i ddyfalbarhad yn y gwaith hwn, cilio'n araf a wnâi'r arwyddion o hynny fel y nesâi ef at y deugain oed. Gadael Penrhiw, gadael yr hen gartref! Rhwyg go fawr oedd hyn fel y gellid disgwyl, yn enwedig i 'nhad. Ni ŵyr neb wir ystyr gadael 'hen dud ei dadau' ond y sawl a aned ar y tir lle y mae cae a chamfa, pob llwybr a pherth, pob cwm a llwyn a nant ac afon, yn frith o atgofion iddo er y dydd y dechreuodd gerdded; heb sôn am adael hen gymdogion, a gweld yr anifeiliaid yn cael eu gwerthu ar acsiwn heb wybod pwy a'u câi.

Wedi unwaith benderfynu symud, aeth fy rhieni ati i weld ac ystyried mwy nag un lle a ddigwyddai fod yn rhydd—Llety Leucu, ger Crug-y-bar, a Phenybont, ynghanol pentref Llansewyl. Ond ar Abernant, lle bach o brin dau gyfer ar hugain, tua milltir dda yn union groes i'r bryn o Benrhiw, a milltir arall ar y ffordd fawr i Rydcymerau, y salaf o'r tri lle, y syrthiodd y coelbren. Bûm weithiau, fel y bu llawer un tebyg, yn ddiau, yn ceisio dyfalu pa wahaniaeth, o bosib, ynof fi fy hun a wnaethai (a bod hynny o ryw bwys) pe buaswn i, a mi yn chwech oed, wedi digwydd symud gyda'm rhieni i ardal Llansewyl neu Grug-y-bar yn lle i ardal Rhydcymerau. Anodd tynnu dyn oddi ar ei dylwyth, medd yr hen air. Anodd hefyd dynnu dyn oddi ar ei ardal. Oherwydd y mae i bob ardal ei hawyrgylch a'i thraddodiadau arbennig ei hun. Gall un gymdogaeth ymffrostio yn ei meirch, ei moch, a'i maip; ac ardal arall sôn am 'y beirdd a chantorion, enwogion o fri' a faged yno. Rhaid wrthynt i gyd i wneud gwlad a chenedl. Nid oedd gan Rydcymerau na meirch na mawrion, namyn yr hen bregethwr ffraeth a gwreiddiol, Dafy Dafys, i ymddigrifo ynddynt—dim ond boddloni'n syml ar ei symlrwydd ei hun. Ond pe symudasai fy rhieni y pryd hwnnw i ardal Llansewyl neu Grug-y-bar diau y tyfwn i fyny yn llawn mor falch o ardal fy mebyd yno ag yr wyf wedi bod erioed o hen ardal fach Rhydcymerau. Ond nac ateger y ddadl hon â'r ddihareb am y cyw hwnnw.

Prynodd fy rhieni Abernant wedi mynd i fyw iddo, gan dalu'n rhannol amdano o arian yr arwerthiant ym Mhenrhiw. Nanti Jane, chwaer iengaf fy nhad, a'i phriod, Dafydd Jones, brawd hynaf i fam Gwenallt, y bardd, a ddaeth i fyw i'r lle ar ein hôl ni, a'i gael am rent a oedd yn deg rhwng brawd a chwaer. Yr un ddimai yw ei rent wedi bod o hynny hyd heddiw, am drigain mlynedd cyfan, er fod prisiau popeth bron wedi dwbwl-dreblu yn y cyfamser. Rhwng y costau ato, ar hyd y blynyddoedd, a'r dibrisio yng ngwerth y lle gan bwysiced yw hwylustod hewl fawr at bob dim bellach, fe geir rhyw syniad am elw breiniol y landlord erbyn hyn! Oherwydd ystyfnigrwydd Nwncwl Jamsaidd ei berchennog sentimental yn gwrthod, hyd yr eithaf, ei werthu i'r Llywodraeth, math o or-ynys ydyw Penrhiw heddiw, uwchlaw Cantre'r Gwaelod y *Brechfa Forest*.

Rhyw ychydig flynyddoedd y bu fy ewyrth a'm modryb fyw ym Mhenrhiw cyn iddynt ymfudo i Loegr, i ffermio gerllaw Leamington, yn swydd Warwick, a thrwy hynny ddilyn y ffasiwn gan gynifer o ffermwyr rhwng Tywi a Theifi tua diwedd y ganrif o'r blaen a dechrau'r ganrif hon. Dywedid, ar un adeg, y clywid bron cymaint o Gymraeg ar brif stryd Rygbi ar ddydd marchnad ag a glywid yn Llandeilo, hen dref marchnad yr ymfudwyr hyn. Erys yn destun ymchwil diddorol i rywun i gofnodi hanes y gwŷr ymdrechgar, anturus hyn, ar adeg wan mewn amaethyddiaeth, a adawodd eu ffermydd llethrog, bychain mewn cymhariaeth, ar fronnydd Sir Gaerfyrddin, am erwau gwastad, braf, swyddi Northampton, Leicester a Warwick, gan ychwanegu bloneg ar gorff a sglein ar bilyn, gan nad beth am ras yn y galon a goleuni yn y pen. Daw plant y rhain a'u hwyrion yn ôl, o hyd, fel eu tadau, i farchnadoedd Dyffryn Tywi a Dyffryn Teifi i brynu da stôr i'w tewhau ar eu tiroedd brasach hwy. Wedi dysgu diwydrwydd a chynildeb o'r crud, gartref, o'u cymharu â'r *gentleman farmer* am y ffin â hwy yn Lloegr, eithriad oedd i neb ohonynt beidio â llwyddo, a dod ymlaen yn y byd. Claddwyd Nanti Jane, druan, ymhen ychydig flynyddoedd wedi gadael Cymru, a chwalodd y teulu wedi ei cholli hi.

Ac yn awr rhaid dwyn y rhan yma o'r stori i ben ar ddydd

fy ymadawiad â Phenrhiw, yn whech a chwarter oed. Fe gofiaf rannau o'r dydd arbennig hwnnw yn fy hanes yn dda. Diwrnod euraid o hydref cynnar oedd hi—y dail crin ar hyd y clos, y coed uchel o gwmpas yn amryliw eu gwisg, a'r caeau sofl yn wynion yn y pellter. Roedd y tŷ bron bod yn wag, y celfi, gan mwyaf, wedi eu symud y dyddiau cynt; Penfraith a Blacen, y ddwy fuwch fwyaf blithog a gadwyd gennym, heb eu gwerthu ar yr acsiwn, wedi croesi dros fanc Esgair Wen, yn gynnar y bore hwnnw ar ôl eu godro, i'w cartref newydd yn Abernant; Blac yn bendrist a myfyrgar fel y byddai hi, weithiau, cyn twymo ati, yn y car o flaen y tŷ. Roedd nifer o bobl yno, er na chofiaf pwy oedd neb ohonynt, heddiw. Diau fod yr hen wraig fach sionc, Rachel y Pandy, yn un, gan ei bod hi ym Mhenrhiw ar bob amgylchiad pwysig. Buasai Nwncwl Jâms, drwy'r bore, yn eistedd yn isel ei ben, yn y cornel o flaen y tân coed mawr ar yr aelwyd. Ni châi neb air ganddo, ers oriau—a finnau'n synnu beth oedd yn bod arno, mor wahanol i arfer. Buom yn aros amdano, fel hynny, am amser go hir, a'r gaseg yn y car yn barod i gychwyn. Roedd fy rhieni am iddo ddod draw gyda'r fudfa i Abernant i gynhesu'r aelwyd newydd y noson gyntaf. Ond yno yr oedd yn welw a sobr, heb symud o'r fan. Aeth fy nhad i'r tŷ i geisio'i berswadio, unwaith eto. Ond yn ofer. Byr oedd amynedd fy nhad ar y gorau; ac yr oedd yr amser yn rhedeg ymlaen.

Ond cyn rhoi'r arwydd 'Trt—Trt' i Blac i symud, a ninnau i gyd yn y car yn awr, Pegi y pedair oed yn eistedd ymlaen rhwng fy rhieni, a finnau y tu ôl, dyma fy mam yn dweud: 'Cer i'r tŷ, yto, Pegi fach, cydia yn llaw Nwncwl Jawse (ei henw plentynnaidd hi arno) a gwed wrtho fe—"Dewch mas 'da fi, Nwncwl Jawse bach, i ni ga'l mynd 'da'n gilydd yn y car".' Ac i lawr yr aeth Pegi, ac i'r tŷ, mor llon â'r brithyll. Wn i ddim sut y bu hi yno. Ond cyn pen hir iawn dyma hi'n dod mas a Nwncwl Jawse, 'Cyw Ola Penrhiw, diawtht i', gyda hi, gerfydd ei law, bron mor llon â hithau, erbyn hyn—a chwmwl du y gwasgariad, neu beth bynnag ydoedd, wedi cilio'n sydyn, gellid barnu, a'r ffurfafen yn olau drachefn.

Yn hwyrach y dydd yr oedd math o Noson Lawen yn Abernant i wresogi'r aelwyd: canu emynau a hen ddarnau eisteddfodol—Tomos yr Hafod Wen (rhagflaenydd John Thomas), un o'r dynion mwynaf a fu erioed, a 'nhad yn canu tenor fel dwy ffliwt; Benni'r Crydd a'i nodau bas fel organ dan ei fynwes farfog; a'r barwn cestog, Nwncwl Josi, a'i fabinogi raenus yno yn rhywle, heblaw'r cymdogion newydd, yn hen ac ifainc. Ond y peth diwethaf ac amlycaf oll sydd wedi aros ar fy meddwl i, cyn mynd i'r gwely y noson gyntaf honno yn Abernant, ydoedd Nwncwl Jâms yn pwyso'n ôl ar ei wegil, dan fantell y simnai fawr, ei lygaid yn hanner cau, wedi ymgolli yn afiaith yr hen alaw odidog honno, 'Hobed o Hilion', unig gân Harris Bach 'y nghender pan orfyddid arno ganu gynt:

> Pan oeddwn i'n fugail yn Hafod y Rhyd
> A'r defaid yn dyfod i'r gwair ac i'r ŷd . . .

a'r gweddill yn torri i mewn gydag ef, ymhell cyn iddo orffen y pennill cyntaf. Ar gadair dderw solid ger y cloc mowr wrth ddrws y llaethdy eisteddai'r hen ŵr tal, brith-farf, Wiliam Thomas, y Saer, Llansewyl, a phen ei forthwyl gloyw yn cadw'r amser ar y fricsen las wrth flaen ei droed. Rhaid fod y croeso'n frwd gan fod y craciau a wnaed yn y fricsen y noson honno i'w gweld yno hyd heddiw.

Ac fel yna y darfu'r dydd cyntaf o'm bywyd i yn Abernant. Am yr ugain mlynedd nesaf o'm cysylltiad â'r lle rhaid aros am lyfr arall, os Duw, a'r darllenydd, a'i myn.

Geirfa

(Dynoda'r rhif y dudalen y ceir y gair ynddi)

bigitian, 16, 97, 146: rhyw gellwair chwareus, pryfoclyd.
bredych, 89: edlych, eiddilyn.
brogle, 142: cymysg o ddu a gwyn. Fe'i cyfyngir yn bennaf i ddefaid.
bros (broes), 89: gwaell bren y dirwynid yr edau amdani.
brwchgáu, 28, 57: marchocáu, marchogaeth.
bŵl, bylau, 58, 85: both -au. S. *nave of a wheel.*
bwt, 17, 34: bwlch, gwagle.
bylog, 109: ans. o bwlyn, bylau. S. *knob.*

capian, 16: ymbil yn daer.
carsi-mêr, 66: *cashmere.*
casgis, 24: S. *casks.*
ciwdodaeth, 73: dinasyddiaeth.
cloego, 86: bras-ddyrnu â ffust gan adael tipyn o'r grawn ar ôl; curo.
clotasau, clotas, un. clotasen, clotsen, clytsen, 145: S. *clods.*
cludwair, 107, 108: carn o goed tân yn ymyl y tŷ.
cwat, 59, 113, 124: cuddfan; b. cwato, 130.
cwcsog, 92: diserch, anfoddog; ll. cwcs-au; cf. cwpsau, cwpsog, yn Nyfed.
cwrbyn, 85, ll. cyrbau: cameg-au. (Gwêl I Bren. vii, 33). S. *felly.*
'cyfarwydd,' 28, 87: adroddwr stori wrth ei swydd ymhlith y Cymry gynt.

drefa, 86: pedair ar hugain o ysgubau. S. *thrave.*
durfin, 24: caled ac iraidd serennog. Am ymenyn yn unig y clywid ei ddefnyddio.

ffusto, 125: curo'r perthi a'r twmpathau i godi'r helwriaeth.
garetsyn, 172: ll. garets; moron; S. *carrots.*
gwandde, 78: gwadnau esgid.
gwaunlle, 15: cornelyn o gae rhy wlyb i dyfu ŷd ynddo ac a gedwid yn wair neu'n borfa.
gŵer, 90: man cysgodol rhag gwres yr haul.
gwned (gwynad), 34: yn gofyn march.

helem, 86, 136: tas gron o ŷd, yn bigfain fel helm.

ielffust, 86 < gwieilffust: pen y ffust, tua dwy droedfedd o hyd, a gysylltid yn llac â charrai gref wrth y coes.
ielstyn, 90: llefnyn main o grwt ar hanner ei dwf.

lweth, 88, 89, 90: eilwaith.
lip, 175: basged hirgron wedi ei phlethu o wellt gwenith a drysïen hollt yn rhwymo'r haenau. Fe'i defnyddid yn fynych i gario *chaff* i geffylau.

'Llwyn Niclas', 76: ymddengys fod y pren afalau hwn yn llewyrchu o hyd mewn gwahanol rannau o Sir Gaerfyrddin.
llywanen, 89: canfas garw at gario gwair a gwellt i anifeiliaid.

macsu, 33, 68, 169: gwneud cwrw o frag (*malt*) yr haidd; macsad cartre: *home brew.*
mhoelyd, 38, 82: (1) ymchwelyd. S. *to overturn.* (2) aredig, e.e. mhoelyd y tir.

pibis, 26: cintachlyd, pigog; S. *peevish.*
plwmwns, 76: S. *plums.*

rhico, 120: canmol gwag, ffuantus.
rhip, 90: darn hirsgwar o bren tua throedfedd o hyd at hogi pladur; o iro 'i ochrau â bloneg a'i drochi mewn swnd mâl o garreg neilltuol gweithredai fel *sandpaper* i'w dynnu gyda graen y min i wneud awch. S. *strickle.*
rhogle, 89: aroglau.
rhwyth, 55, 27: llyn o ddŵr marw a erys, weithiau, lle bo afon wedi newid ei chwrs. Clywir y ffurf 'yr wyth' ar beth tebyg ar lan Tywi, yn ôl y Parch. Gomer Roberts. Ceir dau le o'r enw 'Glan Rwyth', un ar lan Tywi ar llall ar lan Cothi. Am 'rhwyth' ac 'yr wyth' cymharer 'rhiniog' ac 'yr hiniog'.

sgaram, 22: rhyw greadur tal, esgyrnog, tenau. (Cyfyngid y term i geffyl, ac i ddyn).
shiprys, 116, 170: cnwd cymysg o haidd a cheirch.
siwrl, 120: y rhawn garw ar egwydydd ceffyl.
siwrwd, 99: rhywbeth wedi ei chwalu yn fân, fân. Cf. sorod.
sprotgwn, un sprotgi, 124: potsier, sgwlci, b. sgwlcast. Cf. S. *sport.*
strodur, ystrodur, 80: S. *cart-saddle.*

têl-au, 36: pum winshin (*bushel*) o ŷd.
toien, 89: tôen; coflaid o wellt wedi ei ddyrnu a'i rhwymo â rheffyn.
trallwng, 55: ceunant serth a dwfn uwchben afon neu dir corsog. S. *ravine.*
tryfer, -i, 121, 122: fforch deirpig, adfachog i drywanu pysgod.
twician, 151: *to twitch.*

uchafed, 134: cefn a gwddf yr esgid, sef o'r gwadn i fyny. S. *uppers.*

wablin, 20, 86: ffroth, e.e. wablin chwys, wablin sebon.
wben, 88: ubain, sgrechain.
whimlyd, 80: syflyd.
whithryn, 17: y dim lleiaf. Cf. rhithyn.
winben (neu wimben), 86: ewinbren; y trawst croes sy'n gwneud triawd cwpwl y tŷ. S. *tie beam.*
windrewog, 99: ewin-rew-og. Cf. Henry a Hendry.
win-gul, 154: sigledig ac ansicr i roi pwysau arno. Cf. gwan + cul.
winshin, 36 (ll. winshisteri): S. *Winchester bushel* o ddyddiau Harri VII; mesur o ŷd yn amrywio mewn pwysau yn ôl dwyster y grawn, e.e. ceirch tua 40 pwys, haidd 56, gwenith 60.